나의 첫 문학 수업

문학을 열다

2

나의 첫 문학 수업

문학을 열다 2 – 한국 현대 소설 베스트 ❷

초판 1쇄 발행 2020년 09월 10일
초판 16쇄 발행 2024년 07월 22일

글 황순원 · 하근찬 · 이호철 외   **그림** 에토프
발행처 주식회사 스푼북   **발행인** 박상희   **총괄** 김남원
출판신고 2016년 11월 15일 제2017- 000267호
주소 (03993) 서울시 마포구 월드컵북로6길 88-7 ky21빌딩 2층
전화 02- 6357- 0050(편집) 02- 6357- 0051(마케팅)
팩스 02- 6357- 0052   **전자우편** book@spoonbook.co.kr

ISBN 979- 11- 6581- 028-3 (44810)

ISBN 979- 11- 6581- 026-9 (세트)

나의 첫 문학 수업

문학을 열다

2

한국 현대 소설 베스트 ❷

황순원·하근찬·이호철 외 글 | 에토프 그림

스푼북

들어가며

"같은 강물에 발을 두 번 담글 수 없다."라는 그리스의 철학자 헤라클레이토스의 말처럼 우리의 삶은 끊임없이 변화를 지속합니다. 흔히 일상이 반복된다고 말하곤 하지만 동일한 경험은 절대 불가능합니다. 시간, 장소 그리고 우리의 감정과 기분에 따라 매 순간 우리는 새로운 세계와 사건의 발생을 경험하고 있습니다. 삶은 이렇게 무한한 사건과 변화로 구성됩니다. 그런데 사건과 변화가 이야기의 본질이라는 점에서 삶이 곧 이야기라고도 할 수 있지 않을까요. 우리의 실제 삶 전체를 구석구석 들여다봐도 이야기가 아닌 부분이 없습니다. 일정 분량의 스토리를 가져야만 이야기가 되는 것은 아닙니다. 숨을 쉬고, 눈을 깜박이고, 길을 걷고, 하늘을 보는 것, 이들 모두가 이야기입니다. 그렇다면 우리는 살아가면서 이야기를 만들어 내는 것일까요. 이야기 없는 삶을 생각해 볼까요. 아마 생각할 수 없을 겁니다. 따라서 삶은 그 자체로 존재하는 것이 아니라 이야기를 통해서만 존재합니다. 이야기로 재현된 삶만이 우리에게 인식되고, 이것이 바로 우리가 생각하는 삶입니다. 달리 말하면 우리는 눈앞에 막연히 펼쳐진 세계를 사는 것이 아니라 이야기의 형태를 부여받은 세계를 사는 것입니다.

그런데 우리는 삶과 이야기를 별개로 생각하는 경향이 있습니다. 따지고 보면 이야기가 삶의 본질에 가장 가깝습니다. 이야기의 기능을 구체적으로 나눠 보면 더욱 확실해집니다. 이야기는 크게 세 가지 기능을 수행합니다. 먼저 이야기는 우리의 기억을 구성합니다. 다음으로 이야기는 사고 또는 사고 능력에 관여합니다. 삶의 애매하고 복잡한 문제를 대할 때마다 우리는 나름대로의 문제의식을 가지고 그에 대한 구체적인 설명과 해결책을 찾으려고 합니다. 이 과정 자체가 이야기를 닮기도 했지만 이야기는 현재의 문제를 과거에 있었던 유사한 경험적 맥락을 제시하며 우리로 하여금 보다 심오한 의미를 발견하게 합니다. 이야기의 마지막 기능은 상상력입니다. 상상하는 것은 과거의 지각, 이해, 경험과 관계된 이야기를 다양한 방식으로 재가동하는 것이기 때문입니다. 이와 같은 이야기의 세 가지 기능을 적극 활용함으로써 인간은 지구상의 다른 동물과 차별화된 진화의 단계를 밟을 수 있었고, 오늘날의 문명을 이루게 되었습니다.

문명의 진화, 발전에 보조를 맞춰 우리 인간의 행동을 정확히 표현하고 이해할 수 있도록 우리는 이야기의 정교한 체계를 만들어야 했습니다. 문학은 바로 이야기가 갖춘 정교한 체계의 한 형태입니다. 앞서 언급했듯 문명의 성격, 사회적 환경의 변화에 따라 이야기의 체계도 변합니다. 문학의 양식 역시 고정불변하는 것이 아니라 역사적으로 변화, 발전하는 것입니다. 이를테면 향가나 악장과 같이 양식이 사라질 때도 있고, 오늘날의 사이버 문학 같이 새로운 양식이 나타날 때도 있습니다. 소설은 근대와 함께 새롭게 등장한 양식입니다. 서양에서는 이전의 문학과 완전히 다르다는 뜻에서 '새로움'이라는 단어 자체를 소설을 가리키는 용어로 사용합니다. 물론 동양에서는 일찍부터 소설이란 용어를 사용하긴 했지만 오늘날 우리가 이해하는 소설의 개념과는 차이가 있습니다. 소설이 근대와 함께 나타났다면 근대는 무엇이며, 근대 이전과 이후는 무엇이 다른지를 알아야 합니다.

그런데 근대에 대한 규정, 근대 이전과 근대 이후를 구분하는 기준에 대해서는 학자들 사이에서도 의견이 분분합니다. 다만 소설과 관련해서 생각해 보면 세계를 총체적으로 이해하는지의 여부가 근대를 구분하는 유효한 기준이 될 수 있습니다. 18세기부터 본격적으로 진행된 산업화·도시화를 배경으로 근대가 시작되었고, 획일화되고 규격화되어 가는 사회적 환경의 변화 속에서 수 세기를 이어 온 공동체적 양식들은 하나둘 사라집니다. 근대 이후로 기계 부품처럼 파편화된 인간들은 같은 하늘을 보며 얘기할 수 없게 됩니다. 서로 다른 우물 안에 갇힌 것처럼 각자의 삶에 묻어 있는 세계의 모습만을 볼 수 있을 뿐입니다. 소설은 이러한 개인의 일상적 삶을 생생하게 표현하고 담아낼 양식의 필요성에 의해 생겨났습니다. 전통적인 문학의 양식과 달리, 소설은 모든 문학적 가능성에 대해 개방적이기 때문에 한계를 지니지 않는 소설은 근대 이후의 삶의 방식을 가장 잘 드러내는 문학의 양식으로 확고히 자리를 잡게 된 것입니다.

소설은 복잡하게 흩어진 세계의 조각과 같습니다. 근대 이후의 삶을 살아가는 우리는 결코 근대 이전의 단일한 세계를 되찾을 수 없지만, 최대한 많은 경험의 조각을 모으며 세계를 보다 넓게 이해할 수는 있습니다. 그렇지만 퍼즐 조각을 다 갖고 있다고 해서 퍼즐이 완성되는 게 아니듯 많은 소설을 읽는 것만으로는 부족합니다. 중요한 것은 소설의 조각들 속에서 길을 잃지 않는 것입니다. 조각들이 전체로서의 조화를 이루고 있다는 사실을 알고, 각 조각을 다른 조각과의 관계 속에 놓을 줄 알아야 합니다. 또한 핵심적인 조각과 부수적인 조각을 갈라내는 일 역시 요구됩니다. 모든 소설이 의미와 가치를 지니고는 있지만, 밤하늘의 별이 모두 별자리를 이루는 별이 될 수 없듯, 절대적 또는 상대적으로 더 밝은 빛을 내는 소설이 있습니다. 이런 소설의 빛들이 만든 길은 우리 내면의 자질을 자극하고 북돋아 줄 뿐만 아니라 앞으로 있을 독서 경험에 대한 올바른 모델이 되어 새로운 작품을 발견하게 합니다.

〈문학을 열다〉 시리즈 2권은 이태준, 채만식, 황순원, 김성한, 선우휘, 하근찬, 이범선, 전광용, 이호철, 김정한, 서정인 등 한국 문학을 대표하는 작가들이 1941년부터 1970년 사이에 발표한 13편의 작품을 수록하고 있습니다. 이들 작품은 문학성과 예술성을 인정받아서 이미 한국 현대 소설의 정전의 반열에 오른 작품으로 교과서에서 수록되거나 대학수학능력시험과 평가원 모의 평가 등에 출제되기도 했습니다. 2권에 수록한 작품은 무엇보다 한국 근현대사에서 절대적으로 중요한 사건들을 다루고 있습니다. 태평양 전쟁을 일으킨 일제의 조선에 대한 억압과 수탈, 36년간의 식민 지배로부터의 해방, 해방기의 혼란을 방치했던 미국과 소련의 한반도 분할 점령과 이념 차이에 따른 남북 분단, 그리고 6·25 전쟁, 전후의 부조리한 현실에 저항한 4·19 민주화 운동, 반민주적 5·16 군사 정변과 군부 독재 등. 정치·경제·사회·문화·교육 등의 모든 방면에 커다란 변혁을 불러올 만큼 한국 사회의 정체성에 미친 영향력이 컸던 사건들이 작품들의 시·공간적 배경을 이루고 있습니다. 소설의 특성상 역사적 사건을 전면에 내세우지는 않지만 각 작품의 주제에 해당하는 전통과 현대의 관념적 대립, 현실의 부패와 타락상, 그리고 전후의 실존주의·허무주의·휴머니즘 등이 그 역사적 사건들과 직결되어 있습니다. 따라서 2권에 수록된 작품을 잘 이해하기 위해서는 시대적 맥락을 살피는 일이 긴요합니다.

인간은 완성된 존재가 아니라 완성을 향해 가는 존재입니다. 그렇기 때문에 우리의 삶은 언제든 흔들릴 수 있습니다. 흔들림을 최소화하기 위해서는 지식뿐만 아니라 지성·감수성·창조성을 함께 상호 작용하여 자기 내면의 자질을 다양하게 개발해야만 합니다. 문학적 경험을 강조하는 이유가 바로 여기에 있습니다. 특히 청소년기의 문학적 경험은 기억의 지층 안에 머물며 내면의 자질을 함양하도록 특별한 영향을 평생토록 지속해서 발휘합니다. 〈문학을 열다〉 시리즈가 청소년 여러분에게 현재와 미래에 대한 자신감을 북돋아 줄 유의미한 경험이 되길 바랍니다.

최호빈(고려대학교 교수)

차례

들어가며 004

1	돌다리	이태준	1943	011
2	논 이야기	채만식	1946	023
3	이상한 선생님	채만식	1949	051
4	소나기	황순원	1953	063
5	바비도	김성한	1956	077
6	불꽃	선우휘	1957	093
7	수난이대	하근찬	1957	159

8   오발탄   이범선   1959   177

9   꺼삐딴 리   전광용   1962   215

10   닳아지는 살들   이호철   1962   251

11   1965년, 어느 이발소에서   이호철   1965   279

12   모래톱 이야기   김정한   1966   297

13   강   서정인   1968   331

일러두기

1. 표기는 원문에 충실히 따르는 것을 원칙으로 하되, 띄어쓰기는 최대한 현행 표기법을 따랐습니다. 단, 작품의 분위기에 영향을 준다고 판단되는 방언이나 구어체 표현, 의성어, 의태어 등은 그대로 두었습니다.

2. 책 제목, 장편 소설은 《 》, 단편 소설, 연극·잡지·노래 제목은 〈 〉로 표시하였습니다.

3. 부가적으로 설명이나 단어 풀이가 필요하다고 판단한 경우에는 각주로 설명을 붙여 놓았습니다.

4. 작품의 말미에 밝혀 둔 작품 출처는 저작권사의 요청으로 인한 것입니다.

5. 출간 당시 저작권자 확인 불가로 허가를 받지 못한 작품에 대해서는 추후 저작권 확인이 되는 대로 절차에 따라 계약을 진행하도록 하겠습니다.

돌다리

이태준

이태준 (1904~?)

강원도 철원에서 태어났다. 1925년 〈조선문단〉에 〈오몽녀〉가
입선되면서 본격적으로 문단에 나왔다. 〈돌다리〉에서는 인정과
의리를 소중히 여기는 인물을 통해서 물질적 가치에 의해 기존
의 전통적 가치가 붕괴되는 현실을 비판적으로 바라본다. 작품
으로는 〈복덕방〉 〈달밤〉 등이 있다.

정거장에서 샘말 10리 길을 내려오노라면 반이 될락말락한 데서부터 샘말 동네보다는 그 건너편 산기슭에 놓인 공동묘지가 먼저 눈에 뜨인다.

창섭은 잠깐 걸음을 멈추고까지 바라보았다.

봄에 올 때 보면, 진달래가 불붙듯 피어 올라가는 야산이다. 지금은 단풍철도 지나고 누르퇴퇴한 가닥나무[1]들만 묘지를 둘러, 듣지 않아도 적막한 버스럭 소리만 울릴 것 같았다. 어느 것이라고 집어낼 수는 없어도, 창옥의 무덤이 어디쯤이라고는 짐작이 된다. 창섭은 마음으로 '창옥아.' 불러 보며 묵례를 보냈다.

다만 오뉘[2]뿐으로 나이가 훨씬 떨어진 누이였었다. 지금도 눈에 선-하다. 자기가 마침 방학으로 와 있던 여름이었다. 창옥은 저녁 먹다 말고 갑자기 복통으로 뒹굴었다. 읍으로 뛰어들어 가 의사를 청해 왔다. 의사는 주사를 놓고 들어갔다. 그러나 밤새도록 열은 내리지 않았고, 새벽녘엔 아파하는 것도 더해 갔다. 다시 의사를 데리러 갔으나, 의사는 바쁘다고 환자를 데려오라 하였다. 하라는 대로 환자를 데리고 들어갔으나 역시 오진을 했었다.

다시 하루를 지나 고름이 터지고 복막이 절망적으로 상해 버린 뒤에야 겨우 맹장염인 것을 알아낸 눈치였다.

그때 창섭은, 자기도 어른이기만 했으면 필시 의사의 먹살을 들었을 것이었다. 이런, 누이의 허무한 죽음에서 창섭은 뜻을 세워, 아버지가 권하는 고농[3]을

---

1 가닥나무 '떡갈나무'의 방언.
2 오뉘 '오누이'의 준말.
3 고농(高農) '고등 농림 학교'를 줄여 이르는 말. 일제 강점기 때 농업 및 임업에 관한 전문 교육을 실시하던 학교.

마다하고 의전[4]으로 들어갔고, 오늘에 이르러는 맹장 수술로는 서울서도 정평이 있는 한 권위가 된 것이다.

'창옥아, 기뻐해다우. 이번에 내 병원이 좋은 건물을 만나 커지는 거다. 개인 병원으론 제일 완벽한 수술실이 실현될 거다. 입원실 부족도 해결될 거다. 네 사진을 크게 확대해 내 새 진찰실에 걸어 놓으마 ……'

창섭은 바람도 쌀쌀할 뿐 아니라, 오후 차로 돌아가야 할 길이라 걸음을 재우쳤다[5].

길은 그전보다 넓어도졌고 바닥도 평탄하였다. 비나 오면 진흙에 헤어날 수 없었는데 복판으로는 자갈이 깔리고 어떤 목[6]은 좁아서 소바리[7]가 논으로 미끄러져 들어가기 십상이었는데, 바위를 갈라내어서까지 일매지게[8] 넓은 길로 닦아졌다. 창섭은, '이럴 줄 알았다면 정거장에서 자전거라도 빌려 타고 올걸.' 하였다.

눈에 익은 정자나무 선 논이며 돌각담을 두른 밭들도 나타났다. 자기 집 논과 밭들이었다. 논둑에 선 정자나무는 그전부터 있는 것이나, 밭에 돌각담들은 아버지께서 손수 쌓으신 것이다.

창섭의 아버지는 근검으로 근방에 소문난 영감이다. 그러나 자기 대에 와서는 밭 하루갈이[9]도 늘리지는 못한 것으로도 소문난 영감이다. 곡식값보다는 다른 물가들이 높아졌을 뿐 아니라, 전대에는 모르던 아들의 유학이란 것이 큰 부담인 데다가,

"할아버지와 아버지께서 나를 부자 소린 못 들어도 굶는단 소린 안 듣고 살도록 물려주시구 가셨다. 드럭드럭[10] 탐내 모아선 뭘 허니, 할아버님께서 쇠똥

---

4 의전(醫專) 일제 강점기 때 의학을 가르치던 전문학교.
5 재우치다 빨리 몰아치거나 재촉하다.
6 목 길목.
7 소바리 등에 짐을 실은 소. 또는 그 짐.
8 일매지다 죄다 고르고 가지런하다.
9 하루갈이 소를 데리고 하룻낮 동안에 갈 수 있는 밭의 넓이.
10 드럭드럭 더럭더럭. 잇달아 아주 많이.

을 맨손으로 움켜다 넣으시던 논, 아버님께서 멍덜[11]을 손수 이룩허신 밭을 더 건[12] 논으로, 더 기름진 밭이 되도록 닦달만 해 가기에도 내겐 벅찬 일일 게다."

하고 절용해 쓰고 남는 돈이 있으면 그 돈으로는 품을 몇씩 들여서까지 비뚠 논배미[13]를 바로잡기, 밭에 돌을 추려 바람맞이로 담을 두르기, 개울엔 둑막이하기, 그러다가 아들이 의사가 된 후로는, 아들 학비로 쓰던 몫까지 들여서 동네 길들은 물론, 읍 길과 정거장 길까지 닦아 놓았다. 남을 주면 땅을 버린다고 여간 근실한 자국이 아니면 소작을 주지 않았고, 소를 두 필이나 매고 일꾼을 세 명씩이나 두고 적지 않은 전답을 전부 자농으로 버티어 왔다. 실속이 타작[14]만 못하다는 둥, 일꾼 셋이 저희 농사해 가지고 나간다는 둥, 이해만을 따져 비평하는 소리가 많았으나, 창섭의 아버지는 땅을 위해서는 자기의 이해만으로 타산하려 하지 않았다. 이와 같은 임자를 가진 땅들이라 곡식은 거둔 뒤, 그루만 남은 논과 밭이되, 그 바닥들의 고름, 그 언저리들의 바름, 흙의 부드러움이 마치 시루떡 모판이나 대하는 것처럼 누구의 눈에나 탐스럽게 흐뭇해 보였다.

이런 땅을 팔기에는, 아무리 수입은 몇 배 더 나은 병원을 늘리기 위해서나 아버지께 미안하지 않을 수 없었다. 그러나 잡히기나 해 가지고는 3만 원 돈을 만들 수가 없었고, 서울서 큰 양관[15]을 손에 넣기란 돈만 있다고도 아무 때나 될 일이 아니었다.

'아버지께선 내년이 환갑이시다! 어머니께선 겨울이면 해마다 기침이 도지신다. 진작부터 내가 모셔야 했을 거다. 그런데 내가 시골로 올 순 없고, 천생 부모님이 서울로 가시어야 한다. 한동네서도 땅을 당신만큼 못 거둘 사람에겐 소작을 주지 않으셨다. 땅 전부를 소작을 내맡기고는 서울 가 편안히 계실 날이 하루도 없으실 게다. 아버님의 말년을 편안히 해 드리기 위해서도 땅은 전부 없애 버

---

11 멍덜 너설. 험한 바위나 돌 따위가 삐죽삐죽 나온 곳.
12 걸다 흙이나 거름 따위가 기름지고 양분이 많다.
13 논배미 논두렁으로 둘러싸인 논 하나하나의 구역.
14 타작 거둔 곡식을 지주와 소작인이 어떤 비율에 따라 갈라 가지는 제도.
15 양관 서양식으로 지은 건물.

릴 필요가 있는 거다!'

창섭은 샘말에 들어서자 동구에서 이내 아버지를 뵐 수가 있었다. 아버지는, 가에는 살얼음이 잡힌 찬물에 무릎까지 걷고 들어서서 동네 사람들을 축추겨[16] 돌다리를 고치고 계시었다.

"어떻게 갑재기[17] 오느냐?"

"네, 좀 급히 여쭤봐야 할 일이 생겼습니다."

"그래? 먼저 들어가 있거라."

동네 사람 수십 명이 쇠고삐 두 기장은 흘러 내려간 다릿돌을 동아줄에 얽어 끌어올리고 있었다. 개울은 동네 복판을 흐르고 있어 아래위로 징검다리는 서너 군데나 놓였으나 하룻밤 비에도 일쑤[18] 넘치어 모두 이 큰 돌다리로 통행하던 것이었다. 창섭은 어려서 아버지께 이 큰 돌다리의 내력을 들은 것이 아직도 기억에 남아 있다.

"너의 증조부님 돌아가시어서다. 산소에 상돌[19]을 해 오시는데 징검다리로야 건네올 수가 있니? 그래 너의 조부님께서 다리부터 이렇게 넓구 튼튼한 돌루 노신 거란다."

그 후 오륙십 년 동안 한 번도 무너진 적이 없었는데, 몇 해 전 어느 장마엔 어찌 된 셈인지 가운데 제일 큰 돌이 내려앉아 떠내려갔던 것이다. 두께가 한 자는 실하고 폭이 여섯 자, 길이는 열 자가 넘는 자연석 그대로라 여간 몇 사람의 힘으로는 손을 댈 엄두부터 나지 못하였다. 더구나 불과 수십 보 이내에 면의 보조를 얻어 난간까지 달린 한다한[20] 나무다리가 놓인 뒤에 일이라, 이 돌다리는 동네 사람들에게 완전히 잊힌 채 던져져 있던 것이었다.

집에 들어가니, 어머니는 다리 고치는 사람들 점심을 짓노라고, 역시 여러 명

---

16 축추기다 남을 부추기거나 떠밀어 어떤 일을 하게 만들다.
17 갑재기 '갑자기'의 방언.
18 일쑤 흔히 또는 으레 그러는 일.
19 상돌 무덤 앞에 제물을 차려 놓기 위하여 넓적한 돌로 만든 상.
20 한다하는 수준이나 실력 따위가 상당하다고 자처하거나 그렇게 인정받는.

의 동네 여편네들과 허둥거리고 계시었다.

"웬일인데 어째 혼자만 오느냐?"

어머니는 손자 아이들부터 보이지 않음을 물으신다.

"오늘루 가야겠어서 아무두 안 데리구 왔습니다."

"오늘루 갈 걸 뭘 허 오누?"

"인전 어머니서껀 서울로 모셔 갈 채빌 허러 왔다우."

"서울루! 제발 아이들허구 한데서 살아 봤음 원이 없겠다."

하고 어머니는 땅보다, 조상님들 산소나 사당보다 손자 아이들에게 더 마음이 끌리시는 눈치였다. 그러나 아버지만은 그처럼 단순히 들떠질 마음이 아니었다.

아버지는 아들의 뒤를 쫓아 이내 개울에서 들어왔다. 아들은, 의사인 아들은, 마치 환자에게 치료 방법을 이르듯이, 냉정히 차근차근히 이야기를 시작하였다. 외아들인 자기가 부모님을 진작 모시지 못한 것이 잘못인 것, 한집에 모이려면 자기가 병원을 버리기보다는 부모님이 농토를 버리시고 서울로 오시는 것이 순리인 것, 병원은 나날이 환자가 늘어 가나 입원실이 부족되어 오는 환자의 3분의 1밖에 수용 못 하는 것, 지금 시국에 큰 건물을 새로 짓기란 거의 불가능의 일인 것, 마침 교통 편한 자리에 3층 양옥이 하나 난 것, 인쇄소였던 집인데 전체가 콘크리트여서 방화 방공으로 가치가 충분한 것, 3층은 살림집과 직공들의 합숙실로 꾸미었던 것이라 입원실로 변장하기에 용이한 것, 각층에 수도, 가스가 다 들어온 것, 그러면서도 가격은 염한[21] 것, 염하기는 하나 3만 2,000원이라 지금의 병원을 팔면 1만 5,000원쯤은 받겠지만, 그것은 새 집을 고치는 데와 수술실의 기계를 완비하는 데 다 들어갈 것이니 집값 3만 2,000원은 따로 있어야 할 것, 시골에 땅을 둔대야 1년에 고작 3,000원의 실리가 떨어질지 말지 하지만 땅을 팔다 병원만 확장해 놓으면 적어도 1년에 만 원 하나씩은 이익을 뽑을 자신

---

21 염하다 값이 싸다.

이 있는 것, 돈만 있으면 땅은 이담에라도, 서울 가까이라도 얼마든지 좋은 것으로 살 수 있는 것……. 아버지는 아들의 의견을 끝까지 잠잠히 들었다. 그리고,

"점심이나 먹어라. 나두 좀 생각해 봐야 대답허겠다."

하고는 다시 개울로 나갔고, 떨어졌던 다릿돌을 올려놓고야 들어와 그도 점심상을 받았다.

점심을 자시면서였다.

"원, 요즘 사람들은 힘두 줄었나 봐! 그 다리 첨 놀 제 내가 어려서 봤는데 불과 여남은[22] 이서 거들던 돌인데 장정 수십 명이 한나절을 씨름을 허다니!"

"나무다리가 있는데 건 왜 고치시나요?"

"너두 그런 소릴 허는구나. 나무가 돌만 허다든? 넌 그 다리서 고기 잡던 생각두 안 나니? 서울루 공부 갈 때 그 다리 건너서 떠나던 생각 안 나니? 시쳇사람[23]들은 모두 인정이란 게 사람한테만 쓰는 건 줄 알드라! 내 할아버니[24] 산소에 상돌을 그 다리로 건네다 모셨구, 내가 천잘[25] 끼구 그 다리루 글 읽으러 댕겼다. 네 어미두 그 다리루 가말 타구 내 집에 왔어. 나 죽건 그 다리루 건네다 묻어라……. 난 서울 갈 생각 없다."

"네?"

"천금이 쏟아진대두 난 땅은 못 팔겠다. 내 아버님께서 손수 이룩하시는 걸 내 눈으루 본 밭이구, 내 할아버님께서 손수 피땀을 흘려 모신 돈으루 장만허신 논들이야. 돈 있다고 어디가 느르지논[26] 같은 게 있구, 독시장밭 같은 걸 사? 느르지논둑에 선 느티나문 할아버님께서 심으신 거구, 저 사랑 마당에 은행나무는 아버님께서 심으신 거다. 그 나무 밑에를 설 때마다 난 그 어룬들 동상이나 다름없이 경건한 마음이 솟아 우러러보군 헌다. 땅이란 걸 어떻게 일시 이해를

---

22 여남은 열이 조금 넘는 수의.
23 시쳇사람 그 시대의 풍습·유행을 따르거나 지식 따위를 받음. 또는 그런 풍습이나 유행.
24 할아버니 '할아버지'의 방언.
25 천잘 천자문을.
26 느르지논 농부가 열심히 갈고 닦은 좋은 논.

따져 사구팔구 허느냐? 땅 없어 봐라, 집이 어딨으며 나라가 어딨는 줄 아니? 땅이란 천지 만물의 근거야. 돈 있다구 땅이 뭔지두 모르구 욕심만 내 문서쪽으로 사 모으기만 하는 사람들, 돈놀이처럼 변리만 생각허구 제 조상들과 그 땅과 어떤 인연이란 건 도시[27] 생각지 않구 헌신짝 버리듯 하는 사람들, 다 내 눈엔 괴이한 사람들루밖엔 뵈지 않드라."

"……."

"네가 뉘 덕으루 오늘 의사가 됐니? 내 덕인 줄만 아나? 내가 땅 없이 뭘루? 밭에 가 절하구 논에 가 절해야 쓴다. 자고로 하눌[28] 하눌 허나, 하눌의 덕이 땅을 통허지 않군 사람헌테 미치는 줄 아니? 땅을 파는 건 그게 하눌을 파나 다름없는 거다."

"……."

"땅을 밟구 다니니까 땅을 우습게들 여기지? 땅처럼 응과[29]가 분명헌 게 무어냐? 하눌은 차라리 못 믿을 때두 많다. 그러나 힘들이는 사람에겐 힘들이는 만큼 땅은 반드시 후헌 보답을 주시는 거다. 세상에 흔해 빠진 지주들, 땅은 작인들헌테나 맡겨 버리구, 떡 도회지에 가 앉어 소출[30]은 팔어다 모다 도회지에 낭비해 버리구, 땅 가꾸는 덴 단돈 1원을 벌벌 떨구, 땅으루 살며 땅에 야박한 놈은 자식으루 치면 후레자식 셈이야. 땅이 말을 할 줄 알어 봐라? 배가 고프단 땅이 얼마나 많을 테냐? 해마다 걷어만 가구 땅은 자갈밭이 되니 아나? 둑이 떠나가니 아나? 거름 한 번을 제대로 넣나? 정 급허게 돼 작인이 우는소리나 해야 요즘 너이 신의[31]들 주사침 놓듯, 애꾸진 금비[32]만 갖다 털어 넣지. 그렇게 땅을 홀댈 허군 인제 죽어서 땅이 무서서 어디루들 갈 텐구!"

---

27 도시 도무지. 아무리 해도.
28 하눌 '하늘'의 방언.
29 응과 원인과 결과.
30 소출 논밭에서 나는 곡식. 또는 그 곡식의 양.
31 신의 '한의'를 '구의'라 하는 것에 빗대어 '양의'를 이르는 말.
32 금비 돈을 주고 사서 쓰는 거름.

창섭은 입이 얼어 버리었다. 손만 부비었다. 자기의 생각은 너무나 자기 본위였던 것을 대뜸 깨달았다. 땅에는 이해를 초월한 일종 종교적 신념을 가진 아버지에게 아들의 이단적인 계획이 용납될 리 만무였다. 아버지는 상을 물리고도 말을 계속하였다.

"너루선 어떤 수단을 쓰든지 병원부터 확장허려는 게 과히 엉뚱헌 욕심은 아닐 줄두 안다. 그러나 욕심을 부런 못쓰는 거다. 의술은 예로부터 인술이라지 않니? 매살 순탄허게 진실허게 해라."

"……."

"네가 가업을 이어 나가지 않는다군 탄허지 않겠다. 넌 너루서 발전헐 길을 열었구, 그게 또 모리지배[33]의 악업이 아니라 활인허는[34] 인술이구나! 내가 어떻게 불평을 말허니? 다만 삼사 대 집안에서 공들여 이룩해 논 전장[35]을 남의 손에 내맡기게 되는 게 저윽[36] 애석헌 심사가 없달 순 없구…….."

"팔지 않으면 그만 아닙니까?"

"나 죽은 뒤에 누가 거두니? 너두 이제두 말했지만 넘의 문서쪽만 쥐구 서울 앉어 지주 노릇만 허게? 그따위 지주허구 작인 틈에서 땅들만 얼말 곯는지 아니? 안 된다. 팔 테다. 나 죽을 임시엔 다 팔 테다. 돈에 팔 줄 아니? 사람헌테 팔 테다. 건너 용문이는 우리 느르지논 같은 건 한 해만 부쳐 보구 죽어두 농군으로 태어났던 걸 한허지 않겠다구 했다. 독시장밭을 내논다구 해 봐라, 문보나 덕길이 같은 사람은 길바닥에 나앉드라두 집을 팔아 살려구 덤빌 게다. 그런 사람들이 땅 임자 안 되구 누가 돼야 옳으냐? 그러니 아주 말이 난 김에 내 유언이다. 그런 사람들 무슨 돈으로 땅값을 한몫 내겠니? 몇몇 해구 그 땅 소출을 팔아 연년이[37] 갚어 나가게 헐 테니, 너두 땅값을랑 그렇게 받어 갈 줄 미리 알구 있거

라. 그리구 네 어머니가 먼저 가면 내가 묻을 거구, 내가 먼저 가게 되면 네 어머니만은 네가 서울루 그때 데려가렴. 난 샘말서 이렇게 야인으로나 죄 없는 밥을 먹다 야인인 채 묻힐 걸 흡족히 여긴다."

"……."

"자식의 젊은 욕망을 들어 못 주는 게 애비 된 맘으루두 섭섭허다. 그러나 이 늙은이헌테두 그만 신념쯤 지켜 오는 게 있다는 걸 무시하지 말어다구."

아버지는 다시 일어나 담배를 피우며 다리 고치는 데로 나갔다. 옆에 앉았던 어머니는 두 눈에 눈물을 쭈루루 흘리셨다.

"너이 아버지가 여간 고집이시냐?"

"아뇨, 아버지가 어떤 어룬이신 건 오늘 제가 더 잘 알았습니다. 우리 아버진 훌륭헌 인물이십니다."

그러나 창섭도 코허리가 찌르르하였다. 자기가 계획하고 온 일이 실패한 것쯤은 차라리 당연하게 생각되었고, 아버지와 자기와의 세계가 격리되는 일종의 결별의 심사를 체험하는 때문이었다.

아들은 아버지가 고쳐 놓은 돌다리를 건너 저녁차를 타러 가 버리었다. 동구 밖으로 사라지는 아들의 뒷모습을 지키고 섰을 때, 아버지의 마음도, 정말 임종에서 유언이나 하고 난 것처럼 외롭고 한편 불안스러운 심사조차 설레었다.

아버지는 종일 개울에서 허덕였으나 저녁에 잠도 달게 오지 않았다. 젊어서 서당에서 읽던 백낙천[38]의 시가 다 생각이 났다. 늙은 제비 한 쌍을 두고 지은 노래였다. 제 배 속이 고픈 것은 참아 가며 입에 얻어 문 것은 새끼들부터 먹여 길렀으나, 새끼들은 자라서 나래에 힘을 얻자 어디로인지 저희 좋을 대로 다 날아가 버리어, 야위고 늙은 어버이 제비 한 쌍만 가을바람 소슬한 추녀 끝에 쭈그리

---

38 백낙천 중국 당의 시인 '백거이'를 이르는 말.

을 추렴하고[4] 술을 사고 하여 놓고 조촐히 만세를 불렀다.

한 생원은 그 자리에 참례[5]를 하지 아니하였다. 남들이 가서 같이 만세를 부르자고 하였으나 한 생원은 조선이 독립이 되었다는 것이 별양 반가운 줄을 모르겠었다. 그저 덤덤할 뿐이었었다.

물론 일본이 항복을 하였으니 전쟁은 끝이 난 것이요, 전쟁이 끝이 났으니 벼 공출[6]을 비롯하여 솔뿌리 공출이야, 마초[7] 공출이야, 채소 공출이야, 가지가지의 그 억울하고 성가신 공출이 없어지고 말 것이었다.

또, 열여덟 살배기 손자 놈 용길이가 징용에 뽑혀 나갈 염려가 없을 터이었다. 얼마나 한 생원은, 일찍이 아비를 여의고, 늙은 손으로 여태껏 길러 온 외톨 손자 놈 용길이가 징용에 뽑히지 말게 하려고, 구장과 면의 노무계 직원과 부락 담당 직원에게 굽은 허리를 굽실거리며 건사[8]를 물고 하였던고. 굶는 끼니를 더 굶어 가면서 그들에게 쌀을 보내어 주기. 그들이 마을에 얼찐하면 부랴부랴 청해다 씨암탉 잡고 술대접하기, 한참 농사일이 몰릴 때라도, 내 농사는 손이 늦어도 용길이를 시켜 그들의 논에 모 심고 김매어 주고 하기. 이 노릇에 흰머리가 도로 검어질 지경이요, 빚은 고패[9]가 넘도록 지고 하였다.

하던 것이 인제는 전쟁이 끝이 났으니, 징용 이자는 싹 씻은 듯 없어질 것. 마음 턱 놓고 두 발 쭉 뻗고 잠을 자도 좋았다.

이런 일을 생각하면 한 생원도 미상불[10] 다행스럽지 아니한 것은 아니었다. 그러나 오직 그뿐이었다.

독립?

신통할 것이 없었다.

---

4 추렴하다 모임이나 놀이 또는 잔치 따위의 비용으로 여럿이 각각 얼마씩의 돈을 내어 거두다.
5 참례 참여.
6 공출 국민이 국가의 수요에 따라 농업 생산물이나 기물 따위를 의무적으로 정부에 내어놓음.
7 마초 말을 먹이기 위한 풀.
8 건사 제게 딸린 것을 잘 보살피고 돌봄. 또는 잘 거두어 보호함.
9 고패 고비. 한창 막다른 때의 상황.
10 미상불(未嘗不) 아닌 게 아니라 과연.

독립이 되기로서니, 가난뱅이 농투성이[11]가 별안간 나으리 주사 될 리 만무하였다. 가난뱅이 농투성이가 남의 세토(貰土: 소작) 얻어 비지땀 흘려 가면서 1년 농사지어 절반도 넘는 도지(소작료) 물고 나머지로 굶으며 먹으며 연명이나 하여 가기는 독립이 되거나 말거나 매양 일반일 터이었다.

공출이야 징용이야 하여서 살기가 더럭 어려워지기는 전쟁이 나면서부터였었다. 전쟁이 나기 전에는 1년 농사지어 작정한 도지 실수 않고 물면 모자라나 따나 아무 시비와 성가심 없이 내 것 삼아 놓고 먹을 수가 있었다.

징용도 전쟁이 나기 전에는 없던 풍도[12]였었다. 마음 놓고 일을 하였고, 그것으로써 그만이었지, 달리는 근심 걱정 될 것이 없었다.

전쟁 사품[13]에 생겨난 공출이니 징용이니 하는 것이 전쟁이 끝이 남으로써 없어진 다음에야 독립이 되기 전 일본 정치 밑에서도 남의 세토 얻어 도지 물고 나머지나 천신하는 가난뱅이 농투성이에서 벗어날 것이 없을진대, 한갓 전쟁이 끝이 나서 공출과 징용이 없어진 것이 다행일 따름이지, 독립이 되었다고 만세를 부르며 날뛰고 할 흥이 한 생원으로는 나는 것이 없었다.

일인에게 빼앗겼던 나라를 도로 찾고, 그래서 우리도 다시 나라가 있게 되었다는 이 잔주[14]도, 역시 한 생원에게는 시쁘둥한[15] 것이었다. 한 생원은 나라를 도로 찾는다는 것은, 구한국 시절로 다시 돌아가는 것으로밖에는 달리는 생각할 수가 없었다.

한 생원네는 한 생원 아버지의 부지런으로 장만한 열서 마지기와 일곱 마지기의 두 자리 논이 있었다. 선대의 유업도 아니요, 공문서(空文書: 무등기) 땅을 거저 주운 것도 아니요, 뻐젓이 값을 내고 산 것이었다. 하되 그 돈은 체계[16]나

---

11 농투성이 '농부'를 낮추어 부르는 말.
12 풍도 풍랑. 혼란과 시련을 비유적으로 이르는 말.
13 사품 어떤 동작이나 일이 진행되는 바람이나 겨를.
14 잔주 부연 설명. 큰 주석 아래 더 자세히 단 주석.
15 시쁘둥하다 마음에 차지 아니하며 아주 시들한 기색이 있다.
16 체계 장체계의 준말. 장에서 비싼 이자로 돈을 꾸어 주고, 장날마다 이자와 원금의 일부를 함께 받아들이는 돈놀이를 이르는 말.

돈놀이[高利貸金業]로 모은 돈이 아니요, 품삯 받아 푼푼이 모으고 악의악식하면서[17] 모은 돈이었다. 피와 땀이 어린 땅이었다.

그 피땀 어린 논 두 자리에서, 열서 마지기를 한 생원네는 산 지 겨우 5년 만에 고을 원[郡守]에게 빼앗겨 버렸다.

지금으로부터 50년 전, 갑오 을미 병신 하는 병신(丙申)년 한 생원의 나이 스물한 살 적이었다.

그 안 해 을미년 늦은 가을에 김아무[金某]라는 원이 동학란에 도망 뺀 원 대신으로 새로이 도임[18]을 해 와서, 동학의 잔당을 비질하듯 잡아 죽였다.

피비린내 나는 살육이 이듬해 병신년 봄까지 계속되었고, 그리고 여름……인제는 다 지났거니 하여 겨우 안도를 한 참인데, 한태수(한 생원의 아버지)가 원두막에서 동헌[19]으로 붙잡혀 가 옥에 갇혔다. 혐의는 동학에 가담하였다는 것이었다.

한태수는 전혀 동학에 가담한 일이 없었다. 그의 말대로 하면, 동학 근처에도 가 보지 아니한 사람이었다.

옥에 가두어 놓고는, 매일 끌어내다 실토를 하라고, 동류의 성명을 불라고, 주리를 틀면서 문초를 하였다. 60이 넘은 늙은 정강이가 살이 으깨어지고 뼈가 아스러졌다.

나중 가서야 어찌 될 값에 당장의 아픔을 견디다 못하여 동학에 가담하였노라고 자복을 하였다. 입에서 나오는 대로 아는 사람의 이름을 불렀다.

불린 일곱 사람이 잡혀 들어와 같은 문초를 받았다. 처음에는들 내뻗었으나 원체 아픔을 이기지 못하여 자복을 하였다.

남은 것은 처형을 하는 것뿐이었다.

---

17 악의악식하다 너절하고 조잡한 옷을 입고 맛없는 음식을 먹다.
18 도임 지방의 관리가 근무지에 도착함.
19 동헌 지방 관아에서 수령(守令)들이 공사(公事)를 처리하던 중심 건물.

하루는 이방이, 한태수의 아내와 아들(한 생원)을 조용히 불렀다.

이방은 모자더러, 좌우간 살려 낼 도리를 하여야 않느냐고 하였다.

모자는 엎드려 빌면서, 제발 이방님 덕택에 목숨만 살려지이다고 하였다.

"꼭 한 가지 묘책이 있기는 있는데…… 그럼 내가 시키는 대로 할 테냐?"

"불 속이라도 뛰어들어 가겠습니다."

"논문서를 가져오느라. 사또께다 바쳐라."

"논문서를요?"

"아까우냐?"

"……."

"가장이나 애비의 목숨보다 논이 더 소중하냐?"

"그 땅이 다른 땅과도 달라서……."

"정히 그렇게 아깝거던 고만두는 것이고."

"논문서만 가져다 바치면, 정녕 모면을 할까요?"

"아니 될 노릇을 시킬까?"

"그럼 이 길로 나가서 가지고 오겠습니다."

"밤에 조용히 내아(內衙: 官舍)[20]로 오도록 하여라. 나도 와서 있을 테니. 그러고 네 논이 두 자리가 있겠다?"

"네."

"열서 마지기와 일곱 마지기."

"네."

"그 열서 마지기를 가지고 오느라."

"열서 마지기를요?"

"아까우냐?"

---

20 **내아** 지방 관아의 안채.

"……."

"아깝거들랑 고만두려무나."

"그걸 바치고 나면 소인네는 논 겨우 일곱 마지기를 가지고 수다한 권솔[21]에 살아갈 방도가……."

"당장 가장이나 애비의 목숨은 어데로 갔던지?"

"……."

"땅이야 다시 장만도 할 수가 있는 것이 아니냐?"

모자는 서로 돌아보면서 말하였다.

"바칩시다."

"바치자."

사흘 만에 한태수는 놓여나왔다. 다른 일곱 명도 이방이 각기 사이에 들어, 각기 얼마씩의 땅을 바치고 놓여나왔다.

그 뒤 경술(庚戌)년에 일본이 조선을 합방하여 나라는 망하였다.

사람들이 나라 망한 것을 원통히 여길 때, 한 생원은

"그깐 놈의 나라, 시언히[22] 잘 망했지."

하였다. 한 생원 같은 사람으로는 나라란 백성에게 고통이지, 하나도 고마운 것이 아니었다. 또 꼭 있어야 할 요긴한 것도 아니었다.

그런 나라라는 것을, 도로 찾았다고 하여 섬뻑 감격이 일지 아니한 것도 일변 의당한[23] 노릇이라 할 것이었다.

논 스무 마지기에서 열서 마지기를 빼앗기고 나니, 원통한 것도 원통한 것이지 만, 앞으로 일이 딱하였다. 논이나 겨우 일곱 마지기를 가지고는 어림도 없었다.

하릴없이 남의 세토를 얻어 그 보충을 하여야 하였다. 그러나 남의 세토는 도

---

21 권솔 한집에 거느리고 사는 식구.
22 시언하다 '시원하다'의 방언.
23 의당하다 사물의 이치와 같이 그러하다.

지를 물어야 하는 것이라, 힘은 내 논을 지을 때와 마찬가지로 들면서도 가을에 가서 차지를 하기는 절반이 못 되는 것이었었다. 그렇지만 그렇다고 남의 세토를 소작 아니할 수는 없었다.

이리하여 한 생원네는 나라 명색이 망하지 않고 내 나라로 있을 적부터 가난한 소작농이었다.

경술년 나라가 망하고, 36년 동안 일본의 다스림 밑에서도 같은 가난한 소작농이었다.

그리고 속담에 남의 불에 게 잡기로, 남의 덕에 나라를 도로 찾기는 하였다지만 한국 말년의 나라만을 여겨 그 나라가 오죽할 리 없고, 여전히 남의 세토나 지어 먹는 가난한 소작농이기는 일반일 것이라고 한 생원은 생각하던 것이었다.

일본이 항복을 하던 바로 전의 삼사 년에, 공출이야 징용이야 하면서 별안간 군색함과 불안이 생겼던 것이지, 그 밖에는 나라가 망하여 없어지고서 일본의 속국 백성으로 사는 것이 경술년 이전 나라가 있어 가지고 조선 백성으로 살 적보다 별양 못할 것이 한 생원에게는 없었다. 여전히 남의 세토를 지어, 절반 이상이나 도지를 물고. 그 나머지를 천신하는 가난한 소작인이요, 순사나 일인이나 면 서기들의 교만과 압박보다 못할 것도 없거니와 더할 것도 없었다.

독립이 된 이 앞으로도, 그것이 천지개벽이 아닌 이상, 가난한 농투성이가 느닷없이 부자 장자[24] 될 이치가 없는 것이요, 원·아전[25]·토반[26]이나 일본 놈 대신에, 만만하고 가난한 농투성이를 핍박하는 '권세 있는 양반들'이 생겨날 것이요 할 것이매, 빼앗겼던 나라를 도로 찾아 다시금 조선 백성이 되었다는 것이 조금

---

24 장자 큰 부자를 점잖게 이르는 말.
25 아전 조선 시대에, 중앙과 지방의 관아에 속한 구실아치.
26 토반 여러 대를 이어서 그 지방에서 붙박이로 사는 양반.

도 신통하거나 반가울 것이 없었다.

원과 토반과 아전이 있어, 토색질[27]이나 하고 붙잡아다 때리기나 하고 교만이나 피우고, 하되 세미(稅米: 納稅)는 국가의 이름으로 꼬박꼬박 받아 가면서 백성은 죽어야 모른 체를 하고 하는 나라의 백성으로도 살아 보았다.

천하 오랑캐, 아비와 자식이 맞담배질을 하고, 남매간에 혼인을 하고, 뱀을 먹고 하는 왜인들이, 저희가 주인이랍시고서 교만을 부리고 순사와 헌병은 칼바람에 조선 사람을 개돼지 대접을 하고, 공출을 내어라 징용을 나가거라 야미[28]를 하지 마라 하면서 볶아 대고, 또 일본이 우리나라다, 나는 일본 백성이다 이런 도무지 그럴 마음이 우러나지를 않는 억지 춘향이 노릇을 시키고 하는 나라의 백성으로도 살아 보았다.

결국 그러고 보니 나라라고 하는 것은 내 나라였건 남의 나라였건 있었댔자 백성에게 고통이나 주자는 것이지, 유익하고 고마울 것은 조금도 없는 물건이었다. 따라서 앞으로도 새 나라는 말고 더한 것이라도, 있어서 요긴할 것도 없어서 아쉬울 일도 없을 것이었다.

2

신해(辛亥)년…… 경술합방 바로 이듬해였다. 한 생원 — 때의 젊은 한덕문 — 은 빼앗기고 남은 논 일곱 마지기를 불가불 팔아야 할 형편에 이르렀다.

칠팔 명이나 되는 권솔인데, 내 논 일곱 마지기에다 남의 논이나 몇 마지기를 소작하여 가지고는 여간한 규모와 악의악식이 아니고서는 도저히 현상 유지를 하기가 어려웠다.

한덕문은 그 부친과는 달라 살림 규모가 없었다. 사람이 좀 허황하고 헤픈 편이었다.

---

27 토색질 돈이나 물건 따위를 억지로 달라고 하는 짓.
28 야미(やみ) '뒷거래'를 뜻하는 일본어.

부친 한태수가 죽고, 대신 당가산(當家産)[29]을 한 지 불과 오륙 년에 한덕문은 힘에 넘치는 빚을 졌다.

이 빚은 단순히 살림에 보태느라고만 진 빚은 아니었다.

한덕문은 허황하고 헤픈 값을 하느라고, 술과 노름을 쏠쏠히[30] 좋아하였다.

1년 농사를 지어야 1년 가계가 번연히 모자라는데, 거기다 술을 먹고 노름을 하니, 늘어 가느니 빚밖에는 있을 것이 없었다.

빚은 갚아야 되었다.

팔 것이라고는 논 일곱 마지기 그것뿐이었다.

한덕문이 빚을 이리 틀어막고 저리 틀어막고, 오늘로 밀고 내일로 밀고 하여 오던 끝에, 마침내는 더 꼼짝을 할 도리가 없어 논을 팔기로 작정을 대었을 무렵에, 그러자 용말[龍田] 사는 일인 길천(吉川)이가 요새로 바싹 땅을 많이 사들인다는 소문이 들렸다. 그리고 값으로 말하여도, 썩 좋은 상답[31]이면 한 마지기(200평)에 스무 냥으로 스물닷 냥(20냥 이상 25냥: 4원 이상 5원)까지 내고, 아주 박토[32]라도 열 냥(2원) 안짝은 없다고 하였다.

땅마지기나 가진 인근의 다른 농민들도 다들 그러하였지만, 한덕문은 그중에서도 귀가 반짝 뜨였다.

시세의 갑절이었다.

고래실논[33]으로, 개똥배미 상지상답[34]이라야 한 마지기에 열 냥으로 열두어 냥(2원~2원 사오십 전)이요, 땅 나쁜 것은 기지개 써야 닷 냥(1원)이었다.

'팔자!'

한덕문은 작정을 하였다.

---

29 당가산 집안 살림을 맡아 관리함.
30 쏠쏠히 품질이나 수준, 정도 따위가 웬만하여 기대 이상으로.
31 상답 토질이 썩 좋은 논.
32 박토 메마른 땅.
33 고래실논 바닥이 깊고 물길이 좋아 기름진 논.
34 상지상답 가장 좋은 땅.

일곱 마지기 논이 상지상답은 못 되어도 상답은 되니, 잘하면 열 냥(2원)은 받을 것. 열 냥이면 이 칠 십사 일백마흔 냥(28원).

빚이 이럭저럭 한 50냥(10원) 되니, 그것을 갚고 나면 아흔 냥(18원)이 남아. 아흔 냥을 가지고 도로 논을 장만해. 판 일곱 마지기만 한 토리[35]의 논을 사더라도 아홉 마지기를 살 수가 있어.

결국 논 한 번 팔고 사고 하는 노름에, 빚 50냥 거저 갚고도 논은 두 마지기가 늘어 아홉 마지기가 생기는 판이 아니냐.

이런 어수룩한 노름을 아니하잘 며리[36]가 없는 것이었었다.

양친은 이미 다 없는 때요, 한덕문 그가 대주(大主: 戶主)였으므로, 혼자서 일을 결단하여도 간섭을 받을 일은 없었다.

곡우(穀雨) 머리의 어느 날 한덕문은 맨발 짚신 풀상투에 삿갓 쓰고 곰방대 물고, 마을에서 10리 상거[37]의 용말 출입을 나갔다. 일인 길천이가 적실히 그렇게 후한 값으로 논을 사는지 진가를 알아보자 함이었다.

금강(錦江) 어구의 항구 군산(群山)에서 시작되어, 동북간방(東北間方)으로 임피읍(臨陂邑)을 지나 용말로 나온 한길[38]이, 용말 동쪽 변두리에서 솝리[裡里]로 가는 길과 황등장터[黃登市]로 가는 길의 두 갈래 길로 갈리는, 그 샅[39]에 가 전주집(全州집)이라는 주모가 업을 하고 있는 주막이 오도카니 홀로 놓여 있었다.

한덕문은 전주집과는 생소치 아니한 사이였다.

마당이자 바로 한길인, 그 마당 앞에 섰는 한 그루의 실버들이 한창 푸르른 전주집네 주막, 살진 봄볕이 드리운 마루에 나란히 걸터앉아 세상 물정 이야기, 피차간 살아가는 이야기, 훨씬 한담[40]을 하던 끝에 한덕문이 지난 말처럼

---

35 토리 메마르거나 기름진 흙의 성질.
36 며리 필요. 까닭.
37 상거 떨어져 있는 두 곳의 거리.
38 한길 사람이나 차가 많이 다니는 넓은 길.
39 샅 두 다리가 갈라진 곳. 두 길이 갈라진 곳.
40 한담 심심하거나 한가할 때 나누는 이야기. 또는 별로 중요하지 아니한 이야기.

넌지시 물었다.

"참, 저, 일인 길천이가 요새 땅을 많이 산다구?"

"많얼게 아니라, 그 녀석이 아마, 이 근처 일판을, 땅이라구 생긴 건 깡그리 쓸어 사자는 배폰가 봅디다!"

"헛소문[41]은 아니루구먼?"

"달리 큰 배포가 있던지, 그러잖으면 그 녀석이 상성[發狂][42]을 했던지."

"……?"

"한 서방 으런두 속내 아는 배, 이 근처 논이 물 걱정 가뭄 걱정 없구, 한 마지기에 넉 섬은 먹는 논이라야 열 냥(2원)이 상값 아니우? 그런 걸 글쎄, 녀석은 스무 냥 스물댓 냥을 퍼 주구 사는구랴. 제 마석(一斗落에 一石)두 못 먹는 자갈 바탕의 박토라두, 논 명색이면 열 냥 안짝 잽히는 건 없구."

"허긴 값이나 그렇게 월등히 많이 내야 일인한테 논을 팔지, 그러잖구서야 누가."

"제엔장, 나두 진작에 논이나 시늉만 생긴 거라두 몇 섬지기 장만해 두었드라면, 이런 판에 큰 횡잴 했지."

"그래, 많이들 와 파나?"

"대가릴 싸구 덤벼든답디다. 한 서방 어른두 논 좀 파시구랴? 이런 때 안 팔구, 언제 팔우?"

"팔 논이 있나!"

이유와 조건의 어떠함을 물론하고 농민이 논을 판다는 것은 남의 앞에 심히 떳떳스럽지 못한 일이었다. 번연히 내일모레면 다 알게 될 값이라도, 되도록 그런 기색을 숨기려고 드는 것이 통정[43]이었다.

---

41 헛소문 '헛소문'의 방언.
42 상성 본래의 성질을 잃어버리고 전혀 다른 사람처럼 됨.
43 통정 세상 일반의 사정이나 인정.

뚜벅뚜벅 말굽 소리가 나더니, 말 탄 길천이가 주막 앞을 지난다. 언제나 그러하듯이, 깜장 됫박모자[中山帽子]에 깜장 복장[洋服: 쓰메에리[44]]을 입고 깜장 목 깊은 구두를 신고 허리에는 육혈포[45]를 차고 하였다.

한덕문은 길에서 몇 차례 본 적이 있어 그가 길천인 줄을 안다.

"어디 갔다 와요?"

전주집이 웃으면서 알은체를 하는 것을, 길천은 웃지도 않으면서

"응, 조기. 우리, 나쁜 사레미 자바리[46] 갔소 왔소."

길천의 차인꾼[47]이요 통역꾼이요 한 백남술이가 밧줄로 결박을 지은 촌 젊은 사람 하나를 앞참 세우고 뒤미처 나타났다.

죄수(?)는 상투가 풀어지고, 발기발기 찢긴 옷과 면상으로 피가 묻고 한 것으로 보아, 한바탕 늘씬 두들겨 맞은 것이 역력하였다.

"어디 갔다 오시우?"

전주집이 이번에는 백남술더러 인사로 묻는다.

백남술은 분연히[48]

"남의 돈 집어먹구 도망 댕기는 놈은 죽어 싸지."

하면서 죄수에게 잔뜩 눈을 흘긴다.

그러고 나서 전주집더러,

"댕겨오께시니 닭이나 한 마리 잡구 해 놓게나. 놈을 붙잡느라구 한 승강했더니 목이 컬컬허이."

그러느라고 잠깐 한눈을 파는 순간이었다. 죄수가 밧줄 한끝 붙잡힌 것을 휙 뿌리치면서 몸을 날려 쏜살같이 오던 길로 내뺀다.

---

44 쓰메에리(つめえり) 깃의 높이가 4센티미터쯤 되게 하여, 목을 둘러 바싹 여미게 지은 양복. 학생복으로 많이 지었다.
45 육혈포 탄알을 재는 구멍이 여섯 개 있는 권총.
46 자바리 '잡으러'의 방언.
47 차인꾼 임시 심부름꾼으로 부리는 사람.
48 분연히 벌컥 성을 내며.

"엇!"

백남술이 병신처럼 놀라다 이내 죄수의 뒤를 쫓는다.

길천의 탄 말이 두 앞발을 번쩍 들어 머리를 돌리면서 땅을 차고 달린다. 그러면서 길천의 손에서 육혈포가 땅…… 풀씬[49] 연기가 나면서 재우쳐 땅……

죄수는 그러나 첫 한 방에 그대로 길바닥에 가 동그라진다. 같은 순간 버선발로 뛰어내려 간 전주집이 에구머니 비명을 지른다.

죄수는 백남술에게 박승[50] 한끝을 다시 붙잡혀 일어난다. 길천은 피스톨 사격의 명인은 아니었다.

일인에게 빚을 쓰는 것을 왜채(倭債)라고 하고, 이 젊은 친구는 왜채를 쓰고서 갚지 아니하고, 몸을 피해 다니다가 붙잡힌 사람이었다.

길천은 백남술이가

"이 사람은 논이 몇 마지기가 있소."

하고 조사 보고를 하면, 서슴지 아니하고 왜채를 주곤 한다. 이자도 항용 체계나 장변[51]보다 헐하였다.

빚을 주는 데는 무른 것 같아도, 받는 데는 무서웠다.

기한이 지나기를 기다려, 채무자를 제 집으로 데려다 감금을 하고, 사형(私刑)[52]으로써 빚 채근을 하였다.

부형이나 처자가 돈을 가지고 와서 빚을 갚는 날까지 감금과 사형을 늦추지 아니하였다.

논문서를 가지고 오는 자리는 '우대'를 하였다. 이자를 탕감하고 본전만 쳐서 논으로 받는 것이었다. 논이 있는 사람은, 돈을 두어 두고도 즐거이 논으로 갚고 하였다.

---

49 풀씬 '풀썩'의 방언.
50 박승 포박하여 묶은 끈.
51 장변 장터에서 돈놀이하는 데 붙는 이자.
52 사형 국가나 공공의 권력이 아닌 개인이 범죄자에게 벌을 주는 일.

한덕문은 다시 끌려가고 있는 죄수의 뒷모양을 우두커니 바라다보면서

'제엔장, 양반 호랑이도 지질한데[53], 우환 중에 왜놈 호랑이까지 들어와서 이 등쌀이니, 갈수록 죽어나는 건 만만한 백성뿐이로구나!'

'쯧, 번연히 알면서 왜채를 쓰는 사람이 잘못이지, 누구를 원망하나.'

'참새가 방앗간을 거저 지날까. 이왕 외상술이라도 한잔 먹고 일어설까, 어떡헐까?'

이런 생각을 하고 앉았는 차에, 생각잖이, 외가 편으로 아저씨뻘 되는 윤 첨지가 퍼뜩 거기에 당도하였다. 윤 첨지는 황등 장터에서 제 논 섬지기[54]나 지니고 탁신히[55] 사는 농민이었다.

아저씨 웬일이시냐고, 조카 잘 있었더냐고, 항용[56] 하는 인사가 끝난 후에 이 동네 사는 길천이라는 일인이 값을 후히 내고 땅을 사들인다는 소문이 있으니 적실하냐고 아까 한덕문이 전주집더러 묻던 말을 윤 첨지가 한덕문더러 물었다.

그렇단다는 한덕문의 대답에, 윤 첨지는 이윽고 생각을 하고 있더니 혼잣말 같이

"그럼 나두 이왕 궐(厥)[57]한테다 팔아야 하겠군."

하다가 한덕문더러

"황등이까지 가서두 살까? 예서 20리나 되는데."

하고 묻는다.

"글쎄요…… 건데 논은 어째 파실 영으루?"

"허, 그거 온 참…… 저어 공주 한밭〔大田〕서 무안 목포(木浦)루 철로〔鐵道〕가 새루 나는데, 그것이 계룡산(鷄龍山) 앞을 지나 연산·팥거리〔連山·豆溪〕루 해서

---

53 지질하다 싫증이 날 만큼 지루하다.
54 섬지기 한 섬의 씨앗을 심을 만한 넓이의 논밭.
55 탁신히 착실히.
56 항용 흔히 늘.
57 궐 '그'를 낮잡아 이르는 말.

논메·강경[論山·江景]으루 나와 가지구, 황등장터를 지나게 된다네그려.”

“그런데요?”

“그런데 철로가 난다 치면 그 10리 안짝은 논을 죄 버리게 된다는 거야.”

“어째서요?”

“차가 댕기는 바람에 땅이 울려 가지구 모를 심어두 뿌릴 제대루 잡지 못하구 해서, 벼가 자라질 못한다네그려!”

“무슨 그럴 리가…….”

“건 조카가 속을 몰라 하는 소리지. 속을 몰라 하는 소린 것이, 나두 작년 정월에 공주 한밭엘 갔다, 그놈 차가 철로 위루 달리는 걸 구경했지만, 아 그 쇳덩이루 만든 집채 더미 같은 시꺼먼 수레가 찻길 위루 벼락치듯 달리는데, 땅바닥이 사뭇 움죽움죽하드라니깐! 여승 지동[地震]이야……. 그러니, 땅이 그렇게 지동하듯 사철 들이 울리니, 근처 논의 모가 뿌리를 잡을 것이며, 자라기를 할 것인가?”

“…….”

들고 보니 미상불 근리한[58] 말이었다.

“몰랐으면이거니와. 알구두 그대루 있겠던가? 그래 좀 덜 받더래두 팔아넘길 영으루 하구 있는데, 소문을 들으니 길천이라는 손이 요새 값을 시세보담 갑절씩이나 내구 논을 산다데나그려. 정녕 그렇다면 철로 조간이 아니라두 팔아 가지구 딴 데루 가서 판 논 갑절 되는 논을 장만함직두 한 노릇인데, 항차[59]…….”

“철로가 그렇게 난다는 건 아주 적실한가요?”

“말끔 다 칙량을 하구, 말뚝을 박아 놓구 한걸…… 황등 장터 그 일판은 그래, 논들을 못 팔아 난리가 났다니까.”

---

58 근리하다 이치에 거의 맞다.
59 항차 하물며.

038
문학을 열다: 한국 현대 소설 베스트 2

일인 길천이에게 일곱 마지기 논을 일백마흔 냥(28원)에 판 것과 그중 쉰 냥(10원)은 빚을 갚은 것, 이것까지는 한덕문의 예산대로 되었었다.

그러나 나머지 아흔 냥(18원)으로 판 논 일곱 마지기보다 토리가 못하지 아니한 논으로 두 마지기가 더한 아홉 마지기를 삼으로써 빚 쉰 냥은 공으로 갚고, 그러고도 논이 두 마지기가 붙게 된다던 것은 완전히 허사가 되고 말았다.

아무도 한덕문에게 상답 한 마지기를 열 냥씩에 팔려는 사람은 없었다. 이왕 일인 길천이에게 팔면 그 갑절 스무 냥씩을 받는 고로 말이었다.

필경 돈 아흔 냥은 한덕문의 수중에서 한 반년 동안 구르는 동안 스실사실[60] 다 없어지고 말았다.

이리하여 한덕문은 논 일곱 마지기로 겨우 빚 쉰 냥을 갚고는, 아무것도 남은 것이 없이 손 싹싹 털고 나선 셈이었다.

친구가 있어 한덕문을 책하면서 물었다.

"어떡허자구 논을 판단 말인가?"

"인제 두구 보게나."

"무얼 두구 보아?"

"일인들이 다 쫓겨 가면, 그 땅 도로 내 것 되지 갈 데 있던가?"

"쫓겨 갈 놈이 논을 사겠나?"

"저이 놈들이 천지 운수를 안다든가?"

"자네는 아나?"

"두구 보래두 그래."

한덕문은 혼자 속으로는 아뿔싸, 논이라야 단지 그것뿐인 것을 팔고서, 인제는 송곳 꽂을 땅도 없으니 이 노릇을 어찌한단 말이냐고, 심히 후회하여 마지않

---

60 스실사실 슬금슬금.

았다.

그러면서도 남더러는 그렇게 배포 있이 장담을 탕탕 하였다.

한덕문은 장차에 일인들이 쫓겨 가리라는 것을 확언할 아무런 근거도 가진 것이 없었다. 따라서 자신도 없었다. 오직 그는 논을 판 명예롭지 못함과 어리석음을 싸기 위하여, 그런 희떠운[61] 소리를 한 것일 따름이었다.

한덕문이, 일인들이 다 쫓겨 가면 그 논이 도로 제 것이 될 터이라서 논을 팔았다고 한다더라. 이 소문이 한 입 두 입 퍼지자, 듣는 사람마다 그의 희떠움을, 혹은 실없음을 웃었다.

하는 양을 보느라고 위정[62]

"자네 논 팔았다면서?"

한다 치면,

"팔았지."

"어째서?"

"돈이 좀 아쉬워서."

"돈이 아쉽다구 논을 팔구서 어떡허자구?"

"일인들이 다 쫓겨 가면 그 논 도루 내 것 되지 갈 데 있나?"

"일인들이 쫓겨 간다든가?"

"그럼 100년 살까?"

또 누구는 수작을 바꾸어

"일인들이 쫓겨 간다지?"

한다 치면,

"그럼!"

"언제쯤 쫓겨 가는구?"

---

61 희떱다 하는 말이나 짓이 분에 넘치며 버릇이 없다.
62 위정 일부러.

"건 쫓겨 가는 때 보아야 알지."

"에구 요 맹추야, 요 허풍선이야, 우리나라 상감님을 쫓아내구 저이가 왕 노릇을 하는데 쫓겨 가?"

"자넨 그럼 일인들이 안 쫓겨 가구, 영영 그대루 있으면 좋을 건 무언가?"

"좋기루 할 말이야 일러 무얼 하겠나만, 우리 좋구푼 대루 세상일이 돼 준다던가?"

"그래두 인제 내 말을 이를 때가 오너니."

"괜히, 논 팔구섬 할 말 없거들랑, 국으루 잠자꾸[63] 가만하나 있어요."

"체에. 내 논 내가 팔아먹는데, 죄 될 일 있니?"

"걸 누가 죄라니?"

"길천이한테 논 팔아먹은 놈이 한덕문이 하나뿐인감?"

"누가 논 판 걸 나무래? 희떤 장담을 하니깐 그러는 거지."

"희떤 장담인지 아닌지 두구 보잔 말야."

이로부터 한덕문은 그 말로 인하여 마을과 인근에서 아주 호가 났고, 어느 겨를인지 그것이 한 속담까지 되었다.

가령 어떤 엉뚱한 계획을 세운다든지 허랑한[64] 일을 시작하여 놓고서는, 천연스럽게 성공을 자신한다든지, 결과를 기다린다든지 하는 사람이 있다 치면

"흥, 한덕문이 길천이게다 논 팔아먹던 대 났구나."

하고 비웃곤 하는 것이었었다.

그 후 그 속담은, 35년을 두고 전하여 내려왔다. 전하여 내려올 뿐만이 아니었다. 일본 제국주의의 조선에 있어서의 지반[65]이 해가 갈수록 완구한[66] 것이 되어 감을 따라, 더욱이 만주 사변 때부터 시작하여 중일 전쟁을 거쳐 태평양 전

---

63 잠자꾸 '잠자코(아무 말 없이 가만히)'의 방언.
64 허랑하다 말이나 짓이 허황하고 참되지 못하다.
65 지반 일을 이루는 기초나 근거가 될 만한 바탕.
66 완구하다 어떤 상태가 완전하여 오래 견딜 수 있다. 또는 오래갈 수 있다.

쟁으로 일이 거창하게 벌어진 결과, 전쟁 수단으로서 조선의 가치는 안으로 밖으로, 적극적으로 소극적으로, 나날이 더 커 감을 좇아 일본이 조선에다 박은 뿌리는 더욱 깊이 뻗어 들어가고, 가지와 잎은 더욱 무성하여서, 일본이 조선으로부터 물러간다는 것은 독립과 한가지로 나날이 더 잠꼬대 같은 생각이던 것처럼 되어 버려 감을 따라, 그래서 한덕문의 장담하던 '일인들이 다 쫓겨 가면……' 이 말이, 해가 가고 날이 갈수록 속절없이 무색하여 감을 따라, 그와 반비례하여, 그 말의 속담으로서의 가치와 효과만이 멸하지 않고 찬란히 빛을 내었다.

바로 8월 14일까지도 그러하였다. 8월 14일까지도,

"흥 한덕문이 길천이한테 논 팔아먹던 대 났구나."

는 당당히 행세를 하였다.

그랬던 것이, 8월 15일에 일본이 항복을 하고, 조선은 독립(실상은 우선 해방)이 되고 하였다. 그리고 며칠 아니하여 "일인들이 토지와 그 밖 온갖 재산을 죄다 그대로 내놓고 보따리 하나에 몸만 쫓겨 가게 되었다."는 데까지 이르렀다.

한 생원(한덕문)의,

"일인들이 다 쫓겨 가면……."

은 이리하여 부득불 빛이 환해지고 반대로

"한덕문이 길천이한테 논 팔아먹던 대 났구나."

는 그만 얼굴이 벌게서 납작하고 말 수밖에 없었다.

4

"여보슈 송 생원?"

한 생원이 허연 탑삭부리에 묻힌 쪼글쪼글한 얼굴이 위아래 다섯 대밖에 안 남은 누런 이빨과 함께 흐물흐물 자꾸만 웃어지는 웃음을 언제까지고 거두지 못하면서, 그러다 별안간 송 생원의 팔을 잡아 흔들면서 아주 긴하게

"우리 독립 만세 한번 부르실까?"

"남 다아 부르구 난 댐에, 건 불러 무얼 허우?"

송 생원은 한 생원과 달라 길천이한테 팔아먹은 논도 없으려니와, 따라서 일인들이 쫓겨 가더라도 도로 찾을 논도 없었다.

"송 생원, 접때 마을에서 만세를 부를 제, 나가 부르셨던가?"

"난 그날, 허리가 아파 꼼짝 못 하구 누웠었는걸."

"나두 그날 고만 못 불렀어."

"아따 못 불렀으면 못 불렀지, 늙은것들이 만세 좀 아니 불렀기루 귀양살이 보내겠수?"

"난 그래두 좀 섭섭해 그랬지요……. 그럼 송 생원 우리 술 한잔 자실까?"

"술이나 한잔 사 주신다면."

"주막으루 나갑시다."

두 늙은이가 지팡이를 짚고 마을에 단 한 집밖에 없는 주막으로 나갔다.

"에구머니, 독립두 되구 볼 거야. 영감님들이 술을 다 자시러 오시구."

20년이나 여기서 주막을 하느라고, 인제는 중늙은이가 된 주모 판쇠네가, 손님을 환영이라기보다 다뿍[67] 걱정스러워한다.

"미리서 외상인 줄이나 알구, 술 좀 주게나."

한 생원이 그러면서 술청[68]으로 들어가 앉는 것을, 송 생원도 따라 들어가 앉으면서 주모더러

"외상 두둑이 드리게. 수가 나섰다네."

"독립되는 운덤[69]에 어느 고을 원님이나 한자리해 가시는감?"

"원님을 걸 누가 성가시게, 흐흐……."

---

67 다뿍 분량이 다소 넘치게 많은 모양.
68 술청 선술집에서 술을 따라 놓는 곳.
69 운덤 운이 좋아 덤으로 생기는 소득.

한 생원은 그러다 다시

"거, 안주가 무어 좀 있나?"

"안주두 벤벤찮구 술두 막걸린 없구, 소주뿐일걸, 노인네들이 소주 잡숫구 어떡허시게."

"아따 오줌은 우리가 아니 싸리."

젊었을 적에는 동이 술을 사양치 아니하던 영감들이었다. 그러나 둘이가 다 내일모레가 70. 더구나 자주자주는 술을 입에 대지 않던 차에, 싱겁다고는 하지만 소주를 칠팔 잔씩이나 하였으니 과음일 수밖에 없었다.

송 생원은 그대로 술청에 쓰러져 과연 소변을 지리기까지 하였다.

한 생원은 송 생원보다는 아직 기운이 조금은 좋은 덕에, 정신을 놓거나 몸을 가누지 못할 지경은 아니었다.

"우리 논을 좀 보러 가야지, 우리 논을. 서른다섯 해 만에 우리 논을 보러 간단 말야, 흐흐흐."

비틀거리면서 한 생원은 술청으로부터 나온다.

주모 판쇠네가 성화가 나서,

"방으루 들어가 누섰다, 술 깨신 댐에 가세요. 노인네들 술 드렸다구 날 또 욕허게 됐구면."

"논 보러 가, 논. 길천이게다 판 우리 논. 흐흐흐, 서른다섯 해 만에 도루 찾은, 우리 일곱 마지기 논, 흐흐흐."

"글쎄 논은 이댐에 보러 가시면 어디루 가요?"

"날, 희떤 소리 한다구들 웃었지. 미친놈이라구 웃었지, 들. 흐흐, 서른다섯 해 만에 내 말이 들어맞일 줄을 누가 알었어? 흐흐흐."

말은 혀 꼬부라진 소리로, 몸은 위태로이 비틀거리면서, 한 생원은 지팡이를 휘젓고 밖으로 나간다. 나가다 동네 젊은 사람과 마주쳤다.

"아, 한 생원 웬일이세요?"

"논 보러 간다, 논. 흐흐흐. 너두 이 녀석, 한덕문이 길천이한테 논 팔아먹던 대 났구나, 그런 소리 더러 했었지? 인제두 그런 소리가 나오까?"

"취하셨군요."

"나, 외상술 먹었지. 논 찾았은깐 또 팔아서 술값 갚으면 고만이지. 그럼 한 서른다섯 해 만에 또 내 것 되겠지, 흐흐흐. 그렇지만 인전 안 팔지, 안 팔아. 우리 용길이 놈 물려줘여지, 우리 용길이 놈."

"참, 용길이 요새 있죠?"

"있지. 길천이한테 팔아먹었을까?"

"저, 읍내 사는 영남이가 산판(山坂)[70] 하날 사서 벌목을 하는데, 이 동네 사람들더러 와 남구 비어 주구, 그 대신 우죽〔枝葉〕 가져가라구 하니, 용길이두 며칠 보내서 땔나무나 좀 장만하시죠."

"걸 누가…… 논을 도루 찾았는데."

"논만 찾으면 땔나문 없어두 사시나요?"

"논두 없어두 서른다섯 해나 살지 않었느냐?"

"허허 참, 그러지 마시구 며칠 보내세요. 어서서 다 비어 버려야 할 텐데, 도무지 사람을 못 구해 그러니, 절더러 부디 그럭허두룩 서둘러 달라구, 영남이가 여간만 부탁을 해 싸여죠. 아, 바루 동네서 가찹겠다, 져 나르기 수얼허구…… 요 위 가잿골 있는 길천농장 멧갓이래요."

"무어?"

한 생원은 별안간 정신이 번쩍 나면서 대어 든다.

"가잿골 있는 길천농장 멧갓이라구?"

---

70 산판 나무를 함부로 베지 못하게 하여 가꾸는 산. 멧갓.

"네."

"네라니? 그 멧갓이…… 가마 안자, 아니, 그 멧갓이 뉘 멧갓이길래?"

"길천농장 멧갓 아녜요? 걸, 영남이가 일인들이 이번에 거들이 나는 바람에 농장 산림 감독하던 강 서방한테 샀대요."

"하, 이런 도적놈들, 이런 천하 불한당 놈들, 그래, 지끔두 벌목을 하구 있더냐?"

"오늘버틈 시작했다나 봐요."

"하, 이런 천하 날불한당 놈들."

한 생원은 천방지축으로 가잿골을 향하여 비틀걸음을 친다.

솔은 잘 자라지 않고, 개간하여 밭을 만들자 하니 힘이 부치고 하여, 이름만 멧갓이지, 있으나 마나 한 멧갓 한 자리가 있었다. 한 3,000평 될까 말까, 그다지 크지도 못한 것이었다.

이 멧갓을 한 생원은 길천이에게다 논을 팔던 이듬해지 그 이듬해지, 돈은 아쉽고 한 판에 또한 어수룩이 비싼 값으로 팔아넘겼다.

길천은 그 멧갓에다 낙엽송을 심어, 30여 년이 지난 지금 와서는 아주 한다하는 산림이 되었었다.

늙은이의 총기요, 논을 도로 찾게 되었다는 것에만 정신이 팔려, 깜빡 멧갓 생각은 미처 아직 못 하였던 모양이었다.

마침 전신주감[71]의 쪽쪽 곧은 낙엽송이 총총들이 섰다. 베기에 아까워 보이는 나무였다.

한 서넛이나가 한편에서부터 깡그리 베어 눕히고, 일변 우죽을 치고 한다.

"이놈, 이 불한당 놈들, 이 멧갓 벌목한다는 놈이 어떤 놈이냐?"

비틀거리면서 고함을 치고 쫓아오는 한 생원을, 사람들은 영문을 몰라 일하

---

71 감 대상이 되는 도구나 사물, 재료 등의 뜻을 나타내는 말.

던 손을 멈추고 뻔히 바라다보고 섰다.

"이놈 너루구나?"

한 생원은 영남이라는 읍내 사람 벌목 주인 앞으로 달려들면서, 한 대 갈길 듯이 지팡이를 둘러멘다.

명색이 읍 사람이라서, 촌 농투성이에게 무단히 해거[72]를 당하면서 공수하거나[73] 늙은이 대접을 하려고는 않는다.

"아니, 이 늙은이가 환장을 했나? 왜 그러는 거야 왜."

"이놈. 네가 왜, 이 멧갓을 손을 대느냐?"

"무슨 상관여?"

"어째 이놈아 상관이 없느냐?"

"뉘 멧갓이길래?"

"내 멧갓이다. 한덕문이 멧갓이다, 이놈아."

"허허, 내 별꼴 다 보니. 괜시리 술잔 든질렀거들랑[74], 고히[75] 삭히진[76] 아녀구서, 나이깨 먹은 것이, 왜 남 일하는 데 와서 이 행악[77]야 행악이. 늙은인 다리 뼉다구 부러지지 말란 법 있나?"

"오냐, 이놈, 날 죽여라. 너구 나구 죽자."

"대체 내력을 말을 해요. 무엇 때문에 이 야론[78]지, 내력을 말을 해요."

"이 멧갓이 그새까진 길천이 것이라두, 조선이 독립됐은깐 인전 내 것이란 말야, 이놈아."

"조선이 독립이 됐는데, 어째 길천이 멧갓이 한덕문이 것이 되는구?"

"길천인, 일인들은, 땅을 죄다 내놓구 간깐, 그전 임자가 도루 차지하는 게 옳

---

72 해거 괴상하고 얄궂은 짓.
73 공수하다 왼손을 오른손 위에 놓고 두 손을 마주 잡아 공경의 뜻을 나타내다.
74 든지르다 '들이지르다(닥치는 대로 보기 흉하게 많이 먹다.)'의 방언.
75 고히 '고이'의 잘못.
76 삭히다 '삭이다'의 잘못.
77 행악 모질고 나쁜 짓을 행함.
78 야료 까닭 없이 트집을 잡고 함부로 떠들어 댐.

지, 무슨 말이냐?"

"오오, 이녁[79]이 이 멧갓을 전에 길천이한테다 팔았다?"

"그래서."

"그랬으니깐, 일인들이 땅을 다 내놓구 가니깐, 이녁은 팔았던 땅을 공짜루 도루 차지하겠다?"

"그래서."

"그 개 뭣 같은 소리 인전 엔간치 해 두구, 어서 없어져 버려요. 난 뻐젓이 길천농장 산림 관리인 강태식이한테 시퍼런 돈 2,000환[80] 주구서 계약서 받구 샀어요. 강태식인 길천이가 해 준 위임장 가지구 팔구. 돈 내구 산 사람이 임자지, 저 옛날 돈 받구 팔아먹은 사람이 임잘까?"

8·15 직후, 낡은 법이 없어지고 새로운 영이 서기 전, 혼란한 틈을 타서, 잇속에 눈이 밝은 무리들이 일본인 농장이나 회사의 관리자와 부동[81]이 되어 가지고, 일인의 재산을 부당 처분하여 배를 불린 일이 허다하였다. 이 산판 사건도 그런 것의 하나였다.

5

그 뒤 훨씬 지나서.

일인의 재산을 조선 사람에게 판다, 이런 소문이 들렸다.

사실이라고 한다면 한 생원은 그 논 일곱 마지기를 돈을 내고 사지 않고서는 도로 차지할 수가 없을 판이었다. 물론 한 생원에게는 그런 재력이 없거니와, 도대체 전의 임자가 있는데, 그것을 아무나에게 판다는 것이 한 생원으로 보기에는 불합리한 처사였다.

---

79 이녁 상대방을 조금 낮추어 부르는 말.
80 환 우리나라의 옛 화폐 단위.
81 부동 잘못된 일에 어울려 한통속이 됨.

한 생원은 분이 나서 두 주먹을 쥐고 구장에게로 쫓아갔다.

"그래 일인들이 죄다 내놓구 가는 것을, 백성들더러 돈을 내구 사라구 마련을 했다면서?"

"아직 자세힌 모르겠어두, 아마 그렇게 되기가 쉬우리라구들 하드군요."

해방 후에 새로 난 구장의 대답이었다.

"그런 놈의 법이 어딨단 말인가? 그래, 누가 그렇게 마련을 했는구?"

"나라에서 그랬을 테죠."

"나라?"

"우리 조선 나라요."

"나라가 다 무어 말라비틀어진 거야? 나라 명색이 내게 무얼 해 준 게 있길래, 이번엔 일인이 내놓구 가는 내 땅을 저이가 팔아먹으려구 들어? 그게 나라야?"

"일인의 재산이 우리 조선 나라 재산이 되는 거야 당연한 일이죠."

"당연?"

"그렇죠."

"흥, 가만둬 두면 저절루, 백성의 것이 될 걸, 나라 명색은 가만히 앉았다, 어디서 툭 튀어나와 가지구, 걸 뺏어서 팔아먹어? 그따위 행사가 어딨다든가?"

"한 생원은 그 논이랑 멧갓이랑 길천이한테 돈을 받구 파셨으니깐 임자로 말하면 길천이지 한 생원인가요?"

"암만 팔았어두, 길천이가 내놓구 쫓겨 갔은깐, 도루 내 것이 돼야 옳지, 무슨 말야. 걸, 무슨 탁에 나라가 뺏을 영으루 들어?"

"한 생원한테 뺏는 게 아니라, 길천이한테 뺏는 거랍니다."

"흥, 둘러다 대긴 잘들 허이. 공동묘지 가 보게나. 핑계 없는 무덤 있던가? 저, 병신년에 원놈〔郡守〕 김가가 우리 논 열두 마지기 뺏을 제두 핑겐 다 있었드라네."

"좌우간, 아직 그렇게 지레 염려 하실 게 아니라, 기대리구 있느라면 나라에서 다 억울치 않두룩 처단을 하겠죠."

"일없네. 난 오늘버틈 도루 나라 없는 백성이네. 제길 36년두 나라 없이 살아왔을려드냐. 아니 글쎄, 나라가 있으면 백성한테 무얼 좀 고마운 노릇을 해주어야, 백성두 나라를 믿구, 나라에다 마음을 붙이구 살지. 독립이 됐다면서 고작 그래, 백성이 차지할 땅 뺏어서 팔아먹는 게 나라 명색야?"

그러고는 털고 일어서면서 혼잣말로

"독립됐다구 했을 제, 내, 만세 안 부르기, 잘했지."

(1946년)

이상한 선생님

채만식

채만식 (1902~1950)

채만식의 작품 속에는 일제의 식민지 지배 아래 놓인 농민들의 가난, 지식인의 고뇌, 도시 하층민의 몰락과 광복 후의 혼란 등이 담겨 있다. 〈이상한 선생님〉은 일제 강점기 박 선생님이란 인물을 통해 자신의 이익을 위해 마땅히 지켜야 할 도리를 저버리는 사람들을 풍자한 소설이다. 이처럼 채만식은 민감한 현실 인식 감각과 독특한 풍자로 한국 근대 소설을 대표하는 작가로 인정받고 있다. 또한 290여 편에 이르는 장편·단편 소설과 희곡·평론·수필 등을 썼다.

1

우리 박 선생님은 참 이상한 선생님이었다.

박 선생님은 생긴 것부터가 무척 이상하게 생긴 선생님이었다.

키가 한 뼘밖에 안 되는 박 선생님이라서 뼘생 또는 뼘박이라는 별명이 있는 것처럼, 박 선생님의 키는 작은 사람 가운데서도 유난히 작은 키였다. 일본 정치 때에 혈서로 지원병을 지원했다 체격 검사에 키가 제 척수[1]에 차지 못해 낙방이 되었다면, 그래서 땅을 치고 울었다면, 얼마나 작은 키인 것은 알 일이다.

그런 작은 키에 몸집은 그저 한 줌만 하고.

이 한 줌만 한 몸집의 한 뼘만 한 키 위에 가서, 그런데 이건 깜짝 놀랄 만큼 큰 머리통이, 보매 위태위태하게 올라앉아 있다. 그래서 박 선생님의 또 하나의 변명[2]을 대갈장군이라고도 하였다.

머리통이 그렇게 큰 박 선생님의 얼굴은 어떻게 생겼느냐 하면, 또한 여느 사람과는 많이 달랐다.

뒤통수와 앞이마가 툭 내솟고, 내솟은 좁은 이마 밑으로 눈썹이 시꺼멓고, 왕방울 같은 두 눈은 부리부리하니 정기가 있고도 사납고, 코는 매부리코요, 입은 메기입으로 귀밑까지 넓죽 째지고, 그리고 목소리는 쇠꼬챙이로 찌르는 것처럼 쨍쨍하고.

이런 대갈장군의 뼘생 박 선생님과 아주 정반대로 생긴 이가 강 선생님이

---

1 척수 치수. 길이에 대한 몇 자 몇 치의 셈.
2 변명 이름을 다르게 바꿈. 또는 그렇게 바꾼 이름. 여기서는 '별명'의 의미로 사용되었다.

었다.

강 선생님은 키가 크고, 몸집도 크고, 얼굴이 너부릇하고[3], 얼굴이 검기는 하여도 순하지 사납이 든 데가 없고, 눈은 더 순하고, 허허 웃기를 잘하고, 별로 성을 내는 일이 없고, 아무하고나 장난을 잘하고……. 강 선생님은 이런 선생님이었다.

뺌박 박 선생님과 강 선생님은 만나면 싸움이었다.

하학[4]을 하고 나서 우리들이 소제를 한 교실을 둘러보다 가든지, 또는 운동장에서든지(그러니까 우리들이 여럿이는 보지 않는 곳에서 말이다.) 두 선생님이 만난다 치면, 강 선생님은 괜히 장난이 하고 싶어 박 선생님을 먼저 건드리곤 하였다.

"뺌박아, 담배 한 대 붙여 올려라."

강 선생님이 그 생긴 것처럼 느릿느릿한 말로 이렇게 장난을 청하고, 그런다 치면 박 선생님은 벌써 성이 발끈 나 가지고

"까불지 마, 죽여 놀 테니."

"애야, 까불다니, 이 덕집엔 좀 억울하구나……. 아무튼 담배나 한 개 빌리자꾸나."

"나두 뼈젓한 돈 주구 담배 샀어."

"아따, 이 사람, 누가 자네더러 담배 도둑질했대나?"

"너두 돈 내구 담배 사 피우란 말이야."

"에구, 요 재리[5]야! 체가 요렇게 용잔하게[6] 생겼거들랑 속이나 좀 너그럽게 써요."

"몸 크구서 속 못 차리는 건 볼 수 없더라."

하나는 커다란 몸집을 해 가지고 싱글싱글 웃으면서, 하나는 한 뺌만 한 키

---

3 너부릇하다 '너부죽하다(조금 넓고 평평한 듯하다.)'의 방언.
4 하학 학교에서 그날의 수업을 마침.
5 재리 지나치게 아끼는 사람을 낮잡아 이르는 말.
6 용잔하다 못생기고 연약하다.

에 그 무섭게 큰 머리통을 한 얼굴로 바싹 대들고는 사냥이 졸졸 흐르면서, 그렇게 마주 서서 싸우는 모양은, 마치 큰 수캐와 조그만 고양이가 마주 만난 형국이었다.

2

다른 학교에서도 다 그랬을 테지만, 우리 학교에서도 그때 말로 '국어'라던 일본 말, 그 일본 말로만 말을 하게 하고, 엄마 아빠 할 적부터 배운 조선말은 아주 한마디도 쓰지 못하게 하였다.

그러나 주재소의 순사, 면의 면 서기, 도 평의원을 한 송 주사, 또 군이나 도에서 연설하러 온 사람, 이런 사람들이나 조선 사람끼리 만나도 척척 일본 말로 인사를 하고 이야기를 하였지, 다른 사람들이야 일본 사람과 만났을 때 말고는 다들 조선말로 말을 하고, 그래서 학교 문밖에만 나가면 만판 조선말로 말을 하는 사람들이요, 더구나 집에 돌아가면 어머니, 아버지, 언니, 누나, 아기 모두들 조선말로 말을 하고 하였다. 그러니까 우리들도 학교에 가서도, 교실에서 공부를 하고 나와 운동장에서 우리끼리 놀고 할 때에는 암만해도 일본 말보다 조선말이 더 많이, 그리고 잘 나와지고 하였다.

학교에서고 학교 밖에서고 조선말로 말을 하다 선생님한테 들키는 날이면 경을 치는[7] 판이었다.

선생님들 중에서도 제일 심하게 밝히는 선생님이 뺌박 박 선생님이었다. 교장 선생님이나 다른 일본 선생님은 나무라기만 하고 마는 수가 있어도, 뺌박 박 선생님은 절대로 용서가 없었다.

나도 여러 번 혼이 나 보았다.

한번은 상준이 녀석과 어떡하다 쌈이 붙어서 둘이 서로 부둥켜안고 구르면서

---

7 경을 치다 호되게 꾸지람을 듣거나 혼나다.

이 자식아, 저 자식아, 죽어 봐, 때려 봐 하면서 한참 시방 때리고 제기고[8] 하는 참이었다.

　그러는 참인데, 느닷없이

　"고랏! 조셍고데 겡까 스루야쓰가 이루까!(이놈아! 조선말로 쌈하는 녀석이 어딨어!)"

하면서 구둣발길로 넓적다리를 걷어차는 건, 정신없는 중에도 뺌박 박 선생님이었다.

　우리 둘이는 그 자리에서 뺨이 붓도록 따귀를 맞았고, 공부 시간에 들어가지도 못하고서 그 시간 동안 변소 소제를 하였고, 그리고 조행[9]에 점수를 듬뿍 깎이고 하였다.

　이렇게 뺌박 박 선생님한테 제일 중한 벌을 받는 것이 무엇이냐 하면, 조선말로 지껄이다 들키는 때였다.

　강 선생님은 그와 반대로 아무 시비가 없었다.

　교실에서 공부를 할 때 외에는, 그리고 다른 선생님 — 그중에서도 교장 이하 일본 선생님들과 뺌박 박 선생님이 보지 않는 데서는, 강 선생님은 우리들한테 일본말로 말을 하지 아니하였다. 우리들이 일본 말로 하여도 강 선생님은 조선말로 하곤 하였다.

　우리들이 어쩌다 "선생님은 왜 국어(일본 말)로 아니하세요?" 하고 물으면, 강 선생님은 웃으면서 "나는 '국어(일본 말)'가 서툴러서 그런다." 하고 대답하였다.

　그렇지만 우리가 보기에도 강 선생님은 일본 말이 서투른 선생님이 아니었다.

---

8 제기다 팔꿈치나 발꿈치 등으로 지르다.
9 조행 원래는 태도와 행실을 말하지만, 여기서는 지금의 '행동 발달 상황'을 일컫는 말이다. 갑, 을, 병, 정으로 점수를 매겼는데, 갑이 가장 높은 점수이다.

해방이 되던 바로 그 이튿날이었다. 여름 방학으로 놀던 때라, 나는 궁금하여서 학교엘 가 보았다.

다른 아이들도 한 50명이나 와서 있었다.

우리는 해방이라는 말은 아직 몰랐고, 일본이 전쟁에 지고 항복을 한 것만 알았었다.

선생님들이, 그중에서도 뺨박 박 선생님이, 그렇게도 일본(우리 대일본 제국)은 결단코 전쟁에 지지 않는다고, 기어코 전쟁을 이기고 천하에 못된 미국, 영국을 거꾸러뜨려 천황 폐하의 위엄을 이 전 세계에 드날릴 날이 머지않았다고, 하루에도 몇 번씩 그런 말을 해 쌓던 그 일본이 도리어 지고 항복을 하다니, 도무지 모를 일이었다.

직원실에는 교장 선생님과 두 일본 선생님과 그리고 뺨박 박 선생님과 이렇게가 모여 앉아서 초상난 집처럼 모두는 코가 쑤욱 빠져 가지고 있었다.

우리들은 운동장 구석으로, 혹은 직원실 앞뒤로 패패로 모여 서서, 제가끔 아는 대로 일본이 항복한 이야기를 하고 있었다.

그때에 6학년에 다니던 우리 사촌 언니 대석이가, 뒤늦게야 몇몇 동무와 함께 떨떨거리고 달려들었다.

똑똑하고, 기운 세고, 싸움 잘하고, 그러느라고 선생님들한테 꾸지람과 매는 도맡아 맞고, 반에서 성적은 제일 꼴찌요 한 천하 말썽꾼이었다.

대석 언니네 집은 읍에서 10리나 되는 곳이었고, 그래서 오늘 아침에야 소문을 들었노라고 하였다.

대석 언니는 직원실을 넘싯이 넘겨다보더니, 싱긋 웃으면서 처억 직원실 안으로 들어섰다.

직원실 안에 있던 교장 선생님이랑 다른 두 일본 선생님이랑은 못 본 체하고 고개를 숙이고 있는데, 뺨박 박 선생님이 눈을 흘기면서 영락없이 일본 말로

“난다?(왜 그래?)”

하고 책망을 하였다.

대석 언니는 그러나 무서워하지 않고 한다는 소리가

“선생님, 덴노헤이까가 고오상(천황 폐하가 항복)했대죠?”

하고 묻는 것이었었다.

뻠박 박 선생님은 성을 버럭 내어 그 큰 눈방울을 부라리면서 여전히 일본
말로

“잠자쿠 있어, 잘 알지두 못하면서……. 건방지게시리.”

하고 쫓아와서 곧 한 대 갈길 듯이 을러대었다.

대석 언니는 되돌아서서 나오면서 커다랗게

“덴노헤이까 바가!(천황 폐하 망할 자식!)”

“……”

만일 다른 때 누구든지 그런 소리를 했단 당장 큰일이 나는 판이었다.

그러나 교장 선생님이랑 두 일본 선생님은 그대로 못 들은 척 코만 빠치고 앉
았고, 뻠박 박 선생님도 잔뜩 눈만 흘기고 있을 뿐이지 아무렇지도 않았다. 그런
걸 보면 정녕 일본이 지고, 덴노헤이까가 항복을 하였고, 그리고 그래서 인제는
들 기승을 떨지는 못하는 모양인 것 같았다.

마침 강 선생님이 땀을 뻘뻘 흘리면서 헐떡거리고 뛰어왔다. 강 선생님은 본
집이 이웃 고을이었다.

“오오, 느이들두 왔구나. 잘들 왔다. 느이들두 다들 알았지? 조선이, 우리 조
선이 해방이 된 줄 알았지? 얘들아, 우리 조선이 독립이 됐단다, 독립이! 일본은
쫓겨 가구……. 그 지질히 우리 조선 사람을 못살게 굴구, 하시하구[10], 필 빨아먹
구 하던 일본이, 그 왜놈들이 죄다 쫓겨 가구, 우리 조선은 독립이 돼서, 우리끼

10 하시하다 남을 얕잡아 낮추다.

리 잘 살게 됐어, 잘 살게."

의젓하고 점잖던 강 선생님이 그렇게도 들이 납뛰고[11] 덤비고 하는 것은 처음 보았다.

"자아, 만세 불러야지, 만세. 독립 만세, 독립 만세 불러야지. 태극기 없니? 태극기. 아무두 아니 가졌구나! 느인 참 태극기가 어떻게 생긴지 구경두 못 했을 게다. 가만있자, 내 태극기 맨들어 가지구 나오께."

그러면서 강 선생님은 직원실로 들어갔다.

강 선생님이 직원실로 들어서는 것을 보고, 교장 선생님이랑 두 일본 선생님은 인사를 하려고 풀기 없이 일어섰다.

강 선생님은 교장 선생님더러 말을 하였다.

"당신들은 인제는 일없어. 어서 집으루 가 있다 당신네 나라루 돌아갈 도리나 허우."

"……"

아무도 대꾸를 못 하는데, 뺨박 박 선생님이 주저주저하다가

"아니, 자상히 알아보기나 하구서……."

하는 것을, 강 선생님이 버럭 큰 소리로

"무엇이 어째? 자넨, 그래, 무어가 미련이 남은 게 있어 왜놈들허구 대가리 맞대구 앉어서 수군덕거리나? 혈서루 지원병 지원 한 번 더 해 보구퍼 그리나? 아따, 그다지 애닲거들랑[12] 왜놈들 쫓겨 가는 꽁무니 따라 일본으루 가 살게그려나. 자네 같은 충신이면 일본서두 괄신 아니하리."

"……"

뺨박 박 선생님은 그만 두말도 못 하고 얼굴이 벌게서 어쩔 줄을 몰라 하였다. 뺨박 박 선생님이 남한테 이렇게 꼼짝을 못 하는 것을 보기는, 우리는 처음

---

11 납뛰다 '날뛰다'와 같은 말로, 날듯이 껑충껑충 뛰다.
12 애닲다 애달프다.

이었다.

강 선생님은 반지[13]를 여러 장 꺼내어 놓고, 붉은 잉크와 푸른 잉크로 태극기를 몇 장이고 그렸다.

그려 내놓고는 또 그리고, 그려 내놓고 또 그리고, 얼마를 그리면서, 그러다 아주 부드럽고 조용한 목소리로

"여보게, 박 선생?"

하고 불렀다. 그러고는 잠자코 담배만 피우고 앉았는 뺌박 박 선생을 한 번 돌려다 보고 나서

"내가 좀 흥분해서 말이 너무 박절했나[14] 보이. 어찌 생각하지 말게…… 그리구 인제는 자네나 나나, 그동안 진 죄 우리 조선 동포 앞에 속죄해야 할 때가 아닌가? 물론 이담에 민족이 우리를 심판하구, 죄에 따라 벌을 줄 날이 오겠지. 그러나 장차에 받을 민족의 심판과 벌은 장차에 받을 민족의 심판과 벌이고, 시방 당장 조선 민족의 한 분자루 할 일이 조옴 많은가? 우리 같이 손목 잡구 건국에 도움 될 일을 하세. 자아, 이리 와서 태극기 그리게. 독립 만세부터 한바탕 부르세."

"……"

뺌박 박 선생님은 아무 소리도 않고, 강 선생님의 옆으로 와서 태극기를 그리기 시작하였다.

그 뒤로 강 선생님과 뺌박 박 선생님은 사이가 매우 좋아졌다.

뺌박 박 선생님은 학과 시간마다 여러 가지로 좋은 이야기를 많이 하여 우리한테 들려주었다.

일본이 우리 조선을 뺏어 저의 나라에 속국을 삼던 이야기도 하여 주었다.

---

13 반지 얇고 흰 일본 종이.
14 박절하다 인정이 없고 쌀쌀맞다.

왜놈들은 천하의 불측한[15] 인종이어서, 남의 나라와 전쟁하기를 좋아하는 백성이라고 하였다. 그래서 임진왜란 때에도 우리 조선에 쳐들어왔고, 그랬다가 이순신 장군이랑 권율 도원수[16]한테 아주 혼이 나고 쫓기어 간 이야기도 하여 주었다.

우리 조선은 역사가 4000년이나 오래고, 그리고 세계의 어떤 나라보다 못하지 않게 훌륭한 문화가 발달된 나라라고, 이야기도 하여 주었다.

뺌박 박 선생님은 한편으로 열심히 미국 말을 공부하였다. 그러면서 우리들더러도 졸업을 하고 중학교에 가거들랑 미국 말을 제일 무엇보다도 많이 공부하라고, 시방은 미국 말을 모르고는 훌륭한 사람이 되지 못한다고 하였다.

뺌박 박 선생님은 한 1년 그렇게 미국 말 공부를 하더니, 그다음부터는 미국 병정이 오든지 하면 일쑤 통역을 하고 하였다. 중학교에 다닐 때에 조금 배운 것이 있어서 그렇게 쉽게 체득을 하였다고 하였다. 미국 병정은 벼 공출을 감독하러 와서, 우리 뺌박 박 선생님을 그 꼬마 자동차에 태워 가지고 동네 동네 돌아다녔다.

뺌박 박 선생님은 미국 양복을 얻어 입고, 미국 담배를 얻어 피우고, 미국 통조림이랑 과자를 얻어먹고 하였다.

해방 뒤에 새로 온 김 교장 선생님이 갈려 가고, 강 선생님이 교장이 되었다.

강 선생님이 교장이 된 다음부터는 뺌박 박 선생님은 강 선생님과 도로 사이가 나빠졌다.

우리는 한번 뺌박 박 선생님이 미국 담배를 피우고 있는 것을, 교장 선생님이

"자넨 그건 무어라구 주접스럽게 얻어 피우군 하나?"

하고 핀잔을 하는 것을 보았다.

강 선생님은 교장이 된 지 1년이 못 되어서 파면을 당하였다. 어른들 말이, 강

---

15 불측하다 생각이나 행동 따위가 괘씸하고 엉큼하다.
16 도원수 고려·조선 시대에 전쟁이 났을 때 군대에 관한 것을 맡아보던 임시 벼슬.

선생님은 빨갱이라고 하였다. 그리고 그래서 파면을 당하였느니라고 하였다.

또 누구는, 뺌박 박 선생님이 강 선생님을 그렇게 꼬아 댄 것이지, 강 선생님은 하나도 빨갱이가 아니라고도 하였다.

강 선생님이 파면을 당한 뒤를 물려, 뺌박 박 선생님이 교장 선생님이 되었다.

교장이 된 뺌박 박 선생님은 그 작은 키가 으쓱하였다.

뺌박 박 선생님은 미국을 침이 마르도록 칭찬을 하였다. 이 세상에 미국같이 훌륭한 나라가 없고, 미국 사람같이 훌륭한 백성이 없다고 하였다.

우리 조선은 미국 덕분에 해방이 되었으니까, 미국을 누구보다도 고맙게 여기고, 미국이 시키는 대로 순종을 하여야 하느니라고 하였다.

우리가 혹시 말끝에 "미국 놈……."이라고 하면, 뺌박 박 선생님은 단박 붙잡아다 세우고 벌을 키우곤 하였다. 전에 "덴노헤이까 바가."라고 한 것만큼이나 엄한 벌을 주었다.

"이놈아, 아무리 미련한 소견이기로, 자아 보아라, 우리 조선을 독립을 시켜 주느라고 자기 나라 백성을 많이 죽여 가면서 전쟁을 했지. 그래서 그 덕에 우리 조선이 왜놈의 압제에서 벗어나서 독립이 되질 아니했어? 그뿐인감? 독립을 시켜 주구 나서두 우리 조선 사람들, 배 아니 고프구 편안히 잘 살라구, 양식이야 옷감이야 기계야 자동차야 석유야 설탕이야 구두야, 무어 죄다 골고루 가져다 주지 않어? 그런데 그런 고마운 사람들더러 미국 놈이 무어야?"

벌을 세우면서 뺌박 박 선생님은 이렇게 꾸짖곤 하였다.

우리는 뺌박 박 선생님더러 미국에도 '덴노헤이까'가 있느냐고 물었다. 미국에도 덴노헤이까가 있지 않고서야 우리 조선 사람을 그렇게 일본의 '덴노헤이까'처럼 친아들과 같이 사랑하고, 우리 조선 사람들이 잘 살도록 근심을 하며, 온갖 물건을 가져다주고 할 이치가 없기 때문이었다. (해방 전에, 뺌박 박 선생님은 덴노헤이까는 우리 조선 사람들을 일본 사람들과 같이 사랑하고, 우리 조선 사람들이 잘 살기를 근심하신다고 늘 가르쳐 주고 하였었다.)

뺌박 박 선생님은 미국에는 덴노헤이까는 없고, 덴노헤이까보다 훌륭한 '돌멩이[17]'라는 양반이 있다고 대답하였다.

우리는 그럼, 이번에는 그 '돌멩이'라는 훌륭한 어른을 위하여 '미국 신민노세이시(미국 신민 서사)'를 부르고, 기미가요[18] 대신 돌멩이 가요를 부르고 하여야 하나 보다고 생각하였다.

아무튼 뺌박 박 선생님은 참 이상한 선생님이었다.

(1949년)

---

17 돌멩이 당시 미국 대통령 해리 S. 트루먼을 뜻한다. '트루먼'과 인칭 접미사 '-이'를 합쳐 발음했을 때 '돌멩이'처럼 들리는 것에서 유래한 언어유희이다.
18 기미가요 이전에 일본의 국가(國歌)를 이르던 말. 일왕을 찬양하는 내용이 담겨 있다.

소나기

황순원

황순원 (1915~2000)

1931년 시 〈나의 꿈〉을 〈동광〉에 발표하며 시인으로 먼저 등단했다. 소설을 쓰기 시작한 것은 1937년경으로 1940년에 첫 단편집 《늪》(초기 이름은 '황순원 단편집')을 출간했다. 그 뒤 《목넘이 마을의 개》《기러기》《학》《잃어버린 사람들》《너와 나만의 시간》《탈》 등의 단편집과 《별과 같이 살다》《카인의 후예》《인간 접목》《나무들 비탈에 서다》《일월》《움직이는 성》《신들의 주사위》 등의 장편 소설을 발표했다. 그의 작품에는 한국인의 전통적 삶에 대한 따뜻한 시선과 인간에 대한 애정이 담겨 있다. 특히 한 편의 시 같은 단편 〈소나기〉는 그 서정적 아름다움의 극치를 보여 주는 대표작으로 평가받는다.

소년은 개울가에서 소녀를 보자 곧 윤 초시[1]네 증손녀딸이라는 걸 알 수 있었다. 소녀는 개울에다 손을 잠그고 물장난을 하고 있는 것이다. 서울서는 이런 개울물을 보지 못하기나 한 듯이.

벌써 며칠째 소녀는, 학교에서 돌아오는 길에 물장난이었다. 그런데 어제까지는 개울 기슭에서 하더니, 오늘은 징검다리 한가운데 앉아서 하고 있다.

소년은 개울둑에 앉아 버렸다. 소녀가 비키기를 기다리자는 것이다. 요행[2] 지나가는 사람이 있어, 소녀가 길을 비켜 주었다.

다음 날은 좀 늦게 개울가로 나왔다.

이날은 소녀가 징검다리 한가운데 앉아 세수를 하고 있었다. 분홍 스웨터 소매를 걷어 올린 팔과 목덜미가 마냥 희었다.

한참 세수를 하고 나더니, 이번에는 물속을 빤히 들여다본다. 얼굴이라도 비추어 보는 것이리라. 갑자기 물을 움켜 낸다. 고기 새끼라도 지나가는 듯.

소녀는 소년이 개울둑에 앉아 있는 걸 아는지 모르는지, 그냥 날쌔게 물만 움켜 낸다. 그러나 번번이 허탕이다. 그대로 재미있는 양, 자꾸 물을 움킨다. 어제처럼 개울을 건너는 사람이 있어야 자리를 비킬 모양이다.

그러다가 소녀가 물속에서 무엇을 하나 집어낸다. 하얀 조약돌이었다. 그러고는 벌떡 일어나 팔짝팔짝 징검다리를 뛰어 건너간다.

---

1 초시 예전에, 글깨나 읽었던 양반을 높여 이르던 말.
2 요행 뜻밖에 얻는 행운.

다 건너가더니만 홱 이리로 돌아서며,

"이 바보."

조약돌이 날아왔다.

소년은 저도 모르게 벌떡 일어섰다.

단발머리를 나풀거리며 소녀가 막 달린다. 갈밭 사잇길로 들어섰다. 뒤에는 청량한 가을 햇빛 아래 빛나는 갈꽃뿐.

이제 저쯤 갈밭머리[3]로 소녀가 나타나리라. 꽤 오랜 시간이 지났다고 생각됐다. 그런데도 소녀는 나타나지 않는다. 발돋움을 했다. 그러고도 상당한 시간이 지났다고 생각됐다.

저쪽 갈밭머리에 갈꽃이 한 옴큼 움직였다. 소녀가 갈꽃을 안고 있었다. 그리고 이제는 천천한 걸음이었다. 유난히 맑은 가을 햇살이 소녀의 갈꽃 머리에서 반짝거렸다. 소녀 아닌 갈꽃이 들길을 걸어가는 것만 같았다.

소년은 이 갈꽃이 아주 뵈지 않게 되기까지 그대로 서 있었다. 문득, 소녀가 던진 조약돌을 내려다보았다. 물기가 걷혀 있었다. 소년은 조약돌을 집어 주머니에 넣었다.

다음 날부터 좀 더 늦게 개울가로 나왔다. 소녀의 그림자가 뵈지 않았다. 다행이었다.

그러나 이상한 일이었다. 소녀의 그림자가 뵈지 않는 날이 계속될수록 소년의 가슴 한구석에는 어딘가 허전함이 자리 잡는 것이었다. 주머니 속 조약돌을 주무르는 버릇이 생겼다.

그러한 어떤 날, 소년은 전에 소녀가 앉아 물장난을 하던 징검다리 한가운데에 앉아 보았다. 물속에 손을 잠갔다. 세수를 하였다. 물속을 들여다보았다. 검

---

3 갈밭머리 갈대밭 근처. 특히 출입이 잦은 입구 쪽을 이른다.

게 탄 얼굴이 그대로 비치었다.
싫었다.

소년은 두 손으로 물속의 얼굴을 움키었다. 몇 번이고 움키었다. 그러다가 깜짝 놀라 일어나고 말았다. 소녀가 이리 건너오고 있지 않느냐.

'숨어서 내 하는 꼴을 엿보고 있었구나.' 소년은 달리기 시작했다. 디딤돌을 헛짚었다. 한 발이 물속에 빠졌다. 더 달렸다.

몸을 가릴 데가 있어 줬으면 좋겠다. 이쪽 길에는 갈밭도 없다. 메밀밭이다. 전에 없이 메밀꽃 내가 짜릿하니 코를 찌른다고 생각됐다. 미간이 아찔했다. 찝찔한 액체가 입술에 흘러들었다. 코피였다. 소년은 한 손으로 코피를 훔쳐 내면서 그냥 달렸다. 어디선가 '바보, 바보.' 하는 소리가 자꾸만 뒤따라오는 것 같았다.

토요일이었다.

개울가에 이르니, 며칠째 보이지 않던 소녀가 건너편 가에 앉아 물장난을 하고 있었다.

모르는 체 징검다리를 건너기 시작했다. 얼마 전에 소녀 앞에서 한 번 실수를 했을 뿐, 여태 큰길 가듯이 건너던 징검다리를 오늘은 조심스럽게 건넌다.

"애."

못 들은 체했다. 둑 위로 올라섰다.

"애, 이게 무슨 조개지?"

자기도 모르게 돌아섰다. 소녀의 맑고 검은 눈과 마주쳤다. 얼른 소녀의 손바닥으로 눈을 떨구었다.

"비단조개."

"이름두 참 곱다."

갈림길에 왔다. 여기서 소녀는 아래편으로 한 3마장[4]쯤, 소년은 우대[5]로 한 10리 가까운 길을 가야 한다.

소녀가 걸음을 멈추며,

"너, 저 산 너머에 가 본 일 있니?"

벌[6] 끝을 가리켰다.

"없다."

"우리, 가 보지 않을래? 시골 오니까 혼자서 심심해 못 견디겠다."

"저래 봬두 멀다."

"멀믄 얼마나 멀겠게? 서울 있을 땐 사뭇 먼 데까지 소풍 갔었다."

소녀의 눈이 금세 '바보, 바보.' 할 것만 같았다.

논 사잇길로 들어섰다. 올벼 가을걷이하는 곁을 지났다.

허수아비가 서 있었다. 소년이 새끼줄을 흔들었다. 참새가 몇 마리 날아간다. '참, 오늘은 일찍 집으로 돌아가, 텃논[7]의 참새를 봐야 할걸.' 하는 생각이 든다.

"아, 재밌다!"

소녀가 허수아비 줄을 잡더니 흔들어 댄다. 허수아비가 대고[8] 우쭐거리며 춤을 춘다. 소녀의 왼쪽 볼에 살포시 보조개가 패었다.

저만치 허수아비가 또 서 있다. 소녀가 그리로 달려간다. 그 뒤를 소년도 달렸다. 오늘 같은 날은 일찍 집으로 돌아가 집안일을 도와야 한다는 생각을 잊어버리기라도 하려는 듯이.

소녀의 곁을 스쳐 그냥 달린다. 메뚜기가 따끔따끔 얼굴에 와 부딪힌다. 쪽빛

---

4 마장 거리를 나타내는 순우리말로 원래는 1리와 같은 말이지만, 5리나 10리가 못 되는 거리를 이르는 말로 쓰였다. 1리는 약 393미터에 해당한다.
5 우대 위쪽.
6 벌 넓고 평평하게 생긴 땅.
7 텃논 집터에 딸리거나 마을 가까이 있는 논.
8 대고 무리하게 자꾸. 또는 계속하여 자꾸.

으로 한껏 갠 가을 하늘이 소년의 눈앞에서 맴을 돈다. 어지럽다. 저놈의 독수리, 저놈의 독수리, 저놈의 독수리가 맴을 돌고 있기 때문이다.

돌아다보니, 소녀는 지금 자기가 지나쳐 온 허수아비를 흔들고 있다. 좀 전 허수아비보다도 더 우쭐거린다.

논이 끝난 곳에 도랑이 하나 있었다. 소녀가 먼저 뛰어 건넜다.

거기서부터 산 밑까지는 밭이었다.

수숫단을 세워 놓은 밭머리를 지났다.

"저게 뭐니?"

"원두막."

"여기 참외, 맛있니?"

"그럼. 참외 맛두 좋지만, 수박 맛은 더 좋다."

"하나 먹어 봤으면."

소년이 참외 그루⁹에 심은 무밭으로 들어가, 무 두 밑을 뽑아 왔다. 아직 밑이 덜 들어 있었다. 잎을 비틀어 팽개친 후, 소녀에게 한 개 건넨다. 그러고는 이렇게 먹어야 한다는 듯이, 먼저 대강이¹⁰를 한 입 베 물어 낸 다음, 손톱으로 한 돌이¹¹ 껍질을 벗겨 우적 깨문다.

소녀도 따라 했다. 그러나 세 입도 못 먹고,

"아, 맵고 지려."

하며 집어 던지고 만다.

"참, 맛없어 못 먹겠다."

소년이 더 멀리 팽개쳐 버렸다.

산이 가까워졌다.

---

9 그루 작물을 심어 기르고 거둔 자리.
10 대강이 식물의 뿌리나 줄기의 윗부분을 이르는 말.
11 돌이 무엇의 둘레로 한 바퀴 돌아가거나 감긴 것을 세는 단위.

단풍잎이 눈에 따가웠다.

"야아!"

소녀가 산을 향해 달려갔다. 이번은 소년이 뒤따라 달리지 않았다. 그러고도 곧 소녀보다 더 많은 꽃을 꺾었다.

"이게 들국화, 이게 싸리꽃, 이게 도라지꽃⋯⋯."

"도라지꽃이 이렇게 예쁜 줄은 몰랐네. 난 보랏빛이 좋아! ⋯⋯ 근데 이 양산 같이 생긴 노란 꽃이 뭐지?"

"마타리꽃."

소녀는 마타리꽃을 양산 받듯이 해 보인다. 약간 상기된 얼굴에 살폿한[12] 보조개를 떠올리며.

다시 소년은 꽃 한 옴큼을 꺾어 왔다. 싱싱한 꽃가지만 골라 소녀에게 건넨다.

그러나 소녀는

"하나두 버리지 말어."

산마루께로 올라갔다.

맞은편 골짜기에 오손도손 초가집이 몇 모여 있었다.

누가 말한 것도 아닌데, 바위에 나란히 걸터앉았다. 별로[13] 주위가 조용해진 것 같았다. 따가운 가을 햇살만이 말라 가는 풀 냄새를 퍼뜨리고 있었다.

"저건 또 무슨 꽃이지?"

적잖이 비탈진 곳에 칡덩굴이 엉키어 꽃을 달고 있었다.

"꼭 등꽃 같네. 서울 우리 학교에 큰 등나무가 있었단다. 저 꽃을 보니까 등나무 밑에서 놀던 동무들 생각이 난다."

소녀가 조용히 일어나 비탈진 곳으로 간다. 꽃송이가 달린 줄기를 잡고 끊기 시작한다. 좀처럼 끊어지지 않는다. 안간힘을 쓰다가 그만 미끄러지고 만다. 칡

---

12 살폿하다 '포근하다'의 방언.
13 별로 따로 별나게. 또는 따로 특별히.

덩굴을 그러쥐었다.

소년이 놀라 달려갔다. 소녀가 손을 내밀었다. 손을 잡아 이끌어 올리며, 소년은 제가 꺾어다 줄 것을 잘못했다고 뉘우친다.

소녀의 오른쪽 무릎에 핏방울이 내맺혔다. 소년은 저도 모르게 생채기에 입술을 가져다 대고 빨기 시작했다. 그러다, 무슨 생각을 했는지 획 일어나 저쪽으로 달려간다.

좀 만에 숨이 차 돌아온 소년은

"이걸 바르면 낫는다."

송진을 생채기에다 문질러 바르고는 그 담음으로 칡덩굴 있는 데로 내려가, 꽃 달린 줄기를 이빨로 끊어 가지고 올라온다. 그러고는

"저기 송아지가 있다. 그리 가 보자."

누렁 송아지였다. 아직 코뚜레도 꿰지 않았다.

소년이 고삐를 바투 잡아 쥐고 등을 긁어 주는 척 후딱 올라탔다. 송아지가 껑충거리며 돌아간다.

소녀의 흰 얼굴이, 분홍 스웨터가, 남색 스커트가, 안고 있는 꽃과 함께 범벅이 된다. 모두가 하나의 큰 꽃묶음 같다. 어지럽다. 그러나 내리지 않으리라. 자랑스러웠다. 이것만은 소녀가 흉내 내지 못할, 자기 혼자만이 할 수 있는 일인 것이다.

"너희 예서 뭣들 하느냐?"

농부 하나가 억새풀 사이로 올라왔다.

송아지 등에서 뛰어내렸다. 어린 송아지를 타서 허리가 상하면 어쩌느냐고 꾸지람을 들을 것만 같다.

그런데 나룻[14]이 긴 농부는 소녀 편을 한 번 훑어보고는 그저 송아지 고삐를

---

14 나룻 입 주변이나 턱 또는 뺨에 나는 털.

풀어내면서,

"어서들 집으루 가거라. 소나기가 올라."

참, 먹장구름[15] 한 장이 머리 위에 와 있다. 갑자기 사면이 소란스러워진 것 같다. 바람이 우수수 소리를 내며 지나간다. 삽시간에 주위가 보랏빛으로 변했다.

산을 내려오는데, 떡갈나무 잎에서 빗방울 듣는[16] 소리가 난다. 굵은 빗방울이었다. 목덜미가 선뜻선뜻했다. 그러자 대번에 눈앞을 가로막는 빗줄기.

비안개 속에 원두막이 보였다. 그리로 가 비를 그을[17] 수밖에.

그러나 원두막은 기둥이 기울고 지붕도 갈래갈래 찢어져 있었다. 그런대로 비가 덜 새는 곳을 가려 소녀를 들어서게 했다. 소녀의 입술이 파랗게 질려 있었다. 어깨를 자꾸 떨었다.

무명[18] 겹저고리를 벗어 소녀의 어깨를 싸 주었다. 소녀는 비에 젖은 눈을 들어 한 번 쳐다보았을 뿐, 소년이 하는 대로 잠자코 있었다. 그러면서 안고 온 꽃묶음 속에서 가지가 꺾이고 꽃이 일그러진 송이를 골라 발밑에 버린다.

소녀가 들어선 곳도 비가 새기 시작했다. 더 거기서 비를 그을 수 없었다.

밖을 내다보던 소년이 무엇을 생각했는지 수수밭 쪽으로 달려간다. 세워 놓은 수숫단 속을 비집어 보더니, 옆의 수숫단을 날라다 덧세운다. 다시 속을 비집어 본다. 그러고는 소녀 쪽을 향해 손짓을 한다.

수숫단 속은 비는 안 새었다. 그저 어둡고 좁은 게 안됐다. 앞에 나앉은 소년은 그냥 비를 맞아야만 했다. 그런 소년의 어깨에서 김이 올랐다.

소녀가 속삭이듯이, 이리 들어와 앉으라고 했다. 괜찮다고 했다. 소녀가 다시, 들어와 앉으라고 했다. 할 수 없이 뒷걸음질을 쳤다. 그 바람에, 소녀가 안고

---

15 먹장구름 먹빛같이 시꺼먼 구름.
16 듣다 눈물, 빗물 따위의 액체가 방울져 떨어지다.
17 긋다 비를 잠시 피하여 그치기를 기다리다.
18 무명 목화솜으로 만든 실로 짠 천.

있는 꽃묶음이 우그러들었다. 그러나 소녀는 상관없다고 생각했다. 비에 젖은 소년의 몸 내음새가 확 코에 끼얹혀졌다. 그러나 고개를 돌리지 않았다. 도리어 소년의 몸기운으로 해서 떨리던 몸이 적이 누그러지는 느낌이었다.

소란하던 수숫잎 소리가 뚝 그쳤다. 밖이 멀게졌다.

수숫단 속을 벗어 나왔다. 멀지 않은 앞쪽에 햇빛이 눈부시게 내리붓고 있었다.

도랑 있는 곳까지 와 보니, 엄청나게 물이 불어 있었다. 빛마저 제법 붉은 흙탕물이었다. 뛰어 건널 수가 없었다.

소년이 등을 돌려 댔다. 소녀가 순순히 업히었다. 걷어 올린 소년의 잠방이[19]까지 물이 올라왔다. 소녀는 "어머나!" 소리를 지르며 소년의 목을 그러안았다.

개울가에 다다르기 전에, 가을 하늘은 언제 그랬는가 싶게 구름 한 점 없이 쪽빛으로 개어 있었다.

그다음 날은 소녀의 모습이 뵈지 않았다. 다음 날도, 다음 날도. 매일같이 개울가로 달려와 봐도 뵈지 않았다.

학교에서 쉬는 시간에 운동장을 살피기도 했다. 남몰래 5학년 여자 반을 엿보기도 했다. 그러나 뵈지 않았다.

그날도 소년은 주머니 속 흰 조약돌만 만지작거리며 개울가로 나왔다. 그랬더니 이쪽 개울둑에 소녀가 앉아 있는 게 아닌가.

소년은 가슴부터 두근거렸다.

"그동안 앓았다."

알아보게 소녀의 얼굴이 해쓱해져[20] 있었다.

"그날 소나기 맞은 것 땜에?"

---

19 잠방이 가랑이가 무릎까지 내려오도록 짧게 만든 홑바지.
20 해쓱하다 얼굴에 핏기나 생기가 없어 파리하다.

소녀가 가만히 고개를 끄덕이었다.

"인제 다 났냐?"

"아직두……."

"그럼 누워 있어야지."

"너무 갑갑해서 나왔다. …… 그날 참 재밌었어. …… 근데 그날 어디서 이런 물이 들었는지 잘 지지 않는다."

소녀가 분홍 스웨터 앞자락을 내려다본다. 거기에 검붉은 진흙물 같은 게 들어 있었다.

소녀가 가만히 보조개를 떠올리며,

"그래 이게 무슨 물 같니?"

소년은 스웨터 앞자락만 바라보고 있었다.

"내, 생각해 냈다. 그날, 도랑을 건널 때 내가 업힌 일이 있지? 그때, 네 등에서 옮은 물이다."

소년은 얼굴이 확 달아오름을 느꼈다.

갈림길에서 소녀는,

"저, 오늘 아침에 우리 집에서 대추를 땄다. 추석에 제사 지낼려구……."

대추 한 줌을 내어 준다.

소년은 주춤한다.

"맛봐라. 우리 증조할아버지가 심었다는데, 아주 달다."

소년은 두 손을 오그려 내밀며,

"참, 알두 굵다!"

"그리구 저, 우리 이번에 제사 지내고 나서 좀 있다 집을 내주게 됐다."

소년은 소녀네가 이사해 오기 전에 벌써 어른들의 이야기를 들어서, 윤 초시 손자가 서울서 사업에 실패해 가지고 고향에 돌아오지 않을 수 없게 됐다는 걸 알고 있었다. 그것이 이번에는 고향 집마저 남의 손에 넘기게 된 모양이었다.

"왜 그런지 난 이사 가는 게 싫어졌다. 어른들이 하는 일이니 어쩔 수 없지만……."

전에 없이, 소녀의 까만 눈에 쓸쓸한 빛이 떠돌았다.

소녀와 헤어져 돌아오는 길에, 소년은 혼잣속으로, 소녀가 이사를 간다는 말을 수없이 되뇌어 보았다. 무어 그리 안타까울 것도 서러울 것도 없었다. 그렇건만 소년은 지금 자기가 씹고 있는 대추알의 단맛을 모르고 있었다.

이날 밤, 소년은 몰래 덕쇠 할아버지네 호두밭으로 갔다.

낮에 봐 두었던 나무로 올라갔다. 그리고 봐 두었던 가지를 향해 작대기를 내리쳤다. 호두 송이 떨어지는 소리가 별나게 크게 들렸다. 가슴이 선뜻했다. 그러나 다음 순간, 굵은 호두야 많이 떨어져라, 많이 떨어져라, 저도 모를 힘에 이끌려 마구 작대기를 내리치는 것이었다.

돌아오는 길에는 열이틀 달이 지우는 그늘만 골라 짚었다. 그늘의 고마움을 처음 느꼈다.

불룩한 주머니를 어루만졌다. 호두 송이를 맨손으로 깠다가는 옴[21]이 오르기 쉽다는 말 같은 건 아무렇지도 않았다. 그저 근동[22]에서 제일가는 이 덕쇠 할아버지네 호두를 어서 소녀에게 맛 보여야 한다는 생각만이 앞섰다.

그러다, '아차.' 하는 생각이 들었다. 소녀더러 병이 좀 낫거들랑 이사 가기 전에 한번 개울가로 나와 달라는 말을 못 해 둔 것이었다. 바보 같은 것, 바보 같은 것.

이튿날, 소년이 학교에서 돌아오니, 아버지가 나들이옷으로 갈아입고 닭 한 마리를 안고 있었다.

---

21 옴 호두의 진이 살에 묻었을 때 그 독 때문에 생기는 피부병. 호두옴.
22 근동 가까운 이웃 동네.

청하고 있다. 내일은 이 교구가 걸려들 판이다. 성경만이 진리요, 그 밖의 모든 것은 성직자들의 허구(虛構)라고 열변을 토하던 경애하는 지도자들도 대개 재판정에서는 영역을 읽는 것이 잘못이요, 성찬의 빵과 포도주는 틀림없이 크리스도[8]의 살과 피라고 시인하고 전비(前非)[9]를 눈물로써 회개하였다. 자기와 나란히 앉아 같은 지도자의 혁신적 성서 강의를 듣고 그 정당성을 인정하고 그것을 목숨으로써 지키기를 맹세하던 같은 재봉 직공이나 가죽 직공들도 모두 맹세를 깨뜨리고 회개함으로써 목숨을 구하였다. 온 영국을 휩쓸고 있는 죽음의 공포 앞에서 구차한 생명들이 풀잎같이 떨고 있다. 권력을 쥔 자들은 권력 보지[10]에 양심과 양식이 마비되어 이 폭풍에 장단을 맞추고 힘없는 백성들은 생명의 보전이라는 동물의 본능에 다른 것을 돌아볼 여지가 없다.

어저께까지 옳았고 아무리 생각하여도 아무리 보아도 틀림없이 옳던 것이 하루아침에 정반대인 극악(極惡)으로 변하는 법이 있을 수 있는 일이냐? 비위에 맞으면 옳고 비위에 거슬리면 귫단[11] 말이냐?

가난한 자 괴로워하는 자를 구하는 것이 크리스도의 본의[12]일진대, 선천적으로 결정된 운명의 밧줄에 묶여서, 래틴[13] 말을 배우지 못한 그들이 쉬운 자기 말로 복음의 혜택을 받는 것이 어째서 사형을 받아야만 하는 극악무도한 짓이란 말이냐? 성찬의 빵과 포도주는 크리스도의 분신이니 신성하다지마는 아무리 보아도 빵이요 먹어도 빵이다. 포도주 역시 다를 것이 없다. 말짱한 정신으로는 거짓이 아니고야 어찌 인정할 도리가 있을 것이냐? 무슨 까닭에 벽을 문이라고 내미는 것이냐? 절대적으로 보면 같은 수평선상에 서 있는 사람이 제멋대로 꾸며 낸 것을 다른 사람에게 강요할 근거가 어디 있단 말이냐?

---

8 크리스도 '그리스도'의 잘못.
9 전비 이전에 저지른 잘못. 여기서는 영역 복음서를 읽은 일을 가리킴.
10 보지 보전하여 잘 유지함.
11 귫다 '그르다'의 잘못.
12 본의 본심. 본래 지니고 있던 마음과 의도.
13 래틴 라틴.

바비도는 울화가 치밀었다.

그러나 다음 순간 위로 로오마[14] 교황부터 아래는 사제에 이르기까지 거창한 조직체가 자기를 억누르고 목을 졸라매는 위압을 느꼈다. 전체 로오마 교회와 일개 재봉 직공과는 너무나 어처구니없는 대조였다. 선택의 자유는 있을 수 없었다. 죽음이냐 굴복이냐 두 갈래 길밖에는 없다. 죽음…… 소름이 끼친다. 등불에 비친 손을 어루만지고 다시 손으로 얼굴을 만져 보았다. 이 손, 이 얼굴이 타서 재가 되어 버린다! 이렇게 생각하고 있는 내 자체가 없어진다! 아무것도 없이, 생각이라는 것도 없어진다!

그는 공포에 떨었다.

그래도 사람이라는 것이 자기의 똑바른 마음을 속이지 않을 권리가 이 천하의 어느 한구석에 있을 것만 같았다.

'그러나 이렇게 생각하는 자체가 현실에서는 망상이다. 이런 조건하에서도 흑백을 똑바로 말해야 하느냐? 그럼으로써 재가 되고 영원한 시간의 흐름의 이 일점(一點)에 단 한 번 존재하는 이 주체가 없어져야만 하느냐?'

전신의 힘이 일시에 풀렸다.

'나같이 천한 놈이 양심을 안 속였다고 별수 있을 것도 아닌데…… 되는대로 대답하고 목숨을 구하는 것이 상책이 아닐가?'

이렇게 변명하면 할수록 마음속은 더욱더 께름직하고 가슴이 답답하였다. 맥이 풀린 손에서는 일감이 저절로 떨어졌다.

일이 손에 붙지 않아서 그냥 자리에 들어누었다[15]. 얼빠진 사람같이 등불을 물끄러미 보았다. 사형의 선풍[16]이 전국을 휩쓸자 거짓 회개와 거짓 눈물을 방패로 앙달방달[17] 이것을 막아 내는 짓밟힌 백성들의 눈물겨운 모습이 눈앞에 선하다.

---

14 로오마 로마.
15 들어누었다 규범 표기는 '드러누웠다'이다.
16 선풍 회오리바람.
17 앙달방달 몹시 속을 태우며 조급하게 볶아치는 모양. 안달복달.

하루살이가 등불에 튀어들어 씩 하고 죽는다.

'불행의 시초는 도대체 인간 세상에 태여났다는 사실에 있다. 누가 이 세상에 나고 싶다고 했더냐? 이놈은 이 소리 하고 저놈은 저 소리 하다가 자기 말을 안 듣는다고 도끼질할 권리는 어디서 얻었단 말이냐? 너희들은 자기가 옳다는 것, 아니 자기에게 이익 되는 것을 창을 들고 남에게 강요할 권리가 있고, 나는 왜 내가 옳다고 생각하는 것을 내 자신만 행할 권리, 가슴에 간직할 권리조차 없단 말이냐?'

식은땀이 온몸을 적셨다.

'힘이다! 너희들이 가진 것도 힘이요, 내게 없는 것도 힘이다. 옳고 글은[18] 것이 문제가 아니라 세고 약한 것이 문제다. 힘은 진리를 창조하고 변경하고 이것을 자기 집 문지기 개로 이용한다. 힘이여 저주를 받아라!'

바비도는 가래침을 뱉었다. 흉칙한[19] 힘의 낯짝에 검푸른 가래침을 뱉어 짓밟힌 자의 불붙는 증오심을 내뿜고 싶었다.

자리에서 핑 돌아누웠다.

가물거리는 등불과 더불어 그림자가 깜박인다. 주먹으로 힘껏 벽을 두드렸다. 쿵 소리와 함께 약간 울리고는 도루[20] 잠잠해진다. 벽에다 또 가래침을 뱉었다. 그는 자기 자신이 정의 자체인 양 참을 수 없이 화가 치밀었다. 힘이란 불의의 주구였다.

'가래침아, 너는 영원히 남아서 바비도의 모멸을 기념하여라!'

쳐다보니 일전에 주문을 받아 어저께 완성한 무에라고 허는 귀족의 옷이 걸려 있다. 그놈의 옷이 공연히 사람의 부화[21]를 돋군다[22]. 번개같이 일어나서 잡아채었다. 힘껏 마룻바닥에 내동댕이치고 짓밟았다. 그래도 시언치 않다. 옷을 거

---

18 글다 '그르다'의 잘못.
19 흉칙하다 '흉측하다'의 잘못.
20 도루 '도로(본래의 상태대로)'의 방언.
21 부화 '부아(노엽거나 분한 마음)'의 옛말.
22 돋구다 '돋우다'의 잘못.

누고 오줌을 쌌다.

이번에는 구석에 있는 궤짝이 밉쌀스럽다[23]. 발길로 졍겨 찼다. 문짝이 부서졌다. 잡아서 모로 쓸어뜨리고 두 발로 힘껏 구르고 문질러서 쪼각쪼각[24] 부셔[25] 버렸다. 사람이 꾸며 낸 것은 무엇이든지 눈에 불이 나듯 원수 같았다. 닥치는 대로 찢고 물어뜯고 짓밟았다. 깜박이는 등불이 얄밉다. 문을 열어제끼고 힘자라는[26] 대로 멀리 냇다[27] 던졌다.

숨을 허덕이면서 자리에 쓸어졌다[28]. 사람 허울을 쓴 놈이 눈앞에 나타나기만 하면 단번에 모가지를 비틀어서 쑥 잡아 빼어 버리고 싶었다. 큼직한 빗자루가 있으면 영국에 사는 놈을 모조리 쓸어다가 테임즈강[29]에 처박고 침을 뱉아 주고 싶었다. 이러구저러구 꾸미구 죽이구 뽐내구 눈물을 짜구 애걸하구 손을 비비는 인간의 연극이여 저주를 받아라.

— 뒷짐을 묶인 바비도는 종교 재판정에 나타났다.

검은 옷을 입은 사교는 가슴에 십자를 그리고 엄숙하게 개정을 선언하였다.

"네가 재봉 직공 바비도냐?"

"그렇습니다."

"밤이면 몰래 모여들어서 영역 복음서를 읽었다지?"

"그렇습니다."

"그것이 옳다고 생각하느냐 글다고 생각하느냐?"

"옳다고도 글다고도 생각지 않습니다."

---

23 밉쌀스럽다 '밉살스럽다'의 잘못.
24 쪼각쪼각 '조각조각'의 방언.
25 부셔 '부숴'의 잘못.
26 힘자라다 힘이 미치다.
27 냇다 '냅다'의 잘못.
28 쓸어지다 '쓰러지다'의 잘못.
29 테임즈강 '템스강'의 잘못.

"옳으면 옳구 글으면 글지 그런 법이 어딧단[30] 말이냐 똑바루 말해ㅡ."

"전에는 옳다구 생각했습니다."

"그럼 그렇지, 지금은 글다구 생각한다는 말이지?"

"그렇지 않습니다."

사교는 상을 찌푸렸다.

"그렇지 않으면 어떻단 말이냐?"

"다 흥미가 없어졌다는 말입니다."

"흥미가 없어지다니 신성한 교회에 흥미가 없단 말이냐?"

"교회뿐만 아니라 온 인간 세상 나 자신에 대해서까지 흥미가 없어졌습니다."

"오오 이 무슨 독신[31]인고!"

사교는 눈을 감고 웨쳤다[32].

"내가 이렇게 재판을 연 것은 어떻게 해서든지 너를 구하려는 의도에서 나온 것이다. 이 간절한 심정을 살펴서 회개하고 바른대로 대답해라."

"그렇게 간절하걸랑 아무치도 않은 사람을 구한다고 수다를 떨지 말고 내버려 두시죠."

사교는 온 낯이 샛빨개지면서 북받쳐 오르는 감정을 억누르고 있었다.

"아무치도 않다니?"

"보시는 바와 같이 말짱한 사람을 미치괭이 취급을 해서 구하느니 마느니 들볶는 그 심뽀가 틀렸다는 말입니다."

이런 일에 능란한 사교는 성난 얼굴에서 곧 미소로 변하고 부드러운 목소리로 묻기 시작하였다.

"처음부터 묻기루 하자, 무슨 마귀의 장난으로 영어 복음서를 읽구 듣구

---

30 어딧단 규범 표기는 '어딨단'이다.
31 독신 신을 모독함.
32 웨치다 '외치다'의 잘못.

했지?"

"마귀의 장난이라뇨? 천만에. 우리말루 읽는 것이 왜 그렇게까지 옳지 못하다는 말입니까?"

"교회에서 금하니까 옳지 못허지."

"교회에서 하는 일은 무어든지 다 옳습니까?"

"암 그렇구말구 교회는 성 페테로[33]에서 시작되고 페테로는 직접 크리스도의 위임을 맡으셨으니까."

"그러니까 무조건 옳단 말씀이죠?"

"그렇지. 교회의 명령은 교황의 명령이요 교황의 명령은 성 페테로의 명령, 성 페테로의 명령은 크리스토[34]의 명령이시니까."

"사실 당신과 이러니저러니 말하고 싶지도 않습니다마는 기왕 말이 났으니 한 가지 더 묻지요, 간통죄를 용서하고 대신 돈 받는 것도 크리스토의 명령인가요?"

"독신두 유분수지 그런 법이 어딧단 말이냐!"

사교는 흥분한 나머지 주먹으로 책상을 쳤다.

"허어 저의 옆엣집 프랑시스코의 처가 당장 당신한테서 지난봄에 그런 판결을 받지 않았습니까?"

사교는 안색이 확 변했다.

"아-ㅁ[35], 더 고칠 수 없는 마귀에 걸려들었구나."

사교는 수염을 쓰다듬으면서 될 수 있는 대로 침착을 보이려고 애썼다.

"내가 여기서 말하는 건 너와 교리를 다투자는 건 아니다. 이러다가는 끝이 없으니 사실만 물어보기루 한다. 그래 네 소행을 어떻게 생각하느냐?"

"그렇게도 저렇게도 생각지 않습니다."

---

33 페테로 열두 사도의 한 사람인 '베드로'를 의미함.
34 크리스토 '그리스도'의 잘못.
35 아-ㅁ 원문을 따른 표기이다.

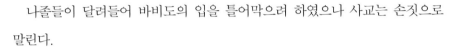

"회개한단 말이냐, 안 한단 말이냐?"

"잘못이 없는데 무슨 회갭니까?"

"으-ㅁ[36], 알았다. 성찬의 빵과 포도주는?"

"빵은 빵, 포도주는 포도주죠."

"너는 그 신성함을 모르느냐?"

"신성이라는 그 자체가 인간의 조작 이죠. 하여튼 크리스도가 이 자리에 계시다면 당신과 나는 자리를 바꿔야 할 것입니다."

나졸들이 달려들어 바비도의 입을 틀어막으려 하였으나 사교는 손짓으로 말린다.

"바비도, 한마디 회개한다고 말할 수 없느냐?"

사교는 애걸하는 어조였다.

"당신은 내게 강요하는 것을 모두 옳다구 확신하십니까?"

"그렇다."

사교는 서슴지 않고 대답하였다.

"그것은 당신 자신의 양심입니까?"

사교는 안색이 변하면서 입을 머뭇거리다가 손을 내저으면서 웨쳤다.

"나는 조직, 교회라는 조직에 복종하는 사람이다. 내게는 교회의 명령이 있을 뿐이요 양심은 문제가 안 된다."

"사람을 위한 교횐가요, 교회를 위한 사람인가요?"

"사람은 하느님의 교회에 모든 것을 바쳐야지. 교회 앞에서는 죄 많은 사람은 보잘것없는 물건이야."

"그럼 사람은 교회의 도구에 불과하군요."

36 으-ㅁ 원문을 따른 표기이다.

"도구라도 하느님의 도구니 얼마나 영광이냐?"

사교는 미소를 띠우면서[37] 바비도를 내려다보았다.

"……잘 알았읍니다."

"그럼 회개한단 말이지?"

바비도는 고개를 옆으로 흔들었다.

"얼마든지 살길이 있는데 구태여 죽음을 택하는 그 심사를 모르겠구나."

"산다는 것과 존재한다는 것은 다른 문제죠. 당신같이 썩은 사람은 살아 있지도 않고 살 가망도 없읍니다. 산송장이죠, 구더기가 이물이물 하는."

참는 것이 자기 본직이라는 듯이 침을 꿀꺽 삼키면서 사교는 미소를 띠웠다[38].

"무슨 곡절이 있구나, 왜 그러지?"

"곡절은 내게 있는 것이 아니라 명명백백한 것을 이리저리 비틀어 놓은 당신네들한테 있죠."

"도저히 안 되겠느냐?"

"나는 나대로 인간을 폐업하렵니다. 이 인간사를 뛰어넘은 길을 가야겠읍니다."

"아, 바비도……."

사교의 가슴속에서는 압도적인 교회 조직에 억눌린 인간 양심이 굼틀거렸다. 바비도의 눈에서도 눈물이 한 방울 뚝 떨어졌다.

"……회개하지?"

바비도는 고개를 옆으로 흔들었다. 장내에 있는 모든 사람들은 머리를 떨어뜨리고 발끝만 보고 있다.

"……그럼 마지막으로 할 말은 없느냐?"

"……별로 없읍니다. 다만 어지러운 이 인간 세상에 태어난 것을 슬퍼할

---

37 띠우면서 규범 표기는 '띠면서'이다.
38 띠웠다 규범 표기는 '띠었다'이다.

뿐입니다."

스미스피일드의 사형장에는 사람이 구름같이 모여들었다. 런던 시민뿐만 아니라 멀리 시골에서까지 사람이 사람을 불에 태워 죽이는 구경을 하러 보따리를 질머지고[39] 온 친구도 적지 않았다. 개중에는 어린것을 등에 업고 있는 안악네[40]들도 간간이 보였다.

"어어 울지 마라 응, 좋은 구경 시켜 주께, 엄마하구 같이 보자 응."

"왜 이리 늑장 부릴까? 얼른 해치지. 벌써 사흘 묵었는데. 오늘은 꼭 보구 내려가야 할 텐데."

여기저기서 이런 말소리가 들려왔다.

"우리네가 젊었을 땐 목을 매 죽이더니만 세상이 달라지니 죽이는 법두 달라지나베."

백발이 성성한 꼬부랑 할머니가 장작을 산떼미[41]같이 쌓아 올린 형장을 중심으로 빽빽이 둘러선 친구들을 지팡이로 이리저리 헤치고 맨 앞에 나서면서 이렇게 중얼거렸다.

"…… 이제 보일 만하군, 자네들은 몇 번이나 구경했나?"

옆에 서서 떠들썩하는 젊은 친구들을 보고 이렇게 묻는다.

"열 번은 더 되죠, 연극은 문제도 안 되니까요. 볼만합니다."

"그래두 목을 졸라 죽여 버리는 거에 대면 어림이나 있을라구? 눈깔이 툭 튀어나오구 혓바닥이 길쭉한 것이 볼만허이."

"목을 졸라 죽이는 건 보지 못했외다만 불에 태우는 것두 통쾌합니다. 꽁꽁묶여 가지구두 꼬푸라질을 하는 꼴이란 별맛이거든요."

---

39 질머지고 규범 표기는 '짊어지고'이다.
40 안악네 '아낙네'의 잘못.
41 산떼미 '산더미'의 잘못.

헤챙이[42] 젊은 친구가 두 팔을 걷어 올리면서 기염을 토하니 노파는 끄덕였다.

"허지만 그놈의 냄새만은 고약해 목을 졸라 죽이면 냄샌 없겠죠."

"없구말구 그러니까 졸라 죽이는 편이 낫다니까⋯⋯."

이때 모두들 조용하라고 웨치는 소리가 들려왔다. 태자(太子) '헨리'가 오신다는 것이다. 군중은 길을 비끼고[43] 태자를 향해 경의를 표하였다. 마차에서 내린 태자는 군중을 한 바퀴 휘둘러보고 천천히 걸음을 옮겨 장작떼미 옆에 있는 의자에 앉았다. 한때 물을 끼얹은 듯이 잠잠하던 군중 속에서는 조심성 있는 귓속말이 새여 나오기 시작하였다.

"태자두 매한가진가 부지."

"뭐가?"

"보구 싶어 하니까."

"그두 사람 아냐."

"별수 없군."

"그렇잖으면 별수 있다던?"

"쉬ㅡ쉬, 듣겠다. 모가지가 달아날라구."

사형수 바비도를 실은 마차가 들어왔다. 온몸은 볼모양이 없이 되었다. 옷은 찢기고 얼굴에서는 피가 흘렀다. 거리를 끌려다니면서 믿음이 두텁고 나라에 충성된 백성들로부터 받은 모멸의 흔적이었다. 입구에 들어서자 군중은 앞을 다투어 덤벼들었다. 애기[44] 업은 중년 부인은 앞장서서 침을 뱉었다. 돌맹이[45]도 수없이 날아왔다. 진흙을 묘하게 뭉쳐서 바비도의 얼굴에 명중시킨 용사도 있었다. 가장 용감한 친구는 마차에 튀어 올라 발길로 한 대 차고 침을 뱉고 나서 춤추듯이 내려 뛰었다. 멀리 서 있는 사람들도 기회를 놓칠가 두려워서 애써

---

42 헤챙이 '언청이(입술갈림증으로 윗입술이 세로로 찢어진 사람을 낮잡아 이르는 말)'의 방언.
43 비끼다 '비키다'의 잘못.
44 애기 '아기'의 잘못.
45 돌맹이 '돌멩이'의 잘못.

침을 뱉고, 노파들은 주먹질하고 젊은 여자들은 생각할 수 있는 욕설은 빠치지[46] 않고 퍼부었다. 나무 꼬챙이를 휘두루면서[47] 처음부터 이 사형수의 뒤를 딿던[48] 아이들은 행렬이 걸음을 멈추자 손에 든 것으로 구루마의 꽁무니를 갈기고 발길로 차면서 웨쳤다. 인간 세상의 증오라는 증오는 모조리 바비도를 향하고 두터운 신앙과 충성은 뜨거운 물같이 뒤끓고 있었다.

바비도는 고개를 떨어뜨린 채 아무 반응도 없었다. 그가 목숨이 아직 붙어 있다는 증거는 가끔 떴다 감는 두 눈뿐이었다.

헨리 태자는 버럭 자리에서 일어나 조급히 바비도의 옆으로 걸어갔다. 무질서한 군중을 제지하고 두 손으로 바비도를 부축하여 차에서 내리게 하였다. 수성대던 군중은 깜짝 놀라 잠잠해졌다. 가장 용감하던 자들 중에는 태자의 이 거동을 보고 도리어 화가 자기에게 미칠가 두려워서 슬금슬금 맨 뒷꽁무니로 물러서는 자도 있었다. 바비도와 태자는 나란히 걸어서 장작떼미 옆으로 갔다. 태자는 앉고 두 팔을 묶인 바비도는 장작떼미에 기대섰다.

태자는 친절하게 말을 건넸다.

"바비도 나는 태자 헨리다."

바비도는 흥미 없다는 듯이 한 번 태자를 내려다보고 이어 시선을 옆으로 돌렸다.

"바비도 나는 너를 구하러 왔다."

태자는 손수 의자를 갖다 앉기를 권하였다. 바비도는 물끄러미 태자를 바라보다가 입맛을 다시고는 말없이 의자에 앉았다. 태자는 형리(刑吏)를 불러 포승을 풀게 하였다.

"바비도 나는 너를 구하러 왔다."

---

46 빠치다 '빠뜨리다'의 잘못.
47 휘두루면서 규범 표기는 '휘두르면서'이다.
48 딿던 규범 표기는 '따르던'이다.

태자는 바싹 닥아앉으면서[49] 같은 말을 되풀이하였다.

"왜요?"

바비도는 비로소 입을 열었다.

"너두 사람인 이상 죽고 싶지는 않을 테지?"

"……구태여 죽구 싶은 것두 아니지만 악착같이 살구 싶지두 않습니다."

"죄를 씻구 천국으로 들어갈 마련을 해야지, 멸망의 길을 걸어서야 쓰겠느냐? 이브의 조그만 죄는 인류를 영원한 괴로움으로 몰아넣지 않았던가?"

바비도는 대답이 없었다.

"……죄의 씨는 영원히 퍼져서 걷잡을 수 없는 화를 가져오거든."

"선은 그 보수를 받고 악은 반듯이[50] 화를 당한다는 말씀이죠?"

"그렇지, 바비도."

태자는 고개를 끄덕였다.

"세상사는 그렇지두 않은가 봅니다. 우선 당신의 조상 헨리 二世(2세)만 하더라도 사냥터에서 쓸어진 자기 형의 시체를 팽개치구 불이나게[51] 돌아와서 왕위를 가루채지 않았읍니까? 자자손손이 그 덕분에 영화를 누리고 당신도 그 '악'의 혜택으로 일국의 태자요 장차의 천자가 아닙니까……?"

태자는 침을 삼키고 홍분한 빛을 띠웠다.

"……나는 대대로 종살이하는 가난한 집에 태여나서 앉으라면 앉고 서라면 서고, 1년 360여 일을 일만 해 왔읍니다. 이 손을 보시우, 남한테 싫은 소리 한마디 한 일 없고 남의 것을 넘겨다본 일도 없고 양심대로 살아오고 양심대로 말한 결과가 사형입니다."

"바비도, 나루선 더 할 말이 없는가 보구나. 시비는 어떻든 간에 너는 한마디

---

49 닥아앉다 '다가앉다'의 옛말.
50 반듯이 '반드시'의 잘못.
51 불이나게 '부리나케'의 잘못.

만 하면 목숨을 구하고 새 출발을 할 수도 있지 않느냐? 나두 내 힘자라는 데까지 네 앞날을 개척하는 데 조력하지."

바비도는 말없이 빙그레 웃었다.

"어때?"

"오히려 나는 내가 걸어온 길이 지금 생각하면 즐거운 길이었읍니다. 이 길을 그냥 가렵니다. 다행히 하찮은 영혼이라도 없어지지 않고 지옥 한구석에 남아 있다면 오시는 걸 기다리고 있겠읍니다. 그동안 될 수만 있으면 권력 세계의 주역(主役)[52]을 깨끗이 치르고 오십시오."

태자는 한숨을 쉬었다.

"……할 수 없구나, 법은 법이니까 집행해라!"

"법……." 하고 빙그레 웃는 바비도에게 달려들어 사형 집행리[53]들은 다시 포승으로 묶고 장작떼미 위에 비끌어매었다[54].

바짝 마른 장작에 불은 순식간에 퍼져서 불길은 각각으로 바비도에게 육박하고 있었다.

고개를 떨어뜨리고 생각에 잠겨 있던 태자는 별안간 뛰어 일어나면서 고함을 질렀다.

"불을 꺼라, 사람을 끌어 내려라!"

사형 집행리와 포졸들은 벌 떼같이 달려들어 불을 끄고 바비도를 끌어 내렸다.

태자는 불티 묻은 옷을 털면서 연기에 거멓게 된 바비도를 달래기 시작하였다.

"바비도 누가 옳고 그른 것은 논하지 말자, 하여간 네 목숨이 아깝구나."

"감사합니다."

---

52 주역 주인공. 여기서는 '왕의 자리'를 뜻함.
53 집행리 '집행관'의 옛 용어.
54 비끌어매다 '비끄러매다'의 잘못.

"마음을 돌렸느냐?"

"그 뜻을 잘 알겠읍니다마는 내 스스로 이 방에서 저 방으로 가는 심사로 떠나는 길이니 염려할 건 없읍니다. 이미 동정으로 해결될 문제는 아닌가 합니다."

땅에 주저앉은 바비도는 한마디 한마디 고요한 어조로 말하고 나서 맑게 개인 하늘을 쳐다보았다.

"도저히 안 되겠느냐?"

바비도는 말없이 고개를 옆으로 흔들었다.

"할 수 없구나, 잘 가거라. 나는 오늘날까지 양심이라는 것은 비겁한 놈들의 겉치장이요 정의는 권력의 버슷[55]인 줄로만 알았더니 그것들이 진짜로 존재한다는 것을 내 눈으로 보았다. 네가 무섭구나 네가……."

스미스피일드의 창공에는 다시 연기가 오르고 장작떼미는 불을 토하였다. 이따금 일어나는 군중의 고함 소리에 섞여서 한결 높은 폭소(爆笑)도 들려왔다.

한 생명은 연기와 더불어 사라지고 구경에 도취한 군중이 흩어진 뒤에도 하늘은 여전히 푸르렀다.

(1956년)

---

55 버슷 버섯.

불꽃

선우휘

선우휘 (1922~1986)

평안북도 정주에서 태어났다. 언론인으로 활동하는 한편, 1955년 〈신세계〉에 〈귀신〉을 발표하며 소설가로 데뷔했다. 선우휘는 6·25 전쟁이 끝난 후 허무주의에 빠진 젊은이들의 심리를 예리하게 묘사한 작가로 평가받고 있다. 그는 전쟁 후유증으로 고통받는 사람들을 통해 이데올로기의 허상을 보여 주며, 이를 넘어설 수 있는 대안으로 휴머니즘을 제시한다. 이러한 인간에 대한 진지한 고민은 〈불꽃〉〈테러리스트〉《싸릿골의 신화》 등에서 잘 드러난다.

제1부

산과 산. 또 산. 이어 간 산줄기와 굽이치는 골짜기. 영겁[1]의 정적.

멀리서 보면 북에서 남으로 흐르는 이 골짜기가 마치 푸른 모포를 드리운 것 같이 부드러운 빛깔로 보였다.

그러나 골짜기를 뒤덮고 있는 관목의 가지와 잎사귀에 가리어 험한 바위가 짐승처럼 엎드리고, 담그면 손목이 끊길 것 같은 차디찬 냇물이 그 밑을 흐르고 있었다. 이 골짜기가 내려다보이는 서녘, 부엉산 산마루. 거기 동굴이 있었고 그 동굴을 등지고 고현(高賢)은 앉아 있었다. 기대고 있는 바위가 퍽 차가왔다. 해가 산마루 뒤로 기울기 시작하면서 골짜기의 이편에 지어졌던 그늘이 차차 저편 산허리로 물들어 갔다. 그곳 검푸르게 우거진 솔밭 가운데 현의 증조부의 산소가 보였고, 거기서 눈길을 북으로 돌리면 보이지 않는 오욕(汚辱)[2]의 날〔刃〕이 영겁의 산줄기를 끊어 놓고 있었다. 아니 지금은 그 흔적뿐, 포성과 함께 피를 뿜고 남쪽으로 옮겨 간 오욕의 날. 오욕, 인간이 땅과 인간에게 가한 오욕.

현은 손바닥으로 턱을 쓰다듬었다. 짐승처럼 사람의 눈을 피해 쫓겨 다닌 기나긴 시간이 턱과 뒷덜미에 흐르고 있었다. 가마솥같이 거친 턱수염, 덜미를 뒤덮은 머리카락. 그리고 가슴에는 무수한 가시가 돋혀 있었다.

---

1 영겁 영원한 세월.
2 오욕 명예를 더럽히고 욕되게 함. 여기서는 전쟁으로 인해 가로막힌 남과 북의 상황을 오욕으로 표현하고 있다.

이 동굴에 기어오른 지 두 시간, 방금 소총의 손질을 끝냈다. 두 달 남짓, 누더기로 감싸 동굴 안 바위 위에 올려 둔 소총은 싸리를 박아 놓았던 총열[3] 안 탄도를 남기고 거의 붉은 색깔로 변해 있었다.

에스에스에스에르(CCCP)[4] 소련제 아식보총(A式步銃). 그와 흡사히 녹슨 세 발의 탄환. 손바닥에 스며드는 싸늘한 그 감촉.

현은 가만히 무릎에 놓은 소총 멜빵을 어루만져 보았다. 따각 하고 고리가 총신 목판을 치는 소리를 냈다. 견디기 어려운 죽음 같은 고요가 그의 전신을 엄습했다.

사르르 바람이 일기 시작했다. 바위에 돋은 풀 잎사귀가 하늘거렸다. 그리고 뒤이어 풀숲에서 벌레 소리가 들려왔다. 갑자기 외로움이 현의 가슴에 흘러들었다. 현은 외로움을 누르려는 듯이 두 팔을 가슴 위에 얹었다. 뚝 하고 동굴 천장에서 떨어지는 물방울 소리가 났다. 그는 가만히 고개를 돌려 어두운 동굴 안을 들여다보았다.

31년 전 바로 이 동굴 안에서 그의 부친이 스물네 살의 짧은 생애를 끝마쳤던 것이다.

1

1919년 3월 상순. 일요일도 아닌 어느 날 하오[5]. 서울에서 북으로 100여 리 떨어진 P고을. 이곳 조그만 교회 안에는 남녀 교인 30여 명의 조용한 모임이 열려 있었다.

한 늙은 교인이 일어서서 손을 움켜쥐면서 고개를 숙이자 여러 교인들도 자리에 앉은 채 눈을 감았다. 노인의 기도 소리가 천장에 튀어 울렸다. 간간이 교

---

3 총열 긴 원통 모양의 강철로 되어 있는 총의 한 부분.
4 에스에스에스에르 러시아어로 소비에트 사회주의 공화국 연방(Союз Советских Социалистических Республик)의 약자. 'CCCP'를 러시아 알파벳식으로 읽은 것.
5 하오 정오부터 밤 12시까지의 시간.

인들 입에서 '아아멘' 소리가 흘러나왔다.

기도가 끝나자, 노인은 옆에 놓인 보따리를 풀어 차곡차곡 접어 놓은 헝겊을 들어 한 장씩 나눠 주었다. 교인들은 말없이 그것을 펴 보았다. 그것은 삼색으로 물들여진 태극의 기폭이었다. 한 젊은이가 싸리로 깎은 한 묶음의 댓가지를 가져왔다. 모두 말없이 그 댓가지에 기폭을 달았다. 어떤 교인은 그것을 좌우로 가만히 흔들어 보고 어느 젊은 여인은 기폭을 손으로 꼭 쥐어 보았다.

일행은 조용히 밖으로 나갔다. 교인들의 경건한 얼굴에 갑자기 긴장의 빛이 떠올랐다. 교회를 나와 거리에 나서자 깃대를 나누어 주던 키 큰 젊은이가 선두에 섰다. 결의에 얼굴이 핀 젊은이는 번쩍 두 팔을 들며 만세를 절규했다. 30여 명이 그 뒤를 따랐다.

대한 독립 만세! 일행의 걸음은 갈수록 빨라지고, 목이 터질 것 같은 만세 소리는 더욱 높아 갔다. 몇 차례의 만세 소리가 그치면 흥분된 가락의 찬송가가 뒤를 이었다.

"믿는 사람들아 군병 같으니 앞에 가신 주를 따라갑시다……."

이 때아닌 만세 소리에 문을 열고 내다보는 군중들의 눈은 휘둥그레졌다. 어떤 사람은 놀란 표정을 하고 황급히 문을 닫았다. 어떤 사람은 저도 모르게 밖으로 뛰어나와 뒤를 따라가며 마구 미친 듯이 만세를 불렀다. 창백한 얼굴, 찢어진 입부리, 휘청이는 다리와 다리. 감동과 공포에 찬 눈, 눈, 눈.

경찰서 가까운 싸전[6] 가게 앞에 군중들이 밀려갔을 때 목에서 찢어진 만세 소리는 마치 울음처럼 들렸다. 경찰서의 담장 위에는 밀물 같은 이 군중들을 기다리는 싸늘한 총구가 햇빛에 번득이고 있었다.

싸전 가게에서 이 군중의 선두에 선 키 큰 젊은이를 발견한 혹부리 주인은 "악." 하고 경악의 비명을 질렀다. 목에 달린 혹이 부르르 경련을 일으켰다. 손

---

6 싸전 쌀과 그 밖의 곡식을 파는 가게.

발이 떨리고 눈앞에 확 검은 장막이 내리는 듯했다.

"저 녀석이, 저 녀석이."

하고, 외쳤으나 그 소리는 목구멍 안에서 구르고 있었다. 무거운 덩어리가 머리 위를 꽉 짓누르는 것 같았다. 어이쿠! 주인은 그 자리에 털썩 주저앉았다.

"집안이 망했구나!"

주인은 가슴을 쥐어뜯었다. 뿌룩 하면서 뜯겨진 옷고름이 떨리는 손아귀에 남았다.

또 콩을 볶는 듯한 총소리가 들려왔다. 만세 소리는 멎고 날카로운 비명과 함께 우르르 흩어져 달아나는 어지러운 신발 소리가 들려왔다.

주인의 눈에, 총을 맞고 피를 흘리며 저편 가게와 골목으로 뛰어드는 군중들이 보였다. 총알이 그 뒤를 쫓았다. 주인은 버쩍 정신을 차렸다. 벌떡 일어나 버선발로 뛰어나가자 가게 문에 덥석 손을 대었다. 그리고 미친 듯이 문짝을 뜯어 밖으로 내동댕이치기 시작했다. 마지막 한 장을 밀어 던지고 몸을 날려서 방 안으로 통하는 문짝에 손을 대었을 때 덩그런 가게 안에 총에 몰린 몇 사람이 뛰어들었다.

경악에 눈초리가 찢긴 주인은 쌀 되는 굴대[7]를 들고 개액 하고 짐승 같은 소리를 지르며 덤벼들었다.

"나가아. 썩 나가아."

고함이 목젖에 걸려 비껴 나갔다. 이 주인의 기세에 그들은 다시 밖으로 뛰어나갔다. 그중 한 명이 가게 문턱을 나서자 총에 맞아 시궁창에 몸을 처박았다.

주인은 펄쩍 가게 한가운데 다리를 걸고, 황급히 도사리더니 떨리는 손으로 담뱃대를 끌어당겨 불을 그어 댔다. 그러고는 눈을 꾹 감고 뻑뻑 담배를 빨았다. 군중을 쫓아 총질하며 가게 앞까지 이른 경찰들은 사납게 일그러진 얼굴로 힐

---

7 굴대 바퀴의 가운데 구멍에 끼우는 긴 쇠나 나무. 혹은 '축'으로, 쌀을 될 때 쌀을 깎아 내는 도구로 사용한다.

끗 안을 들여다보고는 그대로 달려가 버렸다. 그럴 때마다 한편 눈을 지그시 뜬 주인은 '허우' 하고 한숨을 내쉬었다.

한 시간 후 피투성이의 시체가 늘어진 도로를 줄줄이 묶인 군중들이 개새끼처럼 끌려가기 시작했다. 경찰은 절름거리는 상한 다리를 총대로 후려갈겼다.

공포와 죽음의 그림자가 며칠 이 고을 위에 무겁게 뒤덮고 있었다. 여덟 명이 죽고 20여 명이 상했다. 80여 명은 경찰서 유치장과 복도에, 그리고도 모자라 마구간에까지 꾸역꾸역 수용되었다. 그 안에서 밤새 무딘 신음 소리가 들려 나왔다.

일행의 선두에서 만세를 절규하던 젊은이는 총에 맞은 다리를 간신히 끌며 친구 두 명의 부축으로 그곳서 40리 떨어진 부엉산 산마루 동굴 속에 몸을 감췄다. 출혈이 심했다. 40리 길에 염증이 생겼다. 몽롱한 정신 속에 고통을 견디는 젊은이의 얼굴에는 차차 죽음의 빛이 짙어졌다. 한밤을 신음으로 지낸 젊은이는 날이 밝자 친구가 떠다 준 골짜기의 얼음같이 찬 냇물을 마시고는 죽었다.

다음 날은 비가 내렸다. 살아남은 두 명은 이 동굴까지 뻗친 경찰의 손에 잡혀가고 젊은이의 시체는 그의 부친에게 인도되었다. 싸전 주인인 젊은이의 부친은 눈물 한 방울 없이 아들의 시체를 공동묘지에 묻었다. 그는 죽은 아들을 가엾다기보다 증오했다.

"이것은 내 아들이 아니오."

하고, 냉정히 딱 자른 그의 한마디는 일본 경찰이 입회한 탓만은 아니었다. 아비를 두고 죽은 자식은 자식이 아니라 요물이라는 것이었다.

본가에 갔던 며느리는 소식을 듣고 몇 번 기절한 끝에 간신히 몸을 가누어 달려와 남편의 무덤 앞에서 한밤을 새웠다. 아침에 사람들이 묘를 찾아갔을 때 흙투성이가 된 며느리는 거의 실신한 병자같이 되어 있었다. 스무 살에 과부가 된 며느리는 본가에 돌아가 아홉 달 만에 아들을 낳았다. 이름을 현이라고 불렀다.

한 달 후 어린것을 안고 시집을 찾아간 며느리는 시아버지가 석 달 전에 맞았다는 젊은 여인에게 머리를 숙여 공손히 인사를 드려야 했다.

며느리를 데리고 공동묘지를 찾아갔다 돌아오는 길. 주인은 말없이 헙, 헙 하고 느끼기만 했다. 며느리는 자기보다 몸을 가누지 못하고 비틀거리는 시아버지가 대문을 들어서자, 왈칵 목에서 피를 토하고 거꾸러지는 것을 부축해야 했다.

사흘 만에 정신을 가다듬은 주인은 며느리더러 손자를 두고 본가로 돌아가 때를 보아 재가[8]를 하라고 일렀다. 그러나 며느리에게는 이미 남편과 같이 지냈고 또 남편이 죽은 이곳에 머무를 결심이 되어 있었다. 며느리는 조용하고도 분명한 어조로 시아버지의 분부를 거절했다. 그때부터 현의 모친의 눈물과 피와 땀에 엉긴 30여 년의 인종[9]의 삶이 시작되었다.

2

싸전 주인은 이 1년간 갑자기 얼굴에 깊은 주름이 파이고 머리와 수염이 회색으로 변했다. 고노인(高老人)이라고 불리기 시작했다.

고노인은 자라나는 현을 냉랭히 대하는 듯하면서 남모르게 귀해했다[10]. 현이 계집애가 아니고 사내라는 데 있었다. 그러나 자기의 핏줄을 보는 고노인은 어린 현에게서 때때로 어두운 그늘을 보는 듯했다. 그렇게도 맹랑하게 죽은 자식. 그 자식의 생명을 이어 그렇게도 야릇이 태어난 손자.

고노인은 아들이 죽은 다음 해 가을, P고을에서 200여 리 떨어진 곳에 모셨던 선친의 무덤을 파서 뼈를 옮겨다가 부엉산에서 건너다보이는 저편 산허리 양지바른 곳에 이장했다. 선친의 묏자리 탓에 아들에게 화가 미친 것이라는 늙은 풍수쟁이의 얘기를 들으며 고노인은 이제는 마음 든든하다는 듯이 굳게 어금니를 물었다.

---

8 재가 결혼했던 여자가 남편과 사별하거나 이혼하여 다른 남자와 결혼함.
9 인종 묵묵히 참고 따름.
10 귀해하다 '귀여워하다'의 방언.

다음 해 겨울 고노인은 아들 영선을 보았고 또다시 겨울이 찾아오기 직전 죽은 아들의 뼈를 옮겨다 선산 발치에 묻었다.

그것은 현이란 핏줄을 남긴 탓이며, 자라는 현에게 바랄 만한 싹이 보인다는 때문이라고 했다.

그러나 며느리에게는 엄격했다. 첫째, 아들이 죽은 책임의 절반은 며느리의 타고난 팔자에 있었다는 것, 둘째, 젊은 과부가 어느 때 어떻게 될 것인지 믿을 수 없다는 것이었다. 고노인은 본시 여자란 것에 한 푼의 가치도 두지 않고 있었다. 그러한 고노인이 현에게 떼어 준 강 건너 논밭 몇 마지기가 현의 모친의 손을 갈퀴같이 만들어 놓았다.

현 모는 거의 남의 손을 빌지 않고 땅을 다루었다. 어린 현은 노끈에 매어져서 밭머리 나무 밑에서 놀았다. 해가 떨어져 어두운 길을 더듬어 두 칸 방인 초가로 돌아오는 때면 스며드는 외로움이 시달린 팔다리를 더욱 쑤시게 했다. 저녁을 먹고 누우면 과로한 탓으로 앓는 소리를 했다. 때로는 울음소리로 변했다.

고노인은 여전히 싸전을 보며 때때로 생각난 듯이 강을 건너와 현을 보고 갔다. 어느덧 현은 할아버지가 말없이 옷고름에 매어 주고 가는 동전(銅錢) 냄새를 그리워하도록 자랐다.

가혹한 현 모의 삶에 마음의 의탁은 현이 자라 가는 것을 보는 기쁨이며 고노인의 눈을 꺼리며 일요일마다 찾아가는 교회의 복음이었다.

교회에 들어서면 현 모는 거기서 어느 때나 남편의 체취를 느낄 수 있었다. 드높은 천장에 울리는 그윽한 오르간의 선율. 하나님을 찬송하는 노래와 경건한 기도 소리. 예상하는 피안의 안식처에서가 아니라 바로 그곳에서 남편을 대할 수 있었다.

찬송가의 가락에서 남편의 음성을 느끼고, 기도 속에서 남편의 모습을 그릴 수 있었다. 환상이면서 그것은 더욱 가까이 있는 것, 상한 마음과 시달린 팔다리의 아픔을 잊게 하는 것, 현 모는 이처럼 일주일에 한 번 교회 안에서 남편과 상면하고 있었다.

'퍽 괴로워요.'

'얼마나 고생이 되겠소?'

'보세요, 현은 이처럼 자라고 있어요.'

'당신이 그처럼 애쓰는 탓이오.'

'언제나 당신 옆에 갈 수 있을까요?'

'현이 곧 나요. 나는 항상 당신의 옆에 있는 것이오.'

'저를 도와주세요. 견디기 어려운 때가 많아요.'

'주께서 도와주실 것이오. 주께서는 모든 것을 살피고 계시니까.'

현에 대한 사랑. 남편에 대한 흠모. 거기 하나님의 깊은 은혜가 있었다. 현이 네 살 되던 해 가을.

고노인은 현 모보고 현을 계속 교회에 데리고 가려거든 그대로 맡겨 둘 수가 없다고 일렀다. 그때부터 현은 일요일이면 할아버지 싸전에서 놀았다. 어린 현에게는 아버지라는 개념이 극히 희미한 것으로 인식되어 있었다. 아버지는 저 높은 하늘나라에 계신다는 어머니의 얘기. 푸른 하늘과 흐르는 구름과 은하수.

그러므로 아비 없는 자식이라는 걷잡을 수 없는 모멸보다 오히려 현에게는 할아버지의 목에 달린 혹을 조롱당했을 때의 충격이 더욱 강렬했다.

현은 어느 일요일, 할아버지의 혹을 두고 조롱하는 싸전 근처의 애들에게 맹렬히 대들어 얼굴에서 피를 내고 갈갈이[11] 옷을 찢긴 일이 있었다.

할아버지의 명예를 위해 싸운 자랑에서 현은 의젓이 할아버지에게 사연을 얘기하고 은근히 공명과 찬사를 기다렸다. 그러나 할아버지의 입에서 떨어진 것은 뜻밖에도 질책이었다.

"뭐? 혹 얘기? 그래…… 그렇다고…… 이런 꼬락서닐 하고, 누구하고?

---

11 갈갈이 '갈가리(가리가리의 준말로, 여러 가닥으로 갈라지거나 찢어진 모양)'의 잘못.

뭐? 김 주사 아들 녀석을? 이런! 야 이 녀석아, 웬 말썽이냐, 제발, 네 애비처럼……."

허둥지둥 가게를 달려 나가는 할아버지의 뒷모습을 바라보는 현의 가슴에 예기치 않았던 불안이 밀려들었다. 할아버지에게 가해진 모멸. 분연히 일어선 행동의 동기. 용감했던 대결. 까닭 모를 할아버지의 심뇌[12]와 분노. 그것은 마치 주인에게 대드는 사람에게 덤벼들다 되레 주인의 몽둥이를 맞고 꼬리를 거두는 개에게 비길 수 있는 의혹과 환멸의 감정이었다. 그 후 현은 그러한 경우 말없이 발길을 돌렸다. 처음에는 견디기 어려운 고통이었으나, 나중에는 도리어 일종의 쾌감까지 느끼게 되었다. 현이 열 살을 넘으면서부터 가끔 죽은 아버지 얘기를 물을 때가 있었다. 그럴 때면 현 모는 초점 없는 시선을 저편에 부으며 흠모와 자랑에 떠는 목소리로 일렀다.

"참 훌륭한 분이었어. 남을 위하는 마음이 두터웠고 바른 일을 위해서는 무엇이고 두려워하시지를 않으셨지. 야학을 짓고 애들을 가르치기도 하시고 지나가는 가엾은 행인을 그대로 보내시는 일이 없었지. 그리고 이 고을에서 너의 아버지처럼 의젓한 이는 또 없었단다."

그리고 현의 얼굴을 유심히 들여다보고는 그 눈매와 입언저리에 죽은 남편의 모습을 엿보고,

"아버지 얼굴을 보려거든 거울을 들여다보렴."
하며, 손가락으로 현의 머리를 똑똑 두드리곤 했다. 가엾고 귀여운 내 아들. 단 하나의 내 생명.

그러한 현 모에게 있어서 돌아간 남편에게 내리는 고노인의 가혹한 평가는 가슴을 에는 아픔을 주었다. 그것은 현이 열일곱 살 나던 해 여름. 발 같은 햇빛이 내리쏟던 어느 날. 고노인은 자기는 아들의 묘에서 멀찍이 떨어져서 현더러

---

12 심뇌 마음속으로 괴로워함. 또는 그렇게 겪는 괴로움.

절하게 하고는 자리에 제물을 펴 놓고 먼저 한 잔을 마시고 나서 또 한 잔을 따라 현보고 마시라고 일렀다. 현 모는 그것을 보고 고개를 돌렸다. 현이 놀라며 머뭇거리는 것을 보자 고노인은,

"너두 이전 마실 나이가 되었느니라."

하며, 손을 흔들어 재촉을 했다. 현은 그래도 잔을 들고 주저하다가 간신히 한 잔을 삼키고는 느껴서 기침을 했다.

"술은 어른 앞에서 배워야 하느니 그래야 술버릇이 점잖아지지."

"······."

"······요즘 젊은 녀석들은 버릇이 없어. 신학문[13] 했다는 녀석들이 버릇이 없어 탈이란 말이야."

"······."

"신학문이니 뭐니 하지만 글은 제 이름자만 쓰면 족한 것이고 예의범절은 《명심보감》 한 권이면 알아본단 말이야."

"그런데 할아버지······ 돌아가신 아버지 얘기 좀 들려주세요."

"음, 네 아비가 사람은 똑똑했지. 유달리 영특하였기에 나는 내 앞장감[14]이 생겼다고 적지 않이 바란 것이었다만. 이르는 말을 안 듣고 야소교[15]를 믿기 시작해서부터 잘못되어 갔지."

고노인은 저편 언덕에 햇살을 받고 눈부시게 솟아 있는 예배당을 내려다보고 이맛살을 찌푸렸다. 현 모는 고개를 숙였다.

"그때부터 네 애비는 산소에 가서 간신히 절을 했다만 죽어도 음복[16]은 안 했거든. 절조차 어디를 보고 했는지 모르고, 조상을 위하는 미풍을 저버리구 생고집만을 부리다가 그 몰골이 되고 만 것이지. 어디서 흘러왔는지 그 야소란 귀신

---

13 신학문 서양에서 들어온 새 학문을 재래의 한학에 상대하여 이르는 말.
14 앞장감 '먼저 감'으로 여기서는 '먼저 죽었음'을 의미함.
15 야소교 예수교의 중국식 표기로 '기독교'를 말함.
16 음복 제사를 지내고 난 뒤 제사에 쓴 음식을 나누어 먹음.

이 탈이란 말이야."

현은 말없이 풀을 뜯고 있는 어머니를 훔쳐보고는 취기를 느끼며 다시 물었다.

"그러나 아버지는 훌륭한 일을 하시고 돌아가신 것이라고 저번에 선생님도 말씀하시던데요……."

고노인이 버럭 화를 내고 소리를 질렀다. 성성한 흰 수염이 떨렸다.

"어떤 놈이 그런 소릴 하던. 훌륭한 일을 했다구? 애비 두고 죽은 불효가 훌륭하다던, 네 어미를 청상과부[17] 만든 것이 훌륭하다던?"

"그러나 나라를 찾으려구 한 일이 아닙니까?"

현 모가 현의 소매를 잡아당기며 눈짓을 했다.

"나라라구, 그래 그놈의 나라가 뭘 하는 나라랬다던? 벼슬하는 놈들만 버티고 앉아서 백성들 것을 모주리[18] 훑어가기질이나 하구, 안 내면 잡아다 볼기나 치구. 그런 놈들의 나라가 뭣이 아쉬워서 도루 찾느니 뭐이니 야단이냐 말이다. 나라를 판 놈들도 바로 그놈들인걸. 그래 그렇지 않다 치고 나라를 찾는다니 뭐라고 제가 나서서 야단을 했다는 거냐."

"그러나 할아버지."

"글쎄, 그때보다야 지금이 살기가 낫고 사람들도 많이 깼지. 네 애비 죽은 생각을 하면 나도 가슴이 아프다만, 그래 어리석은 짓을 했지 뭐이냐. 그 총칼 가진 놈들 앞에 무슨 수가 있겠다구 맨손으로 덤벼들었단 말이냐. 죽으려구 환장을 한 것이지."

"……."

"네 애비가 살아 있었으면 네 어민들 무슨 고생을 그리하겠느냐. 나는 네 어미 볼 때마다 죽은 네 애비가 고얀 생각이 들더구나."

---

17 청상과부 젊어서 남편을 잃고 홀로 된 여자.
18 모주리 '모조리'의 방언.

고노인의 음성이 차차 젖어 들었다.

"네 애비가 살아 있었으면 이 늙은것두 오죽이나 편하겠니. 요즘은 도무지 습증 때문에 요동을 할 수가 없으니 말이다."

잠시 입을 다물었던 고노인은 이마의 땀을 훔치고 다시 노기 띤 소리를 질렀다.

"그래, 네 애비 훌륭한 일 했다니, 그놈들은 어째서 번번이 살아서 너한테 쓸데없는 귀찮음을 한단 말이냐. 고을 놈들도 봐라. 네 애비가 죽은 뒤에 무어 거들어 주는 놈 하나 있더냐. 이런 놈의 세상이니라. 네 애비를 쏜 놈두 일본 놈이 아닌 같은 조선 종자 보조원 녀석이었느니라. 네가 공립 중학엘 못 가고 사립을 가게 된 것두 그 때문이 아니냐."

현의 등 뒤에서 현 모의 참고 견디려고 애써도 새어 나오는 오열이 들려왔다.

"사람은 순리대로 해야 하느니라. 나라 빼앗긴 것이 좋을 리야 있으랴만 종자가 원래 제구실을 못하는 말종이니 말이다. 그리구 언제는 나라가 사람 살렸다던? 그저 세상 형편에 따라 제 주먹으로 제 일 처리를 해야지 믿을 것은 자기밖에 없느니라. 딴 녀석을 위해 손가락 하나 까닥거릴 것도 없고 손톱만큼이라두 남의 도움을 바랄 것도 없어. 제 몫으로 제 살림을 해야지."

고노인은 얘기를 그치고 현 모를 건너다보았다. 잠시 침묵이 흘렀다.

"얘기가 좀 과했나 보다만 말인즉 그렇다는 게지."

고노인은 담배를 한 대 담아 물고 으흠 으흠 헛기침을 몇 번 하더니,

"이전 집으로 돌아가자."

하고는, 먼저 일어서서 뒤도 안 보고 성큼성큼 산을 내려갔다.

집으로 돌아온 현 모는 눈이 붓도록 울었다. 그리고 현더러 다시는 할아버지 앞에서 아버지 얘기를 꺼내지 말라고 애원했다.

그러나 현은 할아버지의 얘기가 그처럼 가혹한 것이기만 하다고는 생각지 않았다. 물론, 그렇다고 부친의 죽음을 할아버지처럼 생각할 수는 없었다.

오직 그때 부친이 그렇게 하지 않고는 견디지 못한 어쩔 수 없었던 마음 가운데의 그 무엇, 빈손으로 의젓이 죽음과 대결하고 생명을 태웠던 그 무엇에 대한 모색과 두려움이 현의 첫 술에 타는 가슴속에서 사납게 회오리치고 있었다.

3

현은 중학에서 수영 선수를 지낸 일이 있었다. 그것은 현이 운동에 특별한 관심을 둔 때문은 아니었다. 알몸으로 혼자 물속에 몸을 담그고 마음대로 헤엄칠 수 있는 것이 번잡한 어느 운동보다도 현의 성격에 들어맞았던 것이다.

어느 날 현이 늦게 혼자서 헤엄치고 있을 때 그것을 엿본 수영 코치는 즉석에서 그를 선수단 속에 집어넣었다. 선수 생활에 필요한 얼마간의 금전 지출에 고 노인은 비위를 상했다.

"학교엘 보내면 공부나 할 게지 돈을 들여 가며 헤엄이란 무슨 짓이야. 헤엄 잘 치는 놈 물에 빠져 죽는 영문도 모르는군."

그러한 할아버지의 비위 때문이 아니라 현은 곧 수영에 염증을 느끼기 시작했다. 규정에 얽매인 조직 생활, 1초를 다투는 경쟁의식.

그것은 거침없이 뛰놀 수 있는 수영을 견디기 어려운 한 가지 체형으로 만들었다.

1년도 못 가서 현은 애원하다시피 간청한 끝에 선수 생활에 종지부를 찍고 말았다.

그 후 현은 식물 채취에 취미를 붙이기 시작했다. 산과 들을 헤매 다니며 가지각색의 화초를 채취하는 데는 특별한 즐거움이 있었다. 허리가 굽은 식물학 선생과 함께 들을 헤매는 한나절, 한마디 대화도 교환 않는 것이 예사였다. 지쳐서 누우면 높고 푸른 하늘에 흐르는 구름이 눈을 시울케[19] 했고, 말 없는 꽃과 풀

---

19 시울다 '눈이 부셔서 바로 보기가 거북하다'라는 의미의 방언.

줄기에서 흐르는 생명의 소리를 들을 수 있었다.

5학년 되던 해 초여름.

시간을 마친 M 선생이 교실을 나서자, 그 자리에서 일경[20] 고등계에 끌려가고, 이튿날 같은 반 학생 두 명이 붙들려 간 뒤, 현과 같은 P고을 출신인 R을 포함한 다섯 명이 행방을 감춘 사건이 일어났다.

젊고 팔팔한 M 선생은 시간이면 가끔 암시적인 얘기를 하는 적이 있었다. 그 어조에는 항상 냉소하는 가락이 섞여 있었다.

들려오는 사건의 내용은 M 선생이 주최하여 몇 명의 학생이 불온한 독서회를 열었고, 모종 과격한 행동까지 꾀했다는 것이었다. 현은 어느 땐가 R한테서 그런 권유를 받은 일이 있었으나 당장 해야 할 숙제와 시험만 해도 자기에겐 과중하다고 거절했던 일을 생각했다.

끌려간 M 선생은 학생들의 은근한 여론 속에서 하나의 우상이 되고 말았다. 더욱 옥중에서 쪽지를 보내 학생들을 격려했다는 소문은 어쩔 수 없는 흥분의 도가니를 이루게 했다.

며칠 후 현은 R의 부친이 외아들의 행방불명과 경찰의 추궁에 기겁해 뇌일혈로 돌아갔다는 얘기를 전해 들었다. 그는 어쩐지 그 도가니 속에 혼연히 몸을 담글 수 없는 주저를 느꼈다.

'무엇을 하려고 한 것일까. M 선생 혼자서는 단행할 수 없었던 그런 거대한 일이었을까. 연행해 가던 형사의 굵직한 팔다리. 창백한 얼굴에 안경만이 빛나던 M 선생의 메마른 얼굴. 옥중에서 연락된 종이쪽지. 우상화. 흥분의 도가니. 소년 잡지에 나오는 모험담. 8인조 소년 모험단 단장. R의 행방. 그 부친의 죽음. 전과 다름없이 이어져 가는 생활. 눈앞에 닥친 시험.'

이듬해 봄, 현은 학교를 졸업했다. 친구들이 고등학교니 전문 대학이니 서두

---

20 일경 '일본 경찰'의 준말.

는 데도 현은 오직 집으로 돌아갈 생각만 하고 있었다.

현의 성격을 잘 알고 있는 담임 선생도 너무나 무관심한 그 태도에 놀랐다.

"이만하면 저는 족합니다. 무리를 할 생각은 없습니다. 저는 집에 돌아가 어머니 모시고 편히 살아갔으면 합니다."

"그러면 인생에 대한 아무런 목적도? 청년다운 아무런 야망도?"

"네, 남을 괴롭히지 않고 그저 저는 저대로 살아간다는 것, 저는 그것뿐입니다."

현은 돌아가는 차 안에서 눈앞을 스치는 낯익은 시골 풍경을 내다보며 생각에 잠겼다.

'그저 나대로 살아가겠다는 것은 할아버지 같은 그런 생각일까. 아니 할아버지와는 다르다고 생각되지만 설혹 같은 것이라면 그것이 또 어떻다는 것이냐. 인생의 목적? 야망? 포부?'

모두 그에게는 걷잡을 수 없이 희미한 술어에 지나지 않았다.

'남이야 어떡하든 내야 얼려들[21] 것이 무엇이랴.'

검푸른 부엉산 밑에 질펀한 들이 눈앞에 전개되고, 창문으로부터 흙냄새 섞인 바람이 날아들었을 때, 상쾌한 아픔이 찌르르 가슴을 스쳐 갔고 전류 같은 흥분이 전신의 혈관을 굽이쳐 흘렀다.

그리운 땅. 그에게 있어서 오직 이것만이 분명한 것이었다.

현은 어머니의 힘을 덜어 주는 일이 즐거웠다. 모자가 같이 아침을 치르고 들로 나가 밭을 갈고 씨를 뿌렸다. 현이 삽으로 도랑을 칠 때면 어머니는 삽에 맨 줄을 당겼다. 저녁이면 어머니는 먼저 돌아가 밥을 지어 놓고, 민요처럼 찬송가를 부르며 아들을 기다렸다. 푸성귀[22] 찬이나마 그것은 철에 맞아 신선한 맛이 있었다.

---

21 얼려들다 '어울리게 되어지다'라는 의미의 방언.
22 푸성귀 사람이 가꾼 채소나 저절로 난 나물 따위를 통틀어 이르는 말.

그러한 가운데도 어머니는 일요일의 예배를 빠지는 일이 없었다.

흰 무명옷으로 차린 어머니가 성경 책을 들고 싸리문을 나설 때마다 현은 그 뒷모습에서 젊었을 시절의 어머니를 그려 보곤 했다. 어머니의 그 얼굴에서 슬픔과 신고의 그늘을 거두면, 아직도 꺼지지 않은 아름다움의 자국이 피어져서 현의 안막에 젊은 어머니의 얼굴이 되살아오는 것이다. 그리고 그 오랜 세월 오직 자기에게 바쳐진 희생된 어머니의 젊음에 생각이 가면 현의 마음은 스스로 암연해[23]지는 것을 어찌할 수 없었다.

무병한 어머니는 때때로 허벅다리를 어루만지며 신음하는 때가 있었다. 현이 걱정을 하면 어머니는 까닭 없이 얼굴을 붉혔다. 한번은 몹시 열을 내고 몽롱한 상태에 빠져 거리의 의사를 부른 일이 있었다. 무슨 까닭인지 어머니는 흐릿한 정신 가운데서도 두 손으로 한편 허벅다리를 꼭 누르며 의사의 진단을 거부했다. 현은 그 손을 물리치고 어머니가 손으로 누르던 곳을 들여다보았다. 무릎 가까이가 몹시 곪고 붉은 줄이 기어오르고 있었다. 그리고 현은 그 붉은 줄의 좌우에 생생히 남아 있는 무수한 상흔을 보았다.

그것은 끝이 뾰족한 것으로 찔러서 낸 상처였던 것이다. 그 상처가 무엇을 의미하는 것인지, 현이 그것을 깨닫기에는 그로부터 5년이 지나야 했다.

1년이 흘렀다. 그해 추석. 묘지에서 돌아온 현은 마당 꽃밭을 가꾸고 있었다. 현의 집 꽃밭은 이 마을뿐 아니라 강 건너 P고을의 어느 가정에서도 볼 수 없는 화려한 것이었다. 이른 봄부터 늦은 가을에 이르는 동안 10여 종의 꽃이 뒤이어 마당을 장식했다.

마루에 걸터앉아 현의 넓적한 어깨에 시선을 붓고 있던 어머니가 혼잣말처럼 얘기했다.

"영선이는 내년에 대학을 간다지?"

---

23 암연하다 슬프고 침울하다.

"뭐 그런답디다."

현에게는 아무 흥미도 없는 화제였다.

"너는 그대로 집에서 농사나 지을 테냐?"

"네."

현이 휙 고개를 돌려 처다보자, 어머니는 시선을 땅에 떨구었다. 현은 손을 털고 일어서서 어머니 옆에 와서 앉았다.

"저는 어머니 모시고 이렇게 지내면 됩니다."

부엉산 쪽을 바라다보던 어머니는 한참 있다 입을 열었다.

"나는 조금만 일삯[24]을 사면 농사를 지을 수 있으니 할아버지보고 얘기해 너두 대학에 가도록 하렴."

현은 벙어리처럼 한참 말을 못 했다. 이 1년이 넘는 기간 어머니의 힘을 덜게 했다는 자위가 하나의 착각이었다는 것을 현은 이 일순에 느낄 수 있었던 것이다. 현은 바람에 흔들리는 흰 코스모스와 붉은 달리아를 보며 한참 시름에 잠겨 있었다.

'결국 무위에 그친 1년간. 어머니의 착한 가슴에 솟는 불퇴전[25]의 의지. 그것은 사랑.'

그러나 어머니의 운명에 어떻게 할 수 없는 숙명적인 고독과 신고의 그림자가 뒤따르고 있는 것 같은 불안이 현의 마음을 어둡게 했다.

고노인은 아들 영선에게, 글은 이름자만 쓰면 족하다는 원래의 처세 철학을 적용시키지 않았다. 연소(年少) 때부터의 적수 김 주사의 아들이 연전 군수로 나간 때부터 마음에 기약하는 것이 있었던 때문이다. 현이 중학을 나올 수 있는 것도 고노인의 영선에 대한 교육열의 부산물이었을지도 몰랐다.

---

24 일삯 품을 판 대가로 받거나, 품을 산 대가로 주는 돈이나 물건. 표준어는 '품삯'이다.
25 불퇴전 불교에서 한번 도달한 수행의 지위에서 물러서지 아니함을 의미. 또는 종교를 믿는 마음이 두터워 흔들리지 아니함.

현은 차라리 할아버지가 완강히 거부했으면 했다. 그러나 고노인의 도리(道理)는 현의 청을 최소한도의 출혈로 받아 들였던 것이다.

다음 해 봄에 현은 낡은 트렁크를 들고 일본으로 건너 갔다. 아름다운 나라라고 생각했다. 사람들도 생각한 것보다 인정이 있고 살뜰했다. 그러나 어딘지 빈틈없 이 빡빡한 것이 싫었다.

엄지발가락을 겹쳐 놓는 앉음앉음에서 정신을 가다듬는다는 자학. 칼질하는 것조차 도(道)로서 불 리워지고 부정을 탄다는 지붕 밑에 무리하게 기를 쓰는 육체의 힘. 일본은 그때 이미 전 중국을 석권하고 있었으나 현은 놀라움보다 어딘지 요기(妖氣)가 감도 는 인상을 받았다. 일본도의 푸른 날 번득이는 찰나에 떨어지는 사람의 모가지, 정예의 천황의 군대와 빈약한 미훈련의 중국군. 어렸을 때 P고을에서 본 호떡 집 주인의 모습.

3년의 예비 단계가 끝나고 학부에 들어가는 날 백발의 총장은 점잖은 어조 로 대학 생활의 커다란 하나의 소득은 좋은 벗을 얻는 데 있다고 했다. 그러나 현은 친구라면 친구라고 할 수 있는 그런 정도의 아오야기라는 한 명의 일인 학생과 가까워졌을 뿐이었다. 나가사키[長崎] 출신인 아오야기는 소위 만주 사 변에 부친을 여의고 잡화상을 경영하는 어머니의 밑에 자라난 독자였다. 핏기 없는 얼굴을 하고 이가 높은 게다[26]를 신어야 키가 겨우 현의 귀밑에 닿았다. 그 렇게 흡사한 외로운 경우에서 자라난 두 성격이 서로를 당겨서 가까이했는지 도 몰랐다. 아오야기는 즐겨 다쿠보쿠[27]의 노래를 읊었다.

---

26 게다 일본 사람들이 신는 나막신.
27 다쿠보쿠 이사카와 다쿠보쿠. 일본 메이지 시대의 시인.

동해의 작은 섬 바닷가 흰 모래 터에

나 홀로 눈물 젖어 게와 노닐다

그는 항상 가락을 붙여 이 노래를 불렀다.

현이 대학 생활에서 얻은 지식은 강의에서보다 오히려 독서에 있었다. 당시 일반 학생들의 교양에 다대한[28] 영향을 준 영국 옥스퍼드 학파의 이상주의 철학에 관한 서적이 그를 매료했다. 거기에는 개인 존재에 대한 깊은 배려와 이상에 대한 겸허하고 불타는 정열이 있었다.

일부 학생들은, 그런 것은 자본주의의 마지막 몸부림에 지나지 않는다고 비웃으며, 그때 아직도 꺼지지 않고 보이지 않는 한구석에서 타고 있던 마르크시즘에 대해 이상한 관심을 기울이고 있었다. 물론 거기에는 종전의 사상과는 판이한 새롭고 직선적인 논리의 명확한 전개가 있기는 했다. 그러나 도식화한 관념으로 역사를 판가름하고 집단의 위력으로 인간을 죄어 틀에 박으려는 살벌한 냉혹과 숨 막히는 병적 흥분이 있는 듯하였다. 그것은 차차 일인 학생들 간에 젖어들기 시작한 전체주의[29] 경향과 흡사한 체취를 풍기고 있어서 현은 본능적인 혐오를 느꼈다.

현에게는 현실의 국가적 요구에 응해야 하는 긴박한 조건도 눈앞에 매달린 긴급한 과제도 없었던 까닭에 별다른 제약 없이 그 성품에 맞는 의론을 선택할 수 있었다. 그러나 그러한 것은 현에게 있어서 결국 종이 위에 쓰인 인간의 하나의 꿈으로서 직접 그의 행동에 변동을 일으키는 힘은 가지고 있지 못했다.

오직 현의 마음을 움켜잡고 있었던 것, 그것은 한 달에도 몇 번 꿈에 보는 P 고을. 봄철에 피는 부엉산의 진달래꽃. 내려다보이는 푸른 골짜기. 여름이면 그

---

28 다대하다 많고도 크다.
29 전체주의 개인의 모든 활동은 민족·국가와 같은 전체의 존립과 발전을 위하여서만 존재한다는 이념 아래 개인의 자유를 억압하는 사상.

숲속에 열리는 산딸기. 목마르면 떠 마신 차디찬 냇물. 선산의 잔디. 마을 사람들. 싸전을 보고 계실 할아버지. 외로이 계실 어머님.

4

"해치웠어, 기어이 해치웠단 말이야."

으슥히 추운 겨울에 들어선 어느 날 아오야기는 한 장의 호외를 움켜쥐고 현의 하숙집으로 뛰어들었다. 진주만 공격. 이어서 싱가폴[30] 함락. 비율빈[31] 상륙. 자바[32] 점령. 축하 행진. 광적인 흥분과 도취가 떠돌고 거리에는 국방색이 범람해 갈 때, 현은 어딘지 각본에 어긋나는 연극이 연기자도 관중도 예기할 수 없는 엄청난 종막을 향해 줄달음치고 있다는 인상을 받았다.

동양 윤리를 강의하는 다카다 교수는 갑자기 엄숙한 표정을 짓게 되었고, 서양 문명의 몰락과 절망, 동양의 정신문화의 세계사적 의의를 강조하기 시작했다.

그날도 다카다 교수는 마치 10억 아시아 민족 전체를 눈앞에 놓은 듯이 신이 나서 떠들어 대고 있었다.

"'오노오노 소노 도꼬로오 에시무……(각기 그 응당한 자리에 서게 함……)'란 만고불변의 진리다. 개인을 절대적 단위로 하고 무원칙적인 평등과 무제한한 자유를 목적으로 한 서구의 사회 질서는 극도의 혼란을 조장케 되었고, 그 문명은 바야흐로 몰락의 과정에 돌입하게 되었다. ……으흠.

그러므로 일찍이 니체나 슈펭글러는 솔직히 그들 자체의 몰락을 예언했고…….

……서구 사상 자체의 모순의 필연적 기형아로서 출생한 유물 변증법은 계급 투쟁을 도발하여…… 서구의 기계 문명은 총 와해에 직면해 있고…… 이

---

30 싱가폴 '싱가포르'의 잘못.
31 비율빈 '필리핀'의 음역어.
32 자바 '인도네시아'의 음역어.

때야말로 빛은 동방으로부터…… 천손(天孫) 민족이 궐기할 때는 당도한 것이다…….

'오노오노……' 그것은 존재의 조화 원리를 투시한 것이며 겸허한 인간 정신의 가치를 '고에 다까라까니 우다우 모노(소리 드높이 노래하는 것)'이다……."

이까지는 또 몰랐다.

"역사적 대사명…… 팔굉일우(八紘一宇)[33], 얼마나 장엄한 선언이냐…… 대동아 공영권[34] 건설의 정신이 바로 이것이다……. 미영의 굴레에서 억압된 황색 민족을 해방하고…… 새로운 아시아의 질서를 회복한다…… 일본은 그 맹주(盟主)가 되는 사명을 지니고 있는 것이다. 얼마나 비장하고 장엄한 사명이냐."

그래서?

"따라서 국민 각자는 높은 긍지를 파지하고 전 아시아 창생의 구출과 나아가 거룩한 정신을 펴기 위해…… 자아를 멸하여 이 대목적에 헌납해야 한다. 그것이 하나의 섭리인 것이다. 그것은 또한 얼마나 빛나는 영광이겠느냐…….

보라, 들에 노니는 축생[35]일지라도 그들 자신을 멸함으로써 그 가치를 발휘하고 있지 아니하냐……. 그들은 그들의 한 가닥 뼈마저 달게 인간을 위해 바치고 있는 것이 아니냐. 창생의 절(絶), 섭리의 묘(妙)."

달게?

"축생조차 그러하거늘 하물며 인간에 있어서랴. 아시아 민족이 각기 그 응당한 자리에 서게 하기 위해서 자아를 멸하여 대의에 살아야 한다. 슬프고도 아름다운 인간 존재의 대원칙이다."

불쾌!

거기에는 현의 부친도 그 희생자의 한 사람인, 평화적 시위의 군중에 총탄을

---

33 팔굉일우 온 천하가 한집안이라는 뜻으로, 일제가 침략 전쟁을 합리화하기 위하여 내건 구호.
34 대동아 공영권 일본을 중심으로 함께 번영할 동아시아의 여러 민족과 그 거주 범위. 태평양 전쟁 당시 일본이 아시아 대륙에 대한 침략을 합리화하기 위하여 내건 정치 표어이다.
35 축생 온갖 짐승.

퍼부은 일경의 행동을 정당화하고 할아버지와 같은 무원칙적 순종의 인생을 요구하는 강요가 있었다. 천손 일본 민족과 아시아의 여러 민족. 인간과 축생. 고양이와 쥐와의 우애와 단합.

더욱 현의 비위가 상한 것은 교수의 고고한 것 같은 표정과 강의답지 않은 웅변에서 누구도 원치 않는데 스스로 나서서 결과적으로 남을 괴롭히는 선민의식과 값싼 영웅주의적 감정 그리고 자기기만을 발견한 것이다. 현은 어느덧 자기 손이 들려진 것을 깨달았다. 교수는 유창한 자기 강의에 취하고 있다가 얘기를 멈추고 불쾌한 얼굴을 했다.

"한 가지 질문이 있습니다. 자아 멸각과 대의에 순해야 한다는 뜻은 잘 알았습니다. 그런데 선생님께서는 소나 돼지가 인간을 위해 달게 그 생명을 바친다고 하셨는데…… 물론 인간은 그들 고기를 부득이 먹어야겠지요…… 그런데 저는 어렸을 때 도살장에 가 본 일이 있습니다. 소는 도살장에 끌려 들어갈 때 발을 버티고 들어가기를 주저했습니다. 특히 돼지 같은 것은 굉장한 소리를 지르며 야단을 하다가 도살당하는 것을 보았는데…… 그들은 결코 달게 그 생명을 바치는 것같이는 안 보였습니다. 이 점에 대해서 약간의 설명을……."

교수는 쓴웃음을 짓고, 학생들은 소리를 내어 웃었다. 그러나 저도 모르게 웃고 난 학생들도 웃음이 사라지자 석연치 못한 것을 느끼는 것같이 보였다.

현은 자리에 앉으며 벌써 자기의 행동을 후회하고 있었다. 교수가 불쾌히 생각한다는 것은 문제가 아니었다. 공연히 충동을 받고 발끈하고 일어선 자기의 멋이 싫어졌던 것이다. 10억 아시아 민족의 청탁이나 받은 듯이 스스로 일어서서 항의한 것이 싫어졌다. 그래서 어쩌자는 것이었던가?

"비유라는 것은 때로 오류를…… 그러나 이 경우는…… 동양인의 직관력은……."

중얼거리는 교수의 얘기가 귀에 들리지 않았고 그는 다만 자기혐오 속에 깊숙이 잠겨 들어가고 있었다. 그것은 마치 드러냈던 자기의 알몸이 부끄러워 다시 껍질 속에 몸을 처박는 소라와도 같았다.

철학사를 가르치는 젊은 히다까 조교수는 다카다 교수와 좋은 대조를 이루고 있었다. 명철한 두뇌와 섬세한 정서를 가진 그는 소집을 받고 떠나면서 찾아간 현에게 이런 얘기를 했다.

"틀렸어. 모두 돌아 있어. 느지막이 세계 역사의 조류에 뛰어든 일본은 한다는 모든 일이 빗나가고 있단 말이야. 70년의 달음박질에 무리가 생긴 탓이겠지. 빅토리아 왕조의 꿈과 전체주의의 결합, 완전한 시대착오지. 중원(中原)의 사슴을 쫓는다? 이미 그런 시대가 아닌데. 중국 민중에 대한 선무[36] 하나 제대로 안 되는 모양이야. 그래서 전진훈(戰陣訓)도 나와야 하는 게지. 중국인은 되레 대범한데 이편에서 공연히 독이 들어 까불어 대거든. 구할 수 없는 도국(島國) 근성의 비극이지. 전투엔 이겨도 승리를 거두기는 힘들어. 강력한 문화의 뒷받침이 없거든. 아시아 민족의 해방. 좋은 말이야. 그렇다면 선결 문제는 조선의 자치나 독립에 있었지. 기껏 한다는 것이 창씨개명[37], 성명을 고쳐 놓는다고 무엇이 되겠나? 웃지 못할 넌센스[38]지. 나가긴 하네만 나는 이 나라의 국민 된 죄로 국가가 뿌린 씨를 거두러 나가는 셈이야."

그리고 중부 중국으로 떠난 조교수는 1년도 못 가서 전사하고 말았다.

다시 1년.

전세는 반전(反轉)되기 시작했다.

병력 증강에 따르는 하급 간부의 부족을 느끼게 된 일군 당국은 젊은 학생들에게 단기간의 훈련을 베푼 후 전열에 배치하는 안을 세웠다.

학도 출진의 일대 시위에서 돌아온 아오야기는 현을 찾아와 흥분에 익은 얼굴로 죽는 얘기만 했다.

---

36 선무 지방이나 점령지의 주민에게 정부 또는 본국의 본의(本意)를 권하여 민심을 안정시키는 일.
37 창씨개명 '일본식 성명 강요'의 전 용어.
38 넌센스 '난센스'의 잘못.

"전쟁터에 나간다구 모두가 죽는 것은 아니겠지. 아니 죽는다는 결의가 되레 마음을 거울같이 맑은 심경으로 이끌어 가거든."

산란하는 마음을 모으기 위해 아오야기는 기를 쓰고 있는 것이라고 현은 생각했다.

"이전 마음을 남길 아무것도 없어."

그리고는 약간 어두운 표정을 짓더니,

"다만 어머니 일이 걱정되기는 하지만 그도 전열의 뒤에 있는 사람들이 어떻게 돌봐 주겠지."

현은 말없이 듣고만 있었다.

"토머스 그린 것과 학생 총서는 자네한테 주지. 나는 《하가쿠레〔葉隱〕》하고 《만뇨슈〔萬葉集〕》두 권이면 돼. 실토하면 고민이 없지는 않아. 그러나 나에게 있어서 아시아의 해방이라는 명분은 어떻든 하나의 구원이야."

현은 가슴에 젖어 드는 측은한 감정을 억제하지 못했다.

'여기 어긋나는 하나의 톱니바퀴〔齒車〕. 원치도 않는데 기를 쓰며 구해 주려는 것은 고맙지 않은 참견.'

깊은 밤 아오야기의 멀어져 가는 게다 소리를 들으며 현은 고향에 생각을 보냈다. 일인 학생들을 휩쓴 회오리바람 속에서 벗어나 그는 한껏 고독한 자신을 발견했던 것이다.

앉은자리에서 그는 어머니를 그리는 긴 편지를 썼다. 곧, 모두 편안하며 허약한 탓으로 고향으로 돌아와 있던 영선은 면소[39]에서 일을 보게 되었다는 회답이 있었다. 할아버지는 처음 못마땅히 입맛을 다셨으나 지금은 아들을 안전한 곳에다 잡아 두게 된 것을 적이 만족해하고 계시며, 어느 때나 그러하듯이 편지의 말미에는 항상 너를 위해 하나님께 기도 드리고 있다고 씌어 있었다.

---

39 면소 면사무소.

5

아오야기의 경우는 얼마 후 그대로 현의 처지가 되고 말았다. 그와 다른 점이란, 현에게는 어거지로 내세운 '아시아의 해방'이란 슬로건도 《하가쿠레》나 《만뇨슈》에 해당되는 책 한 권도 있을 수 없다는 점이었다. 그렇다고 독일 전몰 학생의 수기도 당치 않았다.

현의 전쟁 참가란 아무런 의미도 없었다.

고향에 돌아오자 그는 어머니가 주는 얼마간의 돈을 가지고 해주(海州) 가까이서 어업 조합장을 지내고 있는 외조부뻘 되는 집으로 도망을 갔다.

며칠을 지낸 후 현은 까닭 모를 어떤 범죄 의식에 못 이기기 시작했다.

'이처럼 엄습해 오는 불안감은 무엇일까. 울타리다. 울타리 안에 들어 있는 것이다. 거대한 감옥으로 화한 울타리 안에서 뼈에 젖어 든 옥 안의 터부. 그걸 범하는 죄인의 불안. 날아올 간수의 채찍. 마련된 옥 안의 옥.'

하나의 길은 있었다. 그러나 현이 이 울타리를 벗어나기에는 둘레의 담장이 너무나 높았다. 다만 숨어 있는 죄인일 수밖에 없었다.

2주일 후 현은 날카로운 눈초리의 형사의 방문을 받았다. 그리고 기한이 넘은 지원서에 이름을 써넣어야만 했다.

불안의 해소. 그것은 노예의 안도. 죄인의 굴종.

현은 해주를 거칠 때 하룻저녁 유행가 같은 멋으로 마음껏 술을 마셨다. 그리고 간단히 술집 여자와 몸을 섞었다. 홧김에 저지른 욕정에서 그는 처음 여자를 안았던 것이다. 이튿날 어지러운 정신으로 그 집을 나서며 연거푸 몇 번 헛구역질을 했다.

집으로 돌아오자 자기가 붙잡힌 것은 유능한 일경의 조직망 탓이 아니라는 것을 알았다. 할아버지는 현의 도주가 다음 해 중학에 들어가게 될 둘째 아들 영철에게 미치는 영향을 두려워했던 것이다. 그러나 현은 할아버지를 원망하지 않았다. 자기 탓으로 어린 삼촌 영철에게 화가 미친다는 것은 현의 본의가 아니기 때문이었다. 차라리 마음이 편했다.

　P고을의 몇 친구와 함께 떠나게 되는 전날, 현은 조용히 어머니와 함께 지냈다. 어머니는 대학에 가라고 이른 권고의 용서를 빌었다. 더욱 현 모는 현의 나이가 꼭 돌아간 남편의 나이와 일치하는 데서 어떤 불길을 느끼고 몸을 떨었다. 현은 어머니를 달래 쉬게 하는 데 땀을 흘렸다. 벽을 보고 돌아누운 현 모는 잠을 이루지 못하고 어둠 속에서 기도만 드리고 있었다.

　"주여, 거룩하신 하나님께서 이 죄인을 용서하시와…… 은혜를 베푸시옵기를……. 이것은 단 하나의 죄인의 소원이온즉……."

　원죄 의식과 박명의 검은 강박 관념의 굴레 속에서 갈피를 못 잡고 극도의 고뇌에 사로잡힌 현 모는 자기에게 가해질 하나님의 형벌에서 그 아들을 제외해 달라고 애원했다.

　"아들에 대한 사랑에서 주께서 부르신 남편에 대해 더욱 깊은 사랑을 느낄 수 있사옵는 이 죄인, 주어진 단 하나의 아들에 대한 사랑을 통해서 더욱 하나님의 은혜를 알게 되옵는 믿음이 약한 이 죄인. 주여! 저의 깊은 죄를 용서하시와 아들의 생명을 구해 주옵소서."

　현은 가슴을 치미는 대상 없는 노여움에 떨었다.

　'나는 내 자신이 믿는 것은 아니었지만 신의 존재를 인정해 왔다. 그것은 어머니의 신산한[40] 생활에 마음의 평안을 주기 때문이었다. 그런데 지금 어머니는 까닭 없이 깊은 죄인을 자처하며 신 앞에 몸을 떨고 있다. 살고 있는 모든 인간이 죄인일망정 어머니는 죄인일 리가 없다. 형무관[41] 같은 신. 이유 없는 원죄. 어머님, 나기도 전의 일에 책임을 질 수야 없지 아니합니까…….'

　이튿날 역전에서 열린 환송식에서 군수가 격려사를 하고 서장이 만세를 선창했다. 함께 떠나는 B는 술이 만취해서 빈정대며 떠들어 대고 있었으나, 현은

---

40 신산하다 맛이 맵고 시다. 또는 비유적으로 세상살이가 힘들고 고생스럽다.
41 형무관 '교도관'의 전 용어.

119
불꽃

그런 것이 무의미에 더욱 무의미를 가하는 것이라고 생각하며 무표정한 얼굴로 시키는 대로 움직이고 있었다.

현은 뒤죽박죽 앞서고 뒤서는 거친 군가를 들으며 군중의 대열에 버티고 서서 군수와 서장의 인사를 받고 있는 할아버지를 보았다. 할아버지는 그 뒤에서 손수건으로 눈을 가리고 있는 어머니를 돌아보며 간간이 타이르고 있었다.

'할아버지는 이렇게 생각하시겠지. 내가 죽으러 떠나게 되는 것은 거역할 수 없는 천운이며 산소 탓이라고. 삼촌 영선이 허약해서 학교를 중퇴하고 면 서기가 된 것이 또한 묏자리 탓이라고. 그리고 어느 경우가 어느 산소 탓인지 청룡, 백호부터 풍수의 원리를 뇌까리고 계시겠지. 아득한 때의 혼돈, 고온의 기체, 흐르는 용암, 풍화 작용, 지술(地術), 무덤 속의 뼈다귀.

나를 보내 면목은 서고 영선의 탓으로 공출이 헐케 될 것을 만족하고 계시겠지. 그러나 할아버지 등 뒤에서 울고 계시는 어머니를 언짢다고 생각하시지 마십시오.'

그는 멀어져 가는 부엉산 검푸른 산봉우리를 바라보며 차 안에서 생각을 이었다.

'그렇다면 너무나 가혹한 일이지. 어떻든 죽고 싶지는 않은 일이다.'

창씨한 탓으로 '산' 자가 붙어 '다카야마[高山]'가 된 현은 일본 '나고야' 부대에 입대하였다. 치중병(輜重兵)[42]이 되었다.

마구간 당번을 하게 되었다. 때로는 손으로 말똥을 긁어모아야 했다. 어느 달 밝은 밤 말 다리 밑에 기어 들어가 말똥을 긁어모으고 있다가, 유난히 비쳐 드는 달빛에 고개를 들었다. 둥근 달이 말의 배 밑에 늘어진 거대한 것 끝에 걸려서 마치 손잡이가 검은 큰 놋 주걱같이 보였다. 현은 히히히 하고 저도 모르게 웃었다. 덩그런 마구간 안에 웃음소리가 반향을 일으키는 것이 기괴한 감을 주었다.

---

42 치중병 군수품을 실어 나르던 병사.

갑자기 말한테 조롱당한 것 같은 모욕을 느꼈다. 이 자식한테! 치밀어 오르는 홧김에 삽을 들어 힘껏 그것을 후려갈겼다. 놀란 말이 껑충 뛰자 현은 뒤로 쓰러졌다.

어느 일요일, 일인 친구를 따라가서 마음껏 배 속에 집어넣고 온 일이 있었다. 어떻게 먹었던지 씨걱씨걱 호흡이 곤란했고 자유로이 몸을 가눌 수조차 없었다. 그러고도 저녁엔 또 한 그릇을 비웠다. 그날 밤은 밤새 변소 출입에 바빴다.

다음 날 아침 관물 몇 가지가 분실된 것을 알았다. 분대장의 주먹은 현의 얼굴에서 폭발했다.

"자식아, 잃었거든 멍청하지 말고 딴 데 것을 훔쳐 와."

그래도 이튿날 현은 취사장에서 얻어 낸 누룽지를 가지고 간밤에 쪼그리고 앉았던 변소에서 먹었다. 그것을 뜯으면서 현은 그린의 '의지와 인간의 도덕적 발전에 쓰여지는 자유의 각종 의미에 대하여'가 어떤 것이었던지 무연히 생각하고 있었다.

현에게 있어서 가장 고통스러웠던 것은 모두들 두 줄로 마주 세워 놓고 서로 두드리게 하는 일이었다.

개인적으로 손톱만 한 원한이 없는 인간끼리 서로의 육체에 고통을 가한다는 것은 견디기 어려운 일이었다. 치면 때리고 때리면 치고 한참 그것을 반복하고 있으면 차차 서로에 대한 근거 없는 증오심이 끓어올랐다. 그것은 인간으로서 얼마나 덧없고 슬픈 일이었을까.

다음 해 봄, 현은 북부 중국에 파견되는 노병들 가운데 섞여 있었다. 황막한[43] 중국 땅에 내려섰을 때 현은 틈을 타서 도주할 결심을 했다.

'구타, 학대, 잔인, 오만, 비굴, 허위의 범벅. 군대란, 인간이 있을 데가 못 된다. 그래도 명분이 있다면 참기도 하겠다. 그런데 내게는 털끝만 한 명분이 없

---

43 황막하다 거칠고 아득하게 넓다.

다. 어째서 내가 중국인을 죽여야 하는가.'

얼어붙었던 대지가 철을 맞아 지르르 녹아나기 시작할 무렵이었다. 밤이 되면 추위가 뼛속에 스며들었다. 으스름 달밤. 현은 보초를 서다가 틈을 탔다.

덮어놓고 서쪽으로 달리면 된다는 막연한 계획이었다. 숨겨 두었던 건빵 두 주머니, 통조림 한 통, 캐러멜 두 개를 끼고 밤새 허리까지 오는 마른 잡초 사이를 걸었다. 몇 번 뒹굴어 손등과 얼굴을 긁혔다. 끝없는 대지 위 칠흑(漆黑) 속에서 현은 머리카락이 곤두서는 공포에 떨었다. 지구 밖 어두운 허공 속에 혼자 던져진 느낌이었다. 그대로 지옥으로 열린 문을 향해 걷고 있는 것 같았다.

동쪽 하늘이 희미하게 밝아올 때, 현의 손에는 이미 소총이 없었다. 불그레 동쪽 하늘이 물들기 시작하더니 붉디붉은 커다란 덩어리가 솟아오르기 시작했다. 그대로 못 박혀진 현은 꼼짝 않고 그 장엄한 광경을 황홀히 주시하고 있었다. 아아! 이 커다란 것, 그 앞에 초라한 이 모습. 그는 갑자기 짐승 같은 소리를 질렀다. 아아악, 갸아악, 갸아악. 괴었던 잡것이 터져 나가는 가슴속에 태양은 새로운 생명을 부어 넣어 주는 듯했다.

이튿날 멀리 조그만 마을이 내려다보이는 언덕에 이르자 추위와 주림과 공포와 피로에 지친 그는 그대로 쓰러져 잠이 들고 말았다. 현이 눈을 떴을 때 태양은 머리 위에서 빛나고 대여섯 가옥의 인가 근처에는 주민 두서넛이 얼씬거리고 있었다. 좁다란 길이 현이 누운 언덕 밑을 지나 마을 쪽으로 뻗어 있었다.

중국인을 만나면 어떻게 해서 자기의 입장을 알려야 할는지 궁리가 나지 않았다. '마을로 가야 할 텐데.' 몸을 가누기가 싫었다. 이렇게 그대로 영원히 누워 있고 싶은 생각이 들었다. 현은 그대로 망연히 언덕 바위틈에 기대고 누워서 나머지 몇 개의 건빵을 씹으며 마을 있는 편을 내려다보고 있었다. 마을 어귀에서 이리로 발을 옮기는 조그만 사람의 그림자가 보였다. 느릿한 걸음으로 언덕 밑 길로 가까이 오고 있는 것은 단발한 앳된 중국 소녀였다. 소녀의 출현은 현의 가슴에 말할 수 없는 그리움을 부어 넣었다. 소녀가 바위에 가까운 길을 지나갈 때 그는 똑똑히 그 검은 눈동자와 윤기 있는 빨간 입술을 보았다. 그리고 눈앞을 지나 저쪽으로 걸어가는 소녀의 불룩한 젖가슴과 허리에서 허벅다리로 내리흐르는 자극적인 선을 주시했다. 현은 저도 모르게 꿀걱 생침을 삼켰다. 하반신이 취하는 듯했다. 벌써 그는 지난 이틀 밤의 공포를 깨끗이 잊고 있었다. 할단새. 히말라야에 산다는 가상적인 새. 밤새 떨면서 아침이 되면 둥지를 틀리라 마음먹고 해가 뜨면 깨끗이 잊고 만다는 할단새.

현은 둘레를 돌아보았다. 넓은 이 벌판에 아무것도 움직이는 것이 없었다. 전신에 저린 감각, 단 한 번 이름 모를 여인과의 욕정에서 느낀 야릇한 감촉이 맹렬한 속도로 되살아왔다. 헛구역질을 느끼던 환멸은 생각조차 나지 않았다. 다만 그 따스하였던 체온만이……

목이 타고 침을 삼키면 꼬르륵 이상한 소리가 났다. 현은 자기 이성이 흐려져 가는 것을 억제치 못했다. 벌떡 몸을 일으켰다. 어느덧 그 손에는 허리의 대검이 들려 있었다. 그때 태양의 빛을 가리고 땅에 던져진 그의 그림자가 너무도 선명히 그의 눈에 뛰어들었다. 그는 꼼짝 않고 그림자가 보여 주는 꼬락서니를 내려다보았다. 영화에서 본 타잔. 맹수를 노리는 타잔. 맹수와 소녀. 타잔과 맹수와 소녀와 나. 휘휘 머리가 어지러운 듯하더니 번쩍 정신이 되돌아오면서 가슴이 뒤틀리기 시작했다. 그만 그 자리에 털썩 주저앉고 말았다. 벌써 소녀는 멀찍이 저편을 걸어가고 있었다. 현은 얼빠진 사람 모양 잠시 멍하니 있다가 이마의 땀을 씻으며 대검을 자루에 넣으려고 했다. 아직도 사라지지 않은 취한 듯한 하반신의 감각, 이 고깃덩어리가……. 현은 그대로 칼날을 허벅다리에 내리질렀다. 욱! 붉은 피가 군복 바지를 통해 쭈르르 흘러내렸다. 몸에서 욕정의 불길이 일순에 걷혔다. 내의를 찢어 다리를 동여매고 그대로 바위틈에 몸을 뉘어 물끄러미 배어 나오는 붉은 피를 보고 있었다. 그때 현의 뇌리에 지난날의 한 가지 일이 번개같이 스쳐 갔다.

'어머니의 다리에 새겨졌던 그 무수한 상흔. 무수했던 무수했던 그 상흔.'

어찌할 수 없는 애타는 그리움과 함께 어머니의 환상이 현의 안막에 떠올랐다. 그것은 인간의 가누기 힘든 서러운 조건에 항거하는 한 젊은 여인의 피는 듯 아름답고 처절한 얼굴이었다.

그와 함께 높은 가락의 노랫소리가 들리는 듯했다. 그것은 대지 위를 뒤덮고 그의 머리 위를 감돌아 무한히 흘러가는 환각의 가락. 어머니에의 찬가(讚歌). 뒤이어 주림과 추위에 저린 현의 가슴속에 인간의 슬픔과 고통이 회오리쳤다. 그러나 그것은 단지 몇 방울의 눈물로 변해 아득한 대지 위에 뿌려졌을 따름이었다.

저녁에 현이 중국인 부락으로 내려가 한자(漢字)를 써 가며 사유를 납득시키고 따뜻한 한 그릇의 옥수수 죽을 마실 때, 걱정 어린 눈으로 싸맨 다리를 응시하고 있는 그 소녀의 영롱한 눈은 현에게 끝없는 기쁨과 안도를 주었다. 그곳은 주로 팔로군[44]이 유격 활동하는 지역이어서 그길로 연안으로 안내되었다. 그는 여기서 숨을 돌리기 전에 먼저 놀랐다. 토굴 같은 집에 살고 있는 그들의 양식은 수수밥이 아니었다. 그것은 어느 때고 그들이 활기를 칠 수 있는 세계가 오고야 말리라는 확신이었다. 현은 중국 거지 같은 초라한 모습을 한 김 모라는 노인에 접하고 아연했다. 인민의 해방이 머지않아 이루어지리라고 예언하는 김 노인은 실은 까닭 모를 복수심을 만족시키는 기회를 노리고 있는 것이었다. 공산주의 이론은 《정감록(鄭鑑錄)》[45]과 다름없는 운명의 예언서. 다르다면 그것은 과학의 이름을 붙인 예언서라는 것, 김 노인은 그것을 놓고 잃어진 자기 반생의 몇 배를 미래에 충당할 수 있는 노다지판[46]을 그리고 있었다.

그렇지 못하면 초라한 그 모습이 사진틀 속에 담겨 벽에 걸리거나 그 이름이

---

44 팔로군 항일 전쟁 때에 화베이[華北]에서 활약한 중국 공산당의 주력군.
45 《정감록》 조선 중기 이후 백성들 속에 유포된, 나라의 운명과 백성의 앞날에 대한 예언서. 풍수지리상으로 본 조선 왕조 후 역대의 변천 따위를 예언한 것으로, 이심(李沁)과 정감(鄭鑑)의 문답을 기록한 책이라 하나 이본이 많아 확실한 것은 알 수 없다.
46 노다지판 목적한 광물이 풍부하게 쏟아져 나오는 판국. 또는 손쉽게 이익을 많이 얻을 수 있는 일이나 일터를 비유적으로 이르는 말이다.

당사(黨史)의 찬란한 한 페이지를 차지하리라는 개기름같이 번쩍거리는 욕망.

인민의 해방이란 방정식에 절대적인 의미를 붙이고 이를 갈고 있는 이들은 말하자면 청탁자 없는 청부업자였다.

'도대체 이들은 어째서 그렇게도 남의 걱정에 밤낮을 가리지 않고 야단일까. 그보다는 오히려 그들의 솜옷에 끓는 이를 퇴치하는 것이 급선무일 텐데. 아마 이들은 이들의 때가 오기만 하면 겪어 온 빈궁과 고통의 몇백 배의 보수를 요구하겠지.'

현이 한 달도 못 되어 다시 이곳을 빠져나와 남만주에 잠복한 것은 1945년 7월 중순이었다. 넓고 어수선한 것이 중국의 대지였다.

6

만주에서 헤매던 현은 9월 중순이 지나 고향 P고을로 돌아왔다. 그동안 소련 군이 진주한 만주에서 현이 목격하고 느낀 것은 인간이란 개 이하가 될 수 있다는 것이었다. 약탈, 강간, 파괴, 살인……. 현은 그 책임을 전쟁에 돌려 버리는 의견에 찬동할 수 없었다. 문제는 그러한 행동을 저지를 수 있는 본질적인 것이 인간에게 잠재해 있다는 데 있었다. 그것은 오히려 개보다 못했다. 인간은 거기에 이유를 붙이기 때문. 어떻든 일본을 대신해서 인민의 해방자로 나선 청부업자 소련인들은 처음부터 그처럼 으리으리했던 것이다.

'원래 청부업자란 수지가 맞는 법이니까.'

현은 인간에 대한 실망과 환멸을 거쳐 이렇게 뇌까리고 쓴웃음을 지을 수밖에 없었다.

남루한 차림을 하고 낯익은 싸리문을 들어섰을 때. 마루에 앉았던 어머니는 잠시 멍하니 현을 바라보다가 버선발로 뛰어나와 와락 현을 붙들고 울기만 했다. 동네 사람들이 집으로 몰려왔을 때 어머니는 마루에 엎드린 채 소리를 내어 기도를 드리고 있었다. 8·15를 당하고도 절실한 해방의 뜻을 느끼지 못한 현 모는 이 순간에 남다른 해방감에 가슴이 터질 듯했다. 현 모의 가슴속에 굳게 뿌리 박고 있던 원시 종교적 숙명 의식의 장벽이 소리를 지르며 분화구처럼 터져 나가고 있었다. 그리고 현 모는 그것이 터져 나가 환히 트이는 곳에서 소낙비처럼 쏟아져 내리는 하나님의 은혜를 보는 듯했다.

고노인의 경우 8·15는 쌀 공출로부터의 해방을 의미했다. 아들 영선의 덕을 보기는 했으나, 워낙 냅뜰성[47] 없는 영선의 힘이란 별것이 없었다. 고노인은 전쟁 말기의 일제 당국의 처사에 대해 마구 욕설을 퍼부었다. 작은 꾀를 부려서 고런 짓을 했으니 망하지 않을 리가 있었겠느냐고 떠들었다.

아슬아슬한 고비에서 삼팔선 이남으로 책정된 이 고을에는 미군들의 풍부한 물자의 시위가 있었다. 모두가 놀랍게 보이는 고노인은 둘째 아들더러 단단히 영어 공부를 하라고 일렀다. 그리고 영선이 무사했고 현이 목숨을 건져 돌아온 것은 선친의 묘를 이장했던 탓이라고 더욱 풍수 원리에 대한 믿음을 굳게 했다.

현에게는, 몇 갈래로 찢겨 서로 엇먹고 켕기는 소용돌이가 모두 현실의 정곡에서 빗나가고 있다고밖에 보이지 않았다.

해방이란 앉아서 얻어진 것, 그러므로 나서서 호통을 칠 이유도 없었다. 아무에게도 나에게 돌을 던질 자격이 없었다. 따지고 보면, 있어야 할 것은 오직 얼굴을 붉힐 부끄러움과 조심성 있게 건네야 할 조용한 어조뿐이었다. 그런데 오고 가는 무수한 돌멩이와 고막이 터질 노호[48].

또한 논하자면 해방이란 당연한 것. 응당 있어야 할 것이 지금까지 그렇지 못했다는 것. 그런데 누구를 보고 국궁[49] 재배, 아양을 떨어야 한단 말인가. "스파씨이바그라스나야 아아르미아(고맙소 붉은 군대)." 또 그렇지 않으면 어린애 같은 경탄. "원더풀 씨레이션[50]."

---

47 냅뜰성 명랑하고 활발하여 나서기를 주저하거나 수줍어하지 않는 성질.
48 노호 성내어 소리를 지름. 또는 그 소리.
49 국궁 윗사람이나 위패 앞에서 존경하는 뜻으로 몸을 굽힘.
50 씨레이션(C Ration) 6·25 전쟁 당시 미군의 전투 식량을 이르던 말.

이런 곳에서 생겨날 것은 과연 어떤 것, 암담한 실망이 현의 마음을 뒤덮고 내어 디디려던 그의 일보는 허공을 휘젓고 다시 제자리에 못 박혀 버리고 말았다. 그는 또다시 자기 껍질 속에 몸을 오므리고 만 것이다.

3·1절을 맞아 선열의 유가족으로 현 모와 현이 특별한 좌석을 배당받았을 때, 할아버지도 그 옆에 점잖이 앉아 있었다. 고르지 않은 가락의 애국가. 우국의 절규에 가까운 열변. 만세. 만세 소리의 진동.

기념품인 놋상을 들고 돌아오던 갈림길에서 현은 언뜻 할아버지의 눈에 빛나는 것을 보았다. 주름지고 늘어진 눈시울 밑에 가득히 괸 눈물. 현에게 있어서 그것은 하나의 새로운 발견이었다.

'험구[51]의 할아버지는 기실 아버지의 죽음을 누구에게도 못지않이 마음속에서 슬퍼한 것인지 모른다. 아버지의 죽음. 어머니의 신고. 할아버지의 고통. 가난한 이 사회. 특설된 좌석과 기념품인 놋상.'

다음 해 현은 교장의 간청으로 여학교 교원으로 들어가게 되었다.

"네 소견대로 하려무나."

어머니의 의견은 조용한 이 한마디였다.

사회의 혼란은 더욱 조장되고 대립은 더욱 첨예화되어 갔으나 학교의 울타리 안은 그래도 그 권외에 놓여 있었다. 그러나 언제까지나 학교만을 남겨 두지는 않았다.

사회의 혼란이 반영되어 학생들이 동요하기 시작하고 몇몇 교원은 거기다 불을 지르는 역할을 했다. 교내에 삐라[52]를 뿌린 학생들은 마치 순교자 같은 얼굴로 끌려갔다. 어지러운 흥분 속에 사로잡힌 어린 학생들을 보면, 현은 가엾은 생각이 들었다. 무엇 때문의 흥분. 누구를 위한 순교.

불을 지르는 교원들. 시간에 들어가 가르칠 것은 걷어치우고 무책임한 발언

---

51 험구 남의 흠을 들추어 헐뜯거나 험상궂은 욕을 함. 또는 그 욕.
52 삐라 선전이나 광고 또는 선동하는 글이 담긴 종이쪽. 표준어는 '전단'이다.

으로 철없는 학생들의 머리를 어지럽히는 것은 죄악에 속했다. 자신이 있거든 걸어붙이고 나서서 직접 행동을 해야 할 것이다. 교단과 연단. 교원과 연기자와의 차이. '학생에겐 손을 대지 말고 그대로 두어야 한다.' 그러나 이러한 신념은 다만 현 자신에게만 적용되는 좁은 한계를 가지고 있었다. 이러한 가운데 북에서 남으로 흘러가는 인간의 행렬은 그치지 않고 그 수효는 더욱 늘어만 갔다. P 고을에서 하루 이틀을 묵어 가는 사람들의 발걸음은 무거웠다. 으리으리한 청부업자의 입찰을 거부한 사람들. 현은 지금은 그곳서 대단한 감투를 쓰고 있다고 전해지는 중국 연안에서 만난 노인 김 모를 생각해 보았다. 하루에 몇 번 목욕을 하고 눈이 부신 흰밥에 입맛을 다실 그 모습을.

'대를 이어 온 땅을 버리도록 낙찰된 가격은?'

그러나 현에게 있어서 이러한 현상은 그의 눈앞을 지나가는 한낱 영화의 화면에 지나지 않았다. 현은 그것을 보고만 있으면 되었다. 다만 비극 영화를 구경하는 관중이 느끼는 그런 정도의 동정심을 가지고.

현의 흥미는 이 2년간에 확대된 꽃밭에 들어가 갖가지 꽃을 가꾸는 데 있었다.

가지각색의 꽃이 봄에서 가을에 이르는 동안 그치지 않고 화려히 장식하는 화단이 있음으로써 현의 마음은 푸근했다. 금잔화, 봉숭아, 달리아, 석죽, 나팔꽃, 카네이션, 문플라워, 나비꽃…….

넓은 하늘 밑에 하루의 노동에 노곤해진 다리를 뻗고 부엌에서 새어 나오는 생선 굽는 냄새를 맡는다. 왕성한 기능의 위. 재촉을 하면 어머니는 어린애 같다고 꾸중을 한다. 찬란한 꽃밭. 매미의 울음과 뭇 새의 지저귐. 이것이 곧 인간의 삶. 생명을 받고 태어난 인간이면 누구나가 향유할 수 있는 삶의 조그만 권리.

그동안 현은 몇 번 혼담을 퇴했다. 갈피를 잡을 수 없는 현실의 혼돈 속에서 혼인이란 생각조차 하기 싫었다.

'저 북에서 쏟아져 나오는 사람들. 그을리고 피로한 얼굴에 슬픔과 분노를 가득히 담은 눈동자. 그 무수한 눈동자는 다만 살 곳을 마련하여 그대로 안주할 그런 미지근한 눈동자일까. 그 무수한 눈동자에 그토록 분노의 불길을 부어 넣은 으리으리한 신흥 청부업자들. 그들은 한 가지 공사를 끝냈다고 그대로 있을 그런 절제 없는 업자가 될 수 있을 것일까. 악착같은 이윤의 추구. 그들이 즐겨 퍼붓는 기성 업자에 대한 욕설. 그것은 그대로 그들이 이어받은 것. 태풍의 징조에 불안을 느끼며 새로운 집을 지으려는 어리석은 짓은 삼가야 한다고 생각했다. 자신이 없는 자기의 미래에 한 사람의 남을 끌어들일 수는 없었다. 나 자신이 그러하거늘 더욱 남의 생애에 대한 자신이란.'

현은 그러한 때에 더욱 뼈저리게 어머니의 반생을 그려 보았다. 어두운 초가 안에서 지낸 30년. 괴로움과 신고. 자기의 혼인이 또 하나의 어머니를 만들어 낼는지도 모른다는 의구.

고노인은 몇 번 달래 보다 내어던지고 말았고, 현 모는 현 모대로 병정으로 보낼 때 한 번 겪고 나서는 무엇이고 간에 강요는커녕 권유도 않고 현이 하는 그대로 두었다. 그 팔에 한번 묵직한 손자의 무게를 느껴 보고자 목마르게 원하고 있으면서도.

7

그러한 불안은 불안대로 두고, 현은 눈앞에 걸린 자기의 직책에 충실하려고 했다. 꼬박꼬박 시간을 채우는 현은 그리 인기 있는 선생은 못 되었다.

가을이 와서 교사[53]를 증축하게 되었을 때, 상서롭지 않은 한 가지 문제가 생겼다. 공사비를 둘러싸고 불미한 일이 생겼는데 교장도 거기 한몫 끼여들었다는[54] 것이다.

전투적인 교원 몇 명이 말썽을 일으키고 교장을 규탄한다는 불온한 공기가

---

53 교사 학교의 건물.
54 끼여들다 '끼어들다'의 잘못.

떠돌았다. 현은 분명치도 않은 일을 가지고 떠들 필요가 어디 있느냐고 대수롭지 않게 생각하고 있었다. 그러나 말썽을 일으킨 교원들은 이 사건을 들고 나가 오랫동안 사상적인 문제 때문에 교장으로부터 받아 온 굴욕의 울분을 일거에 풀어 보리라는 의도를 가지고 있었다.

한편 교장은, 때마침 일어난 일부 학생들의 조그만 정치적 소동이 교장 배척을 한 가지 슬로건으로 들고 나섰던 까닭에 기회를 놓치지 않고 그들 교원에게 사건의 책임을 뒤집어씌우고 말았다. 세 명의 교원은 그날로 경찰에 구속되어 문초를 받게 되었다.

그러나 그 교원들이 학생 소동의 책임을 진다는 것은 이번만은 누가 보아도 부당했다. 그러나 교원들은 교장의 교활을 눈앞에 보고도 감히 입을 열어 정면으로 대항하지를 못했다.

직원회의가 열렸을 때 교장은 점잖은 어조로 유감의 뜻을 표하며 세 명의 교원이 경찰에 끌려간 것은 참으로 안된 일이라고 했다. 현은 아연했다. 교활과 비열이 뒤섞인 교장의 얼굴을 쳐다보다 저도 모르게 불쑥 일어섰다.

"교장 선생님, 어떤 대책을 세워야 하지 않겠습니까?"

교장은 평소 온건하던 현이 뜻밖에 긴장한 얼굴로 자기를 정시하는 데 놀랐다.

"대책이라야 세울 도리가 없는 걸 어떻게 하우?"

"대책이 없다니요. 세 분 선생이 이번 소동에 아무런 관련도 없다는 것은 교장 선생님도 잘 알고 계시지 않습니까?"

"아니, 고 선생, 내가 그런 것을 어떻게 아우?"

"배 선생님은 그동안 부친상을 치르러 가서 사건 때는 안 계셨고, 두 김 선생님은 일주일간의 수학여행에서 그제야 돌아오시지 않았습니까?"

"그건 모르지요. 없었다고 관련이 없는 것은 아닐 터이니까."

"그러나 그것은 경우와 상식으로 분명히 알 수 있습니다."

"고 선생은 왜 그렇게 그런 사람을 두호하시우[55]?"

"두호가 아닙니다. 과거에는 어떻든 간에 그대로 버려둔다면 그것은 세 분 선생에 대한 공정한 처사가 못 되기 때문입니다."

"그거야 경찰에서 공정히 하갔디요."

어디까지나 시치미를 떼는 교장을 보고 현은 가슴속에서 피가 끓어오르는 것을 느꼈다.

"교장 선생께서 직원들의 신상에 대해 그렇게 냉정하셔서야 어떻게 안심하고 학생들을 가르칠 수가 있겠습니까?"

교장이 버럭 소리를 질렀다.

"아니 고 선생, 그게 무슨 말이오. 사상이 불순하다고 경찰이 하는 일을 나보구 어드케 하라는 거요?"

파렴치…….

"그렇게 말씀하신다면 교장 선생님은 이번 부정 사건 때문에 일부러 세 선생님을 몰아넣었다는 비난을 듣게 됩니다."

교장의 낯색[56]이 변했다.

"고 선생, 말을 조심하우. 그게 무슨 소리요. 그럼 내가 부정 사건에 관계가 있단 말이오?"

---

55 두호하다 남을 두둔하여 보호하다.
56 낯색 얼굴의 빛깔이나 기색. 표준어는 '낯빛'이다.

진일보…… 앞으로…… 결정적인 공격! 그러나…….

"저는 그런 단정은 안 했습니다. 말하자면 남들이 그렇게 보기가 쉽다는 겁니다."

그것을 단정한다는 것은 또한 교장에 대해 공정을 결(缺)한다는[57] 생각이 현의 얘기를 끊게 했다.

'슬픈 일이다. 이북 출신인 늙은 교장은 모든 못마땅한 것의 처리 방법으로 저렇게 사상적인 데다 결부시키게 되었으니…….'

그리고 또 하나의 불쾌. 끌려간 세 선생. 그들은 어느 때나 조금 들려오는 얘기만 있으면 그것의 확실 여부를 확인하기도 전에 떠들어 대는 것이 일쑤였다. 어린 학생들에게 자기의 첨단식 경향을 번쩍거리던 것도 다름 아닌 그들이었다.

'여하튼 창피다.'

무거운 발걸음으로 교문을 나섰을 때 뒤따라오는 발걸음 소리가 들렸다. 조 선생. 여대를 중퇴한 조 선생이었다. 깨끗이 접힌 흰 샤쓰, 흰자위가 맑은 검은 눈. 검은 스커트.

"고 선생님이 오늘은 어떻게 그렇게 대담하셨어요. 교장 선생님이 패배 정도가 아니라, 고 선생님 말씀처럼 완전히 패북당하고 말았어요."

현은 고소를 지었다. 그는 말없이 걸으면서 굳어졌던 자기 마음이 차차 풀려 가는 것을 느꼈다.

'나는 조 선생이 가까이 있으면 어느 때나 따뜻한 마음을 가지게 된다. 저도 모르게 끌리는 것을 느낀다. 그러면서도 욕정을 느끼지는 않는다. 이것이 아마 이성에 대한 애정의 싹인지도 모른다. 패북, 아아 그때의 얘기로군.'

겨우 맞춤법을 한 권 들춰 본 한글 실력으론 국문과를 다닌 조 선생을 당할 수 없었다. 그가 일절이니 패북이니 하였을 때 조용히 가르쳐 준 것은 조 선생이

---

57 결하다 갖추어야 할 것을 갖추지 못하다.

었다.

그때 그는 낯을 붉히며,

"그래두 어쩐지 일절이니 패북이니 해야 어감이 바로 맞아 드는 것 같은데요. 일체, 패배, 좀 약한데."

"그것은 잘못된 일어의 습성에서 나온 거예요."

외모가 나약해 보이면서도 조 선생은 강한 성격을 가지고 있었다.

어느 땐가 남녀 교원이 함께 걷고 있을 때, 미군 병사와 나란히 걸어오는 여인을 보내 놓고 어느 남 선생이 야유 겸 힐난을 한 일이 있었다.

"저것이, 저게 다 인간이라구, 창피두 모르구 턱을 쳐들고 걸어가다니 원 더러운 것이."

그때 조 선생이 얘기를 가로막았다.

"왜 저런 불쌍한 여자를 탓하시지요?"

"불쌍하긴, 자기가 택해서 저런 짓을 하고 다니는걸."

"그렇게 얘기할 게 아녜요. 택하긴, 누가 좋아서 택했겠어요. 남자들이 참견한 사회가 여자들을 저 모양으로 만들어 놓은 게 아녜요?"

"남자들이 어떤 사회를?"

"글쎄 선생님도 정신 차리세요. 연약한 여자 하나 지키지 못하는 이 땅의 남성들이 참 가엾기도 하지요."

'그리고 이런 일도 있었지.'

어떠한 경우에도 별다른 의사 표시를 않는 현보고 어느 땐가 이렇게 물은 일이 있었다.

"고 선생님은 아무 일에도 관심이 없으세요?"

"네?"

"왜 어떤 일에도 의사 표시가 없으세요?"

"그것은 할 사람이 따로 있겠지요. 저는 남의 일에 이러니저러니 할 입장에 있지 못합니다."

"소극적이시군요?"

"소극적일지는 몰라도 저는 남의 일에 흥미도 없거니와 남의 한계를 침범할 생각은 더욱 없습니다."

"어쩌면 그러실까?"

"싸움을 말리려다 더 큰 싸움을 만드는 일이 있지요. 자기 하나도 가누기 힘든 형편에 남의 일 참견이란……."

"주위가 어떻게 되어도 괜찮으세요?"

"되어 가는 것이야 제가 어떻게 하겠습니까?"

"선생님은 그렇게 뵈진 않는데요?"

"저는 공연히 참견해서 남에게 누를 끼치는 경우를 여러 번 보아 왔습니다. 남을 위한다는 것이 결과적으로 남을 해치는 경우가 더 많다는 것을 너무나 많이……."

"그러나 그렇지 않은 경우도 많지 않겠어요?"

"물론 그야 그렇겠지만, 사리를 통찰하는 예지나 심성에 있어서 훨씬 뛰어난 성자 같은 소수인에게만 해당되겠지요."

"고 선생님은 자신이 뛰어났다고 생각지는 않으세요?"

"천만에. 저는 제 자신을 너무나 잘 알고 있습니다. 아무 특징도 없는 일개 속인에 지나지 않는다는 것을…… 그래서 기껏 자기만을 지키고 이처럼 살아가면 됩니다."

"그러면 저 같은 경우 즉 생활 양식을 강요받게 된다면 그때도 고 선생님은 자기를 지키고 그대로 살아가실 수 있겠어요?"

조 선생은 8·15 다음 해 가을 가족과 함께 이북에서 넘어왔던 것이다.

"글쎄 그건 지내봐야 알겠지만……."

"저는 지내봤어요. 더욱 부친은 뼈저리게 느끼셨지요."

"무슨 해를 입으셨습니까?"

"해가 아니라 처음은 몹시들 떠받들었지요. 부친은 젊은 시절에 사회주의 운동을 하다가 몇 년 고생을 하신 일이 계셨대요. 과수원을 하시던 부친은 해방이 되자, 끌려 나가다시피 인민 위원장을 하시게 되었지요. 그런데 소련군이 진주하면서부터 부친은 퍽 언짢아하시더니 쌀 공출을 강요받고는 거북해하시던 끝에 사임을 하시고 말으셨지요. 아버지는 내가 젊었을 때 하려고 한 것은 저런 것이 아니었다고 하시면서 우울증에 걸리셨어요. 그 후부터 그들은 뒤에서 이러니저러니 귀찮게 굴기 시작하더니 한번은 무슨 혐의가 있다고 보안서에서 아버지를 불러 갔었어요. 두 주일 후 나오신 부친은 아무 말씀도 않고 계시더니 갑자기 이남으로 떠나자고 하셨어요. 거기서 자기를 지킨다는 것은 절대 불가능한 일이에요."

"물론 저도 제가 하고 싶은 일, 꽃밭을 가꾸며 즐기고 싶은 시간이나 마루에 누워 하늘을 쳐다보는 시간조차 못 가지게 된다면 글쎄 저도 생각을 달리하겠지요."

"그것뿐이겠어요? 무슨 집단에 가입해라, 모임에 빠지지 마라, 누구를 미워해라, 누구를 쫓아야 한다, 누구를 죽여야 한다, 연설에 찬성하는 박수를 쳐라, 주먹 쥔 팔을 높이 내어 흔들어라, 하면요?"

"그야, 그렇다면 그땐 저도……."

"어떻게 하시겠어요?"

"그럴 땐, 그럴 땐 조 선생처럼 도망을 치지요."

현이 자기 얘기가 우스워 그만 실소를 하자 조 선생도 따라 웃었다.

"어디까지나 소극적이시군요."

갈림길 가까이 와서 추상(追想)[58]에서 깨어난 현은 입을 열었다.

---

58 추상 지나간 일을 돌이켜 생각함.

"실은 교장한테 얘기하고 나선 퍽 후회가 되었습니다."

"왜요?"

"멋없이 떠들었다는 생각이. 남은 것은 불쾌뿐입니다."

"그렇지만……."

"저는 결코 청부업자가 될 수는 없지요."

"네?"

"아니 아무것도 아닙니다."

그 후 문제의 선생님들이 경찰에서 돌아오자, 곧 학교를 떠나고야 말았다.

현은 우울했다. 어쩐지 학교에 나가는 것이 거북했고 교장을 대하는 것이 고통스러웠다. 한 달도 못 가서 사표를 내고 말았다. 2층 교실을 찾아 인사를 하는 현에게 조 선생은 뚫어질 것 같은 시선을 부었다.

"왜요? 무엇이 거리끼는 게 있으세요?"

"모든 게 귀찮아져서."

현은 조 선생의 시선을 피했다.

"그러신 게 아니겠지요. 교장 선생님을 보시기가 거북해서 그러시지요?"

"그것도 그렇지만……."

"역시 마음이 몹시 약하시군요."

"……."

"그야말루 완전 패북하셨군요."

한참 침묵이 흐른 뒤에 현이 입을 열었다.

"패북이고 패배고 할 나위가 없는 일이지요. 조 선생님이 어떻게 하시든 그저 저는 그만둔다는 인사를 드리러 온 것뿐입니다."

현은 곧 발길을 돌려 교실을 나온 탓으로 조 선생의 눈에 서리기 시작한 뽀얀 안개 같은 것이 방울지면서 마루에 떨어지는 것을 보지 못했다.

어머니는 아무 얘기도 없었다. 할아버지는 쯔쯔 혀를 찼다.

"관운[59]이 없군. 그것도 팔자소관이지."

이해 겨울에 들어서기 전 현은 고을에 들어갔다가 여수와 순천에서 일어난 사건 얘기를 들었다.

'무엇 때문에 사람을 죽이려 드는 것일까?'

현은 송아지 한 마리를 기르기 시작했다. 여물을 썰고 분뇨를 떠내고 짚을 깔아 주는 데 열중했다. 콩짚과 볏짚에 콩을 섞어 주면 소는 보는 눈앞에서 풍선처럼 부풀어 오르는 것 같았다. 일군에서 말을 먹이던 때와는 달랐다. 여기엔 아무런 강제가 없었다. 키우고 보면 소도 한 가족과 다름이 없었다.

밭갈이가 심해 잔등이 벗겨져 피를 낼 때면 표정이 없는 까닭에 더욱 가엾었다. 그럴 때면 그 한 가닥 뼈마저 달게 바친다던 다카다 교수를 생각했다.

'지금쯤 살아 계신다면 어떻게 지내고 있을까. 여의하다면 스키야키 남비[60] 속에 저를 넣어 쇠고기를 끄집어내다 자아를 멸할 수 없어 달게 잡숫고 계시겠지. 이젠 퍽 늙었을 게다.'

8

한없이 퍼진 허허벌판이었다. 현은 잃어버린 총을 찾으려고 애를 태웠다. 다리가 땅에 박혀서 떨어지질 않았다. 피아[61]의 군대가 뒤섞여 우왕좌왕 아우성을 치고 있었다. 거기엔 아오야기도 하다가 조교수도 보였다. 중국군, 일본군 모두가 적으로 보였다. 포탄이 터졌다. 총! 총이 없다. 총! 총이 있었다. 아 이번에는 총검과 탄환이 없었다. 밀려드는 적군, 쿵 하는 폿소리, 아악 아악!

현은 잠에서 깨어났다. 쿵! 폿소리가 들렸다. 아직 날이 밝지 않았다.

그날은 하루 종일 포성이 들리더니 부상자를 실은 후송 열차가 숨 가쁘게

---

59 관운 관리로 출세하도록 타고난 복.
60 남비 '냄비'의 잘못.
61 피아 그와 나, 또는 저편과 이편을 아울러 이르는 말.

P역을 지나 남하했다.

또 한 밤을 새운 이튿날 아침, P고을에는 전차의 캐터필러[62] 소리도 요란히 인민군의 대열이 지나가고 있었다. 늘어진 시체, 붉은 깃발의 시위.

'이것은 또 무슨 짓이냐? 그러나 하고 싶거든 멋대로 하려무나. 여하튼 간에 나는 모르는 일이고 나에겐 손톱만큼의 관련도 없다. 너희는 너희고 나는 나다.'

의혹, 끝없는 혐오. 하늘도 산도 들도 눈에 띄는 모든 것, 꽃을 보아도 회색이었다.

며칠 후, 이북으로 갔다던 연호가 머리를 길게 늘이고 P고을로 들어오자 먼저 현을 찾았다.

"어때, 고생 많이 했지?"

"뭐 별반."

"고통이 많았을 거야. 그러나 이전 강도 놈들도 물러가고……."

"……."

"그런데 자네 왜 이러고 있나?"

"무엇을?"

"뛰어나와 일을 해야 할 게 아닌가?"

"일을?"

"이 사람아! 자네가 이처럼 배겨 있는 것도 이때를 기다린 것이 아닌가?"

"때를 기다리다니?"

무슨 뜻인지 의아해하는 현의 표정.

"물론 예기치 않았던 일이니까! 그러나 어리둥절할 것은 없어."

"그야 충격을 받은 것은 사실이지만, 나야 한 개 평범한 속인에 지나지 않으니까."

---

62 캐터필러(caterpillar) 차바퀴의 둘레에 강판으로 만든 벨트를 걸어 놓은 장치. 탱크, 장갑차, 불도저 등에 이용된다.

"그래, 이대로 이러고 있을 작정인가?"

"이대로 나는 흡족하니까."

"아니 굿이나 보다 떡이나 먹을 셈인가?"

"떡은 둘째 치고 굿을 볼 흥미조차 없네."

"자네 왜 그러나?"

뜻밖이라는 연호의 표정.

"왜 그러긴? 나야 원래 이런 놈이 아닌가. 부탁이니 나를 이대로 가만히 버려 두어 주게."

"버려두다니? 자네야말로 열성적으로 일해야 할 사람이 아닌가?"

"일이야 할 사람이 얼마든지 있는걸. 나까지 뛰어들 필요야 없지. 나는 모든 것이 귀찮게만 생각이 드네. 자네가 들어오기 전 나는 들로 나가던 길가에서 어떤 젊은 군인의 시체를 보았지. 속눈썹이 길고 검은 머리를 늘인 앳된 얼굴을 하고 있더군. 나보다도 10년이나 어려 뵈는 젊은 소년이야. 그는 며칠 전만 해도 자기 가족에게 편지를 보냈고, 이웃에 사는 처녀를 그리고 있었는지도 모른다. 그렇게 생각하니 어째서 그가 이 길가에서 이처럼 생명을 잃어야 했는가의 의문이 들더군. 살아야 했을 인간이 인위적으로 죽은 것이다. 어째서, 누구의 탓으로?"

"물론 사람이 죽는다는 건 유쾌한 일이 못 되지. 그러나 피의 대가 없이 어떻게 혁명의 성취를 바랄 수 있겠나?"

"누구의 피, 누가 흘려야 하는 핀데?"

"그것은 혁명을 가로막는 원수들의 피, 그리고 혁명에 바쳐지는 인민 전사들의 고귀한 피. 그러나 더 많은 원수들의 피가 요구되지."

"자네는 죽는 사람의 경우를 생각해 본 일이 있나? 다만 한 가지 살고자 발버둥 치는 인간들의 죽음을. 고통과 공포. 죽는 인간에 있어서는 죽는 그 순간에 그 자신의 모든 것 — 아니 전 세계가 상실된다는 것을."

"그러나 새로운 희망, 프롤레타리아트[63]는 그 시체를 넘어서 전진해야 하지."

"전진? 어디를 향해? 얼핏 들으면 감동적인 얘기긴 하지. 그런데 그 감동이란 게 탈이거든."

"모든 것은 불가피한 혁명의 첫 과정이니까."

"도대체 그처럼 많은 시체를 넘어서야 하는 혁명의 목적이란 무엇인가?"

"착취 없고 계급 없는 사회의 건설."

어린애 같은 질문에 불과하다는 표정의 연호.

"나도 그런 사회가 오기를 간절히 바라고 있네. 그러나 그 목적에 이르는 과정이라는 것, 그것은 어떠한 과정이며 또 언제까지를 과정으로 치나? 과정 속에서도 인간은 살아야 하고 또 인간은 계속 과정 속에서 살아가는 것이 아닌가. 인생의 목적이란 곧 인간이 산다는 것, 사는 그 자체가 목적이 아닌가. 최후의 목적 그런 것이 있을 리 없지. 구태여 말하자면 조그만 중간 목표가 있다고 할까."

"그럼 자네는 전적으로 이 혁명을 인정치 않는군."

"혁명이 획득한 어떠한 결과도 인간의 생명보다 귀할 수는 없으니까."

"그러면 자네는 역사 자체를 부정하는군."

"혁명이란 말에는 확실히 매력이 있겠지. 역사가들도 그 태반은 혁명은 역사적 전환에 필요한 하나의 중요한 계기라고 하니까."

"자네도 그것까지 부정하지는 않는군."

"아니지, 다만 역사가들이 다루기 좋은 재료에 지나지 않는다는 거야. 요행히 삶의 골패짝[64]을 쥐어 든 인간들은 태연히 소파에 앉아 '소수의 희생된 생명 운운' 하고 뇌까릴 수도 있겠지. 그렇게 허다한 혁명이 없었던들 별로 지금보다 못

---

63 프롤레타리아트(Proletariat) 마르크스가 사용한 개념으로 무산자로 이루어진 계급. 즉 노동자 계급과 피지배 계급을 뜻한다.
64 골패짝 납작하고 네모진 작은 나뭇조각 32개에 각각 흰 뼈를 붙이고, 여러 가지 수효의 구멍을 판 노름 기구인 '골패'를 속되게 이르는 말. 여기서는 화투나 투전에서 각 장이 나타내는 끗수 따위의 내용인 '패'의 의미이다.

한 세상은 안 되었을 것이네."

"이건 놀랐는데."

"어떻든 나는 분명치도 않은 목적을 위해 공연히 남에게 미움의 눈길을 보낸 다든가, 내 생명을 희생할 그런 용기는 가지고 있지 못하니까."

"인민의 투쟁을 그렇게 보는군."

"투쟁? 어째서 그렇게 싸우고 싶은가. 그렇게 싸우고 싶거든 싸우고 싶은 친구끼리 클럽을 만들어 게임을 하면 되지그래. 그런데 실상은 그렇지 않은 인간들까지 끌어들여 싸우게 하고 있으니 말이야. 애매히 피를 흘리는 것은 이들이거든. 자네 익수를 보게."

"익수, 그는 기막힌 투사야."

"자네, 지금 그가 올바른 제정신을 가지고 있다고 생각하나. 익수 같은 처지에 있는 친구가 가난을 벗어나야 하고 인간다운 생활을 해야 한다는 데는 의논의 여지가 없어. 그러나 지금의 익수는……."

"지금의 익수는?"

"그의 눈을 보게. 무엇에 열중하는 것이야 좋겠지. 그러나 그의 눈에는 독기가 가득 차 있어. 귀염성 있고 선량하던 그의 조그만 눈 속에 차 있는 것은 증오와 살기뿐이란 말이야. 나는 그를 보았을 때 어째서 인간이 저런 눈을 해야 하는가 의문이 생기더군. 그리고 측은하다는 생각이. 물론 자네야 되레 이러한 나를 측은히 생각하겠지만."

"도대체 지금이 어떤 때인 줄 아나?"

답답하다는 연호의 표정.

"근거 없는 미움이 들끓고 있는 때이겠지."

"근거 없는 미움이라니?"

"그럼 자네는 그렇게 뼈아픈 원한을 누구한테 품게 되었고 대체 누구를 저주하고 어떻게 미워하고 있나?"

맑은 눈으로 연호를 응시하는 현.

"지금에 와서 그런 질문을 하다니?"

"자본가, 지주, 친일파, 반동분자…… 이런 거란 말이지?"

"그리고 기회주의자."

연호의 어성[65]이 튀었다.

"나는 기회주의자가 아니야. 미워할 것은 지적할 수 있는 그 누구가 아닐세. 인간 서로의 미움이란 미움이 미움을 낳는 악순환밖에 가져오질 않아."

"그러면?"

"미워할 것은 인간이 지닌 어리석은 조건일세. 자네나 내 가슴속에 숨어 있는 인간 심리의 독소, 남을 억압하려는 포악성, 착취하려는 비정, 남보다도 뛰어났다는 교만, 스스로 나서려는 값싼 영웅주의적 참견, 남을 죽일 수도 살릴 수도 있다는 무엄, 그런 것들이겠지."

"언제부터 자네는 목사가 되었나?"

"나는 신자도 아니네만, 이웃을 사랑해라. 뺨을 치거든 또 하나의 뺨을 내어놓으라고 이른 때부터 지금은 50년이 모자란 2000년. 인간은 겨우 이 모양 요꼴일세. 물론 자네야 내 뺨을 칠 리도 없고 나도 왼뺨을 맞고 바른 뺨을 내놓을 아량까지는 없네만."

"그래서?"

"나는 싸운다는 건 질색이니까. 내놓기 전에 도망을 치고 말겠지. 이전 나는 내가 인간으로 태어난 것 자체가 창피한 일이라고 생각하게 되었네. 내 자신이 싫고 또 그 누구 할 것 없이 인간이란 게 싫어졌어. 그렇다고 무슨 대단한 절망을 느꼈다고 지레 죽을 것까지는 없으니 살아갈 대로 살아가 보자는 게지."

연호는 멸시와 동정이 뒤섞인 눈으로 현을 쳐다보았다. 자본주의 사회의 혼

---

65 어성 말하는 소리.

탁 속에서 갈피를 못 잡고 허우적거리는 푸치·푸르[66]의 퇴영[67]. 그는 현에게 혁명가들의 영웅적인 고난과 자기희생을 얘기해 주려고 했다.

"혁명가들의 자기희생을 생각해 보게."

"어째서 그것이 자기희생인가. 누가 그것을 청탁했던가. 자아도취와 허영에 치른 값이 어째서 희생인가? 단지 값이 비싸게 먹혔다는 것뿐이지. 되려 일반 대중의 꼬락서닌즉 가관이지. 그것은 불의의 재액이며 더할 수 없는 모욕이니까."

"모욕이라니!"

"그럼 모욕이지. 그 이상의 모욕이 또 어디 있나. 누구한테서 무엇을 받았다는 거야? 도리어 응당 받아야 할 것을 오래도록 막아 온 것은 다름 아닌 청탁 없는 그들 청부업자들이지."

"청부업자?"

"그들은 자기 멋에 겨워서 흥분하고 비분하고 때로는 웃고 때로는 눈물을 흘린다. 그 노호와 웃음과 눈물 속에 애매한 인간들은 희생되거든. 어떤 존경과 무슨 갈채를 보내라는 거야. 각기 제 생명을 타고난 인간들은 그것이 어떻게 초라하든 간에 모두 자기의 세계를 가지고 있는 법이야. 그것은 누구도 범할 수 없지. 그들은 결코 청부업자들의 연기에 동원된 엑스트러[68]는 아니거든. 나는 이렇게 생각하네. 다음에는 어떠어떠한 세계가 반드시 올 것이니 재빨리 끼어들어 한몫을 보려는 인간 ─ 그러한 인간이란 폐품 불하에 눈치 빠르게 달려들어 낙찰시키려는 장사치와 다름이 없다고. 자기가 나서야 이 사회를 건질 수 있다는 무엄은 자기가 그 폐품을 맡아야 소비자들이 헐값으로 쓰게 된다는 장사치의 헛소리나 다름이 없거든. 다름없다기보다 도리어 못되었다고 볼 수 있지. 장

---

66 푸치·푸르 프티 부르주아(petit bourgeois). 노동자와 자본가의 중간 계급에 속하는 소상인, 수공업자, 하급 봉급 생활자 등을 이르는 말.
67 퇴영 뒤로 물러나 가만히 틀어박혀 있음.
68 엑스트러 '엑스트라'의 잘못.

사치는 이윤만을 탐내는데 그들은 존경과 지배까지를 요구하거든. 청탁도 않는 청부를 맡아 가지고는 더욱 괴롭게 한단 말이야."

"자네, 그런 의견이 통용될 줄 믿는가?"

"얘기가 났으니 나대로의 생각을 말해 본 게지. 일제 시대에도 나는 병정으로 끌려가기까지 나대로 살았네. 8·15 후에도 역시 난 나대로 살아왔네. 이제부터도 난 나대로 살고 싶으네. 떠들어 대 봤자 인간이 산다는 것 별것이 아니니까, 난 나대로 조용히 살아가자는 게지. 다만 그뿐이야."

"그건 어려울걸. 혁명은 무위의 한 사람도 용인하지 않아. 마비된 인간의 잠을 깨우고, 그 머릿속에 새로운 인간의 의식을 부어 넣어야 하니까."

연호가 떠난 뒤 현은 마루에 앉아 혼자 시름에 잠겼다. 뉘우칠 것은 없었다. 얘기를 하지 않고는 견디지 못한, 마음 가운데의 그 무엇.

망연히 꽃밭을 바라보았다. 며칠 동안 느끼지 못한 꽃들의 개성이 드러나 있었다. ―인간은 꽃에다 여러 가지 뜻을 붙인다. 정열, 불안, 비애, 고결, 죄악, 분노, 모호, 온순, 광약(狂躍). 그러나 꽃은 그저 아름다울 뿐인데. 때가 오면 피고 때가 가면 말없이 지고. 그런데 인간은 꽃에다 제멋대로의 의미를 붙인다. 뿐더러 인간 자신을 색깔로 갈라놓고 편과 편을 만들어 서로의 가슴에 칼날을 겨눈다.

여태까지 현은 황금률[69]을 뒤집어 놓은 것, 즉 남에게서 괴로움을 받기 싫은 것처럼 나도 남을 괴롭히지 않는다는 신조를 굳게 지켜 왔던 것이다.

그러나 지금에 와서 현은 자기에게 파상적으로 몰려 닥치는 위협을 느끼기 시작했다.

이번의 청부업자는 종전의 유가 아닌 것 같았다. 한 명도 놓치지 않고 건드려 놓고야 말려는 유능하고 가혹한 업자. 구석구석을 파헤치려는 집요하고 치밀한

---

69 황금률 예수가 말한 기독교의 기본적인 윤리관으로 남에게 대접을 받고자 하는대로 남을 대접하라는 가르침.

계산자. 현이 웅크리고 있는 껍질도 그들의 날카로운 눈길에서 빠져 날 수는 없는 듯싶었다.

발길을 돌린 연호는 혀를 찼다.

"무엇 그런 자식이 있나."

이번 그가 공작의 임무를 맡고 고향인 P고을에 파견됐다는 건 3년이 넘는 자기의 신산(辛酸)을 갚고도 남음이 있었다. 그는 고을 사람들이 자기에게 퍼붓는 눈초리에서 제법 흡족한 걸 느끼고 있었던 것이다. 승리자에게 보내는 존경과 경탄, 외포[70]와 선망의 눈초리. 그렇지 않으면 가시가 돋운[71] 분노와 증오의 눈초리. 어떠한 눈초리든 간에 거기에는 어떤 반응의 표시가 있었다. 그런데 현의 눈만은 그렇지가 않았다. 거기에는 아무런 반응이 없었다. 두려움의 빛은커녕 무관심과 권태와 혐오가 뒤섞인 눈에 어딘지 연민과 동정의 빛조차 깃들이고 있었던 것이 아닌가.

공포 가운데서 또는 완강한 조직 가운데서 그렇게 애써 쌓아 올린 탑을 그렇게도 가벼이 보아 넘기다니. 거기다 걷잡을 수 없었던 허망한 얘기의 논리.

'청부업자라구…….'

승리자로서의 여유와 관용을 가지고 현의 얘기를 들어 넘긴 자신이 기특했다기보다 어리석었다. 가슴 한 귀퉁이에 생긴 솜사탕 같은 공허. 연호는 그 공허를 증오의 불길로 메워 갔다.

다시 열흘이 지난 어느 날 7월의 하늘 아래 찌는 듯 뜨거운 땅 위에서 청부업자들은 하나의 잔치를 베풀었다. 이글거리는 태양은 처참한 이 잔치에는 너무나 강력한 조명이었다. 아직도 명확한 태도를 결정치 못하고 서성거리고 있는 '인민'들에게 산 제물을 도륙함으로써 그들의 손에 인간의 피를 발라 놓고, 가

---

70 외포 몹시 두려워함. 무서움.
71 돋운 규범 표기는 '돋은'이다.

슴마다에 결정적인 공포와 증오의 씨를 심어 놓아야 했다. 죄악의 조각은 나눠져야만 했다.

P고을 중앙 네거리에서 열린 인민재판, 연호는 그 자리에 현을 불렀다. 현에게 피를 보이고 그 반응을 보고자 한 것이다.

예정하였던 규탄과 계획한 대로 군중의 아우성이 쏟아지며 인간의 것이 아닌 잔인한 흥분의 도가니를 이루어 갈 때 연호는 옆에 세워 놓은 현의 얼굴만을 응시하고 있었다.

'……반드시 무슨 변화가 있을 것이다. 초연히 홀로 고고하겠다는 너는 돌멩이가 아닌 이상 반드시 어떤 마음의 동요가 생길 것이다. 공포, 당황, 기겁, 애원. 그러면 너는 수월히 내 손아귀에 들어오게 된다. 그것은 굴복. 네 사설은 결국 하나의 관념의 유희.'

첫 번째의 희생자, 국민회 회장이 언도를 받자, 군중의 까닭 모를 아우성과 함께 집행자들의 손에 쥐어졌던 곤봉이, 얼굴이 거의 흙빛이 된 반백의 머리 위에 쏟아졌다. 뼈가 부서지는 소리, 살이 떨어져 나가는 무딘 소리.

'어떠냐…….'

연호는 현을 뚫어질 듯이 쏘아보았다. 그러나 그는 현의 얼굴에서 한 오리의 공포의 빛도 찾아낼 수 없었다. 경화(硬化)된 현의 얼굴에서는 다만 땀이 흘러내리고 있을 뿐이었다.

'이런!'

그러나 그것은 연호의 오진이었다. 현의 얼굴을 흐르는 땀은 더위 때문이 아니라 가슴에서 타는 분노의 불길 때문이었다. 두 번째의 희생자가 끌려 나왔을 때 현이 흘린 땀은 땀이 아니라 전신의 혈관에서 배어 나오는 피였다. 희생자는 다른 사람 아닌 조 선생의 부친이었다. 다만 어울리지 않는 생활 양식을 거부하고 남으로 내려온 것 외에 아무런 반항도 꾀하지 않은, 한 무력한 늙은이에 지나지 않았다. 순간적으로 현의 뇌리를 조 선생의 모습이 스쳐 갔다.

현은 땀이 흐르고 있는 얼굴을 돌려 연호를 쳐다보았다. 그 야릇한 눈동자와 입가에 띤 까닭 모를 웃음, 이것이 같이 자라난 친구…… 인간의 얼굴이라니.

그 얼굴이 눈앞에서 크게 확대되는 착각을 느끼자, 현의 입에서 찢는 듯한 비명이 터져 나왔다.

"살인이다!"

오랜 회상에 잠겼던 현은 감았던 눈을 크게 뜨며 어두운 하늘에 송송이[72] 박힌 별들을 쳐다보았다. 뚝! 동굴 안 천장에서 떨어지는 물방울 소리. 어느덧 바람은 자고 벌레 소리가 있었다.

그다음의 일을 더듬을 수 있는 분명한 기억이 없었다. 그것은 불연속선. 순간적으로 내민 자기의 주먹에 쓰러지던 연호. 앞에 버티고 섰던 보안서원의 소총을 낚아채고 군중의 틈으로 빠져나가던 기억. 수라장이 된 네거리. 집행자들의 고함과 군중들의 비명. 몇 발의 총성. 눈앞에 드리웠던 황갈색 베일. 그 베일을 통해 눈에 뛰어들던 땅을 밟으며 어디를 어떻게 달리었던지. 쫓기던 끝에 ××강 하류에 이르러 물속에 뛰어들던 기억. 그래도 소총은 그 손에 있었다.

'그때의 충동. 그렇게 하지 않고는 견디지 못한 마음의 충동은 그 무엇이었을까. 이 검은 눈으로 목격한 살인. 목격은 일종의 묵인. 묵인하는 군중의 일원으로 그대로 늘이고 있을 수 없었던 마음의 줄. 그리고 아픔. 희생자의 머리와 어깨와 허리에 내려지는 아픔은 곧 나 자신의 머리와 어깨와 허리에 가해지는 아픔이었다. 어찌하여? 나와 그와 그리고 모든 군중, 거기에는 아무런 육체적인 연결이 없었다. 그런데 나는 아픔을 느꼈다. 그리고 그 아픔에서 벗어나려고 했다. 그리고 결국 도망을 치고 말았던 것이다.'

현은 지난날의 그 몇 번인가의 저항의 충동을 생각해 보았다.

---

72 송송이 '송송히'의 잘못.

— 일인 교수에 대한 반발 — 자기혐오와 함께 몸을 오므린 퇴각.

— 학교장에 대한 항의 — 겸연쩍어 사직을 하고 만 패배. 아니 패북.

— 일군에서의 탈주 — 또다시 연안(延安)에서의 도주, 도피의 연속.

어느 때 정면으로 싸워 본 일이 있었던가. 단 한 번. 그것은 극히 어리던 시절의 일. 할아버지의 혹을 두고 얼굴에 흘린 피와 갈기갈기 찢긴 옷. 뜻밖에도 할아버지는 노하셨지. 모든 거북한 일에 등을 돌리는 습성이 내 가슴에 깃든 것은 어느 때부터였던가. 그리고 껍질 속에 몸을 오므린 30년의 결산은 결국 도망을 놓았다는 것이다.

그러면 지금 이처럼 다시 귀딱지를 늘이고 P고을을 찾아든 것은 무슨 까닭일까. 지구의 끝까지 도망을 칠 수 없었던 때문이었던가. 동굴 안에 두고 간 소총 때문이었던가. 그렇지 않으면은 외로움 때문이었던가. 실상 한없이 외로왔고 지금도 또한 말할 수 없이 외롭다. 수풀이나 산골짜기의 어둠 속에서 외로움에 못 이겨 어린애처럼 어머니를 그리던 나날. 어머니 — 30년의 신고를 견디며 길러 준 어머니를 버려두고 나는 거침없이 혼자 도망을 쳤던 것이다.

외로움. 그것은 뭇사람들과 떨어져 홀로이 있는 외로움이 아니었다. 한 번도 그들과 함께 있어 본 일이 없었다는 인식에서 오는 외로움이었다. 섞여 있으면서도 거기에 보이지 않는 장벽이 가로막고 있었다. 완전히 단절되어 있었던 것이다.

'……견딜 수 없는 이 외로움. 거기서 더욱 목마르게 바래지는[73] 그리움. 어째서 이렇게 사람이 무서우며 또 그리운가. 파상적으로 밀려닥치는 그리움. 그 그리움 속에서 더욱 생생히 피어오르는 하나의 얼굴.'

그것은 바로 이 동굴에 기어오르기 전. 지금은 칠흑의 어둠 속에 파묻힌 P촌. 그 앞들을 비껴 흐르는 내에서 만난 조 선생의 얼굴. 때 묻은 베옷에 골이 떨어진 짚세기[74]. 아무렇게나 뒤로 동여맨 먼지 앉은 머리카락. 그을린 얼굴. 경악

---

73 바래다 '바라다'의 잘못.
74 짚세기 '짚신'의 방언.

에 차던 그 눈동자.

현은 거기 인간의 모욕을 보았다. 절망과 슬픔이 뒤섞여 멀거니 흩어진 그 눈동자. 살아 있는 인간이 그런 눈을 가져야 하다니. 거기에 갑자기 환희의 빛이 몰아치며 터져 나오던 눈물, 아니 그것은 피.

'날이 밝으면 조 선생이 이 동굴을 찾아올 것이다. 이런 속에서도 한 줄기의 빛은 있구나. 그때를 기다리고 한잠 눈을 붙여야 한다.'

현은 흩어진 풀을 모아 깔개를 하고 누웠다. 소총에 탄환을 재고 그것을 베개로 했다. 녹슨 쇠 냄새가 났다. 올려다보는 눈에 무수한 별들이 아름다웠다. 서로 당기고 있으면서 저렇게 자기 자리에서 빛나고 있다는 실감이 들지 않았다.

문득 가슴에 치솟는 한 가지 불안이 있었다. 조 선생과 헤어져서 마을 어귀를 지날 때 느낀, 방앗간 영[75] 밑에서 자기를 응시하던 한 젊은이의 시선. 잠시 깃들었던 그 불안은 곧 피로 속에 흩어지고 현의 두 눈이 감기더니 어느덧 가느다란 코 고는 소리가 들렸다.

제2부

골짜기에 드리운 안개를 가르며 핏빛 같은 태양이 솟아올랐다. 흩어진 안개가 천천히 동굴을 향해 기어 올라갔다.

찬 기운이 서린 골짜기의 숲속에서 두 그림자가 나타나더니 안개를 타고 동굴을 향해 걸어 오르기 시작했다. 고개를 숙이고 앞서서 걷고 있는 고노인과 뒤따르는 연호. 연호의 허리에 비스듬히 박힌 소제(蘇製)[76] 때때 권총[77]. 쿵! 하고 남쪽 멀리서 은은한 폿소리가 들려왔다.

---

75 영 '이엉'의 준말.
76 소제 '소련제'의 준말. 소련에서 만든 물건이란 뜻.
77 때때 권총 'TT 권총'을 러시아식으로 읽은 것.

연호의 신경을 날카로이 하는 저 소리. 그리고 어쩌면 이렇게도 날카로운 바위가 깔려 있을까. 연호는 초조히 걷고 있었다. 인민재판 때 현의 주먹에 쓰러졌던 연호는 금시 몸을 일으킬 수 있었으나 그 순간에 그가 쌓아 올린 공든 탑은 산산이 조각을 내고 무너져 버렸던 것이다. 이미 지금은 현에 대한 심리적인 대결이 문제가 아니었다.

그는 그 후 중앙정보부로부터 지난날 현이 연안에서 탈주한 까닭에 체포해 넘기라는 지령을 받고, 설욕과 임무를 겸해 갖은 애를 태워 가며 현의 행방을 찾고 있었다. 어제저녁 현이 나타났다는 정보를 입수하고 미끼로 고노인을 끌어 내었던 것이다.

'자식이 연안까지 갔다면서, 그런 어려운 경력을 가지고 있으면서 혁명을 배반하고 나의 피와 땀에 젖은 탑을 무너뜨리고 말다니…….'

고노인은 걷고 있다기보다 들뜬 발을 간신히 옮겨 놓고 있는 데 불과했다. 인민군이 P고을에 나타난 다음 고노인은 그의 80년의 생애에서 몇 번이고 넘었던 고비와는 달리 내어놓을 어떠한 골패짝도 찾을 길 없다는 절망을 깨닫게 되었다. 국민회의 일을 보던 영선은 어디론지 도망을 했고 둘째 아들은 의용군으로 끌려 나갔다. 혹시나 하고 실오리 같은 기대를 걸었던 현은 더욱 아득한 절망의 장막을 고노인의 눈앞에 드리우고 말았던 것이다. 그 장막을 뚫고 간신히 새어 드는 한 가닥의 빛깔, 고노인은 지금 그것을 찾아 가시덤불의 길 없는 날카로운 바윗길을 걷고 있었다.

흐르는 안개의 틈으로 검푸른 동굴 앞 바위가 보이자 고노인은 걸음을 멈추었다. 그리고 안개가 흘러가는 저편 푸른 솔밭 사이에 선친의 산소를 바라보았다.

"어서!"

등에서 싸늘한 연호의 목소리와 함께 절컥하고 권총을 재는 쇳소리가 났다.

고노인은 동굴을 향했다. 그리고 무거운 입을 열었다.

"현아!"

오랜 세월에 그슬린 무게 있는 음성이 슬픈 가락의 메아리를 일으켰다.

"현아!"

흩어진 머리와 맑고 날카로운 두 눈이 조심성 있게 바위 위로 들렸다.

말할 수 없는 그리움이 왈칵 고노인의 가슴에서 솟아올랐다. 그 그리움은 또한 비길 수 없는 고통.

"얘기해요 빨리!"

연호의 소리. 고노인은 무거이 입을 열었다.

"현아, 내 말 듣거라……, 네가 내려오기만 하면…… 선생들도 모두 용서해 주신단다아……, 현아…… 걱정 말고 내려오너라……."

고노인은 얘기를 끊고 현의 대답을 기다렸다. 견디기 어려운 침묵의 순간. 대답은 없이 현의 내어졌던 얼굴은 다시 바위 밑으로 사라져 버렸다.

고노인은 한 걸음 발을 내디디었다.

"현아……."

또 한 걸음.

"현아……."

저도 모르게 현의 이름을 부르며 동굴 쪽으로 다가가고 있었다.

"현아, 현아, 네 어미도……."

문득 고노인은 오는 길에 들렀던 현 모의 생각을 했다. 고노인과 연호는 거들떠보지도 않고,

"내 아들아, 내 아들아."

나직이 아들을 부르며 두툼한 성경 책을 소리를 내어 낭송하던 현 모. 그 절실하고 애타는 음성은 아직도 고노인의 귀에 쟁쟁히 남아 있었다. 어쩌면 그 음성에 그처럼 범(犯)치 못할 위엄이 담겨 있었을까.

"……하나님이 아브라함을 시험하시려고 그를 부르시되 아브라함이…… 여호와께서 가라사대 네 아들 네 사랑하는 이삭을 데리고 모리아 땅으로 가서 내

가 네게 지시하는 한 산 거기서 그를 번제로 드리라. 아브라함이 아침에 일찍이 일어나 나귀에 안장을 지우고 두 사환[78]과 아들 이삭을 데리고 번제에 쓸 나무를 쪼개어 가지고 떠나 하나님이 자기에게 지시하시는 곳으로 가더니 제3일에 아브라함이 눈을 들어 그곳을 멀리 바라본지라…… 아브라함이 이에 번제 나무를 취하여 그 아들 이삭에게 지우고 자기는 불과 칼을 손에 들고 두 사람이 동행하더니…… 이삭이 가로되 내 아버지여 하니 그가 가로되 내 아들아 내가 여기 있노라. 이삭이 가로되 불과 나무는 있거니와 번제할 어린 양은 어디 있나이까…… 하나님이 그에게 지시하신 곳에 이른지라. 이에 아브라함이 그곳에 단을 쌓고 나무를 벌여 놓고 그 아들 이삭을 결박하여 칼을 잡고 그 아들을 잡으려하더니, 여호와의 사자가 하늘에서부터 그를 불러 가라사대 아브라함아 하는지라…… 사자가 가라사대 그 아이에게 내 손을 대지 마라. 아무 일도 그에게 하지 마라. 네가 네 아들 네 독자라도 네가 아끼지 아니하였으니 내가 이제야 네가 하나님을 경외하는 줄 아노라. 아브라함이 눈을 들어 살펴본즉 한 숫양이 뒤에 있는데 뿔이 수풀에 걸렸는지라. 아브라함이 가서 그 숫양을 가져다 아들을 대신하여 번제로 드렸더라……."

"거기 서요!"

뒤에서 날카로이 쏘아지는 연호의 목소리. 고노인은 멈칫 그 자리에 섰다. 이제 자기의 생애는 이미 진했다는[79] 생각이 들었다. 그것은 손에 쥐어진 풋밤알같이 확실한 것 같았다.

쿵! 하고 또 멀리서 폿소리가 들려왔다. 다가왔다 멀어졌다 그리고 또다시 되돌아오는 저 소리. 차라리 한 번 스쳐 가고 영영 돌아오지 않았으면…… 그렇다면 고노인은 설령 지옥 같은 참혹 속이라도 어떻게든지 비벼 대려고 애를 썼을 것이다. 둘째 놈이 의용군에 끌려 나갈 때도 고노인은 뼈를 에는 아픔을 느끼면

---

78 사환 관청이나 회사, 가게 따위에서 잔심부름을 시키기 위하여 고용한 사람.
79 진하다 다하여 없어지다.

서 한 치나마 발붙일 땅을 발견했던 것이다. 그런데 되돌아오는 저 소리.

'혹시나 저 소리는 첫째 놈이 되돌아오는 신호일는지도 모른다.'

고노인의 마음은 몇 갈래로 찢기고 엉켜서 사납게 뒤틀렸다.

고개를 돌려 선친의 묘 있는 곳을 건너보았다. 그리고 괴로움을 이기려는 듯이 지긋이[80] 눈을 감았다. 그 일순에 고노인은 자기의 80 생애를 일별했다. 고달팠던 기나긴 생애. 몇 번이나 뒤바뀐 세태였던가. 얼마나 많은 고통과 굴욕을 참으며 핏줄을 잇기에 애를 썼던가. 자기를 낳은 선친. 까마득히 올려 뻗은 대대의 조상.

고노인은 연호의 재촉이 이제는 아무렇게도 생각되지 않았다. 다만 기나긴 생애 속에서 항상 재촉하는 소리에 떤 자기 자신에 대한 연민만이 있었다.

그래도 자기 딴에는 주어진 80년의 생애를 악착같이 살려고 애를 써 왔다는 생각이 들었다.

또 한 번 쿵 하는 폿소리. 저 폿소리만 없었어도 고노인은 현을 불러내는 데 다시 한번 애를 썼는지 몰랐다. 그러나 다가오는 저 소리. 삶과 죽음! 그 어느 하나의 선택을 재촉하는 저 소리.

고노인은 또 한 번 동굴을 올려다보았다. 저 동굴 안에서 아들이 죽었고, 지금 또 손자가 저 속에서 죽음의 위험에 직면해 있다. 그리고 자기도 또한 그것을 목격하며 위기의 순간에 서 있었다. 이 야릇한 숙명적인 불행의 부합, 다시 고노인은 눈길을 선친의 산소에 돌렸다. 문득 이처럼 가혹한 숙명의 사슬에 엉키도록 자기는 조상의 뼈를 묻지 않았다는 생각이 들었다. 그렇다면 이 거대한 변사 — 전쟁 앞에는 과거의 어떠한 원리도 무색해지는 것일까. 혈통이 이어져 뻗어 가는 기준의 상실. 골수에 젖은 풍수 원리를 굳게 믿고 조상의 뼈다귀를 메고 다닌 지난날의 노력의 공허.

그렇게 허탈해 가는 고노인의 마음속에 차차 하나의 새로운 감정이 흘러들었

---

80 지긋이 '지그시'의 잘못.

다. 모두가 기정[81]의 숙명에서 벗어나 있다는 해방감과 다음 순간의 운명은 누구도 헤아릴 수 없다는 어떤 종류의 감동이었다. 그 감동 속에서 고노인은 80 평생에 처음 무엇에도 구애되지 않는 순수한 자기 자신의 의지를 결정했다.

'예까지 용케 견디어 온 가상할 자기의 80 생애. 산소의 탓도, 달린, 복의 상징이란 혹의 탓도 아닌 맨주먹 알몸으로 기를 쓰며 살아온 80 평생, 나는 이것으로 족한 것. 지금은 가는 것이다. 현아, 이전 네가 살아야 한다.'

여울 같은 감동이 고노인의 전신을 흘렀다. 머리카락과 수염이 햇살을 받아 은빛으로 빛나고 있었다. 크게 숨을 들이 모았다.

"현아! 너는 살아야 한다. 저 대포 소리를 듣거라. 어떻게든지 여길 도망해서……."

순간 고노인은 등을 꿰뚫는 불덩어리를 느꼈다. 중심을 잃고 풀숲에 쓰러지는 고노인은 총성의 메아리 속에 현의 절규를 들었다. 그리운 그 음성.

"할아버지!"

따각! 불발탄을 끄집어내고 다음 탄환을 밀어 잰 현의 소총과 연호의 권총에서 불이 튀었다.

순간, 현은 왼편 어깨에 뜨거운 쇠갈고리의 관통을 느끼며 연호가 천천히 왼쪽으로 몸을 틀면서 숲속으로 굴러떨어지는 것을 보았다.

"할아버지!"

바위를 넘어 밑으로 내리 달리려던 현은 아찔하면서 그대로 바위 위에 쓰러지고 말았다. 어깨를 움켜쥔 손가락 사이로 붉은 피가 뿜어 나왔다. 땅으로 끌려 들어가는 듯한 의식의 강하. 어깨의 고통 — 꼭 30년을 살고 지금 여기서 죽어 가는구나. 생각을 모아야겠다. 목숨이 끊어지기 전에 생각을. 생각을 모아 보자. 이것이 한 인간의 삶? 30년! 어떻게 살았던가? 외면, 도피, 밤낮을 가림 없

---

81 기정 **이미 결정되어 있음.**

이 도피, 외면, 도주. 그 밖에 무엇을 하고 지내 왔는지 도무지 생각나는 것이 없었다. ─첫 번째 탄환처럼 불발에 그친 30년. 그것은 영(零), 산송장. 그렇다면 결국 살아 본 일이 없지 아니한가.

나는 다음 탄환으로 연호의 가슴을 뚫었다. 사람을 죽인 것이다. 남에게 손가락 하나 가풋하지[82] 않으려던 내가 사람을 죽인 것이다. 가엾은 연호. 연호와 나와는 아무런 원한도 없었는데 인간이란 이래서 죄인이라는 것일까. 어쩔 수 없이 살인을 하게 되는 인간의 불여의[83]. 죄악을 내포한 인간의 숙명? 그것은 원죄?

우거진 꽃밭의 울타리 안에서 스스로 죄 없다는 내 자신을 잠재우고 있을 때, 밖에서는 검은 구름과 휘몰아칠 폭풍이 그리고 사람이 죽어 가는 비명이 준비되고 있었다.

그것은 먼저 내가 질러야 할 비명이었을지도 모른다. 그 어린 병사 대신 내가 그 길가에 누웠어야 했을는지도 모른다. 나 같은 인간은 아직 살아 있었고 살아야 할 인간은 죽어 갔다. 이런 것이 그대로 용허될 수 있었다고 생각되는가. 동굴에서 죽은 부친, 강렬히 살아서 아낌없이 그 생명을 일순에 불태운 부친. 부친은 살아남는 인간들을 대신해서 죽었고, 그들의 삶에 어떤 의미를 부여했는지도 모른다. 저 숲속에 누운 할아버지. 시체가 아니라 그것은 삶의 증거. 모든 불합리에 알몸으로 항거하고 불합리 속에 역시 불합리한 삶을 주장한 피어린 한 인간의 역사. 거인의 최후 같은 그 죽음.

어머니. 가냘픈 여인의 몸으로 그토록 견딘 인간의 아픔. 그 아픔을 넘어서 내게 대한 사랑, 죽은 부친에 대한 사랑, 그리고 기어이 모든 것을 의탁하는 신에 대한 사랑으로 높인 어머니.

너는 어느 때 어떠한 아픔을 견디었던가. 껍질 속에서 아픔을 거부한 무엄과 비열. 너는 너절한 녀석이었다. 생생한 여자의 알몸을 안기가 두려워 자독 행위

---

82 가풋하다 조금 가벼운 듯하다는 뜻의 '가뿟하다'의 방언.
83 불여의 일이 되어 가는 과정이나 그 결과가 뜻한 바와 같지 아니함.

로 스스로의 육체를 기만한 너절한 자식. 저야 할 책임이 두려워 되지 못한 자기 변명으로 자위한 비겁.

껍질 속에 몸을 오므리고 두더지처럼 태양의 빛을 꺼린 삶. 산 것이 아니라 다만 있었다. 마치 돌멩이처럼. 결국 너는 살아 본 일이 없었던 것이다. 살아 본 일이 없다면 죽을 수도 없는 일이 아닌가. 살아 본 일이 없이 죽는다는 것, 아니 죽을 수도 없다는 안타까움이 현의 마음에 말할 수 없는 공포의 감정을 휘몰아 왔다. 현은 잃어져 가는 생명의 힘을 돋우어 이 공포의 감정에 반발했다.

'살아야겠다. 그리고 살았다는 증거를 보이고 다시 죽어야 한다.'

현은 기를 쓰는 반발의 감정 속에서 예기치 않은 새로운 힘이 움터 오르는 것을 느꼈다. 그 힘이 조금씩 조금씩 마음에 무게를 가하더니 전신에 어떤 충족감이 느껴지자 현은 가슴속에서 갑자기 우직 하고 깨뜨려지는 자기 껍질의 소리를 들었다. 조각을 내고 부서지는 껍질, 그와 함께 거기서 무수한 불빛이 튀는 듯했다. 그것은 다음 차원에의 비약[84]을 약속하는 불꽃. 무수한 불꽃. 찬란한 그 섬광. 불타는 생의 의욕. 전신을 흐르는 생명의 여울. 통절히 느껴지는 해방감. 현은 끝없이 푸른 하늘로 트이는 마음의 상쾌를 느꼈다.

'나머지 한 알의 탄환. 그처럼 내가 살아남는 것이라 하자. 그러면 어떻게 될 것일까. 그것은 누구도 모른다. 먼저 나 자신이 선택할 것이다. 다음은 ─ 그것은 더욱 누구도 모른다.'

분명한 한 가지는 외면하거나 도피하지는 않을 것이다. 외면하지 않고 어떻든 정면으로 대하자. 도피할 수 없도록 결박된 이 처지. 정면으로 대하도록 기어이 상황은 바싹 내 앞으로 다가온 것이다.

이미 꽃밭의 시대는 끝난 것이다.

살아서 먼저 청부업자들을 거부하자. 떠들어 대어야 인생은 더욱 무의미할 뿐

---

84 비약 나는 듯이 높이 뛰어오름.

에서 나온다 하니 어디를 좀 다치기는 다친 모양이지만 설마 나같이 이렇게사
되지 않았겠지.'

만도는 왼쪽 조끼 주머니에 꽂힌 소맷자락을 내려다보았다. 그 소매ㅅ자락[3]
속에는 아무것도 들은 것이 없었다. 거저 소매ㅅ자락 그것뿐이 어깨 밑으로 덜렁
처져 있는 것이다. 그래서 노상 그쪽은 조끼 주머니 속에 꽂혀 있는 것이다.

'볼기짝이나 장단지[4] 같은 데를 총알이 약간 스쳐 갔을 따름이겠지. 나처럼
팔뚝 하나가 몽땅 달아날 지경이었다면 그 엄살스러운 놈이 견디어 냈을 턱이
없고말고.'

슬며시 걱정이 되기도 하는 듯, 그는 속으로 이런 소리를 줏어섬겼다[5]. 내리
막길은 빨랐다. 벌써 고갯마루가 저만큼 높이 쳐다보이는 것이다. 산모퉁이를
돌아서면 이제 들판이었다. 내리막길을 쏘아 내려온 기운 그대로, 만도는 들길
을 잰걸음 쳐 나가다가, 개천 뚝[6]에 이르러서야 걸음을 멈추었다.

외나무다리가 놓여 있는 조그마한 시냇물이었다. 한여름 장마철에는 들어설
라치면 배꼽이 묻히는 수도 있었지마는, 요즈막엔 무릎이 잠길 듯 말 듯한 물인
것이다. 가을이 깊어지면서부터 물은 밑바닥이 환히 들여다보일 만큼 맑아져
갔다. 소리도 없이 미끄러져 내려가는 물을 가만히 내려다보고 있으면, 절로 이
뿌리가 시려 오는 것이다.

만도는 물기슭에 내려가서 쭈구리고[7] 앉아 한 손으로 고의춤[8]을 풀어 내렸다.
오줌을 찌익— 깔기는 것이었다. 거울 면처럼 맑은 물 위에 오줌이 가서 부글부
글 끓어오르며, 뿌우연 거품을 이루니 여기저기서 물고기 떼가 모여들었다. 제
법 엄지손가락만씩 한 피리도 여러 마리다. '한 바가치[9] 잡아서 회 쳐 놓고 한잔

---

3 소매ㅅ자락 원문을 그대로 살린 표기이다.
4 장단지 '장딴지'의 잘못.
5 줏어섬기다 '주워섬기다'의 잘못.
6 뚝 '둑'의 잘못.
7 쭈구리다 '쭈그리다'의 잘못.
8 고의춤 고의나 바지의 허리를 접어서 여민 사이.
9 바가치 '바가지'의 방언.

쭈욱 들이켰으면 ······.'

군침이 목구멍에서 꿀걱하였다. 고기 떼를 향해서 마른 코를 팽팽 풀어 던지고, 그는 외나무다리를 조심히 딛는 것이었다.

얼마 길이가 되지 않는 다리었으나[10] 아래로 물을 내려다보면, 제법 어찔하기도 했다. 그는 이 외나무다리를 퍽 조심하는 것이다. 언젠가 한번 읍에서 술이 꽤 되어 가지고 흥청거리며 돌아오다가, 물에 굴러 떨어진 일이 있었던 것이다. 지나치는 사람이 없었기에 망정이지, 누가 보았더라면 큰 웃음꺼리[11]가 될 번했었다[12]. 발목 하나를 약간 접쳤을 뿐, 크게 다친 데는 없었다. 이른 가을철이었기 때문에 옷을 벗어 둑에 늘어 놓고 말릴 수는 있었으나, 여간 창피스러운 것이 아니었다. 옷이 말짱 젖었다거나, 옷이 마를 때까지 발가벗고 기다려야 한다거나, 해서가 아니었다. 팔뚝 하나가 몽땅 짤라져 나간 숭한 몸뚱아리[13]를, 하늘 앞에 드러내 놓고 있어야 했기 때문이었다. 지나치는 사람이 있을라치면, 하는 수 없이 물속으로 뛰어 들어가서 얼굴만 내놓고 앉아 있었다. 물이 썬득해서 아래턱이 덜덜거렸으나, 오그라붙는 사타구니께를 한 손으로 꽉 움켜쥐고, 버티는 수밖에 없었다.

"흐흐흐 ······ ."

그때 일을 생각하면, 지금도 곧 웃음이 터져 나오는 것이다. 하늘로 쳐들던 콧구멍이 연신 벌름거렸다.

개천을 건너서 논두렁길을 한참 부지런히 걸어가노라면 읍으로 들어가는 행길이 나선다. 도로변에 먼지를 부옇게 덮어쓰고 도사리고 앉아 있는 초가집은 주막이었다. 만도가 읍에 나올 때마다 꼭 한 번씩 들리곤[14] 하는 단골집인 것이

---

10 다리었으나 규범 표기는 '다리였으나'이다.
11 웃음꺼리 '웃음거리'의 잘못.
12 번하다 '뻔하다'의 잘못.
13 몸뚱아리 '몸뚱어리'의 잘못.
14 들리다 '들르다'의 잘못.

다. 이 집 눈썹[15]이 짙은 여편네와는 예사로 농[16]을 주고받는 사이였다. 술방 문턱을 넘어서며 만도가

"서방님 들어가신다."

하면, 여편네는

"아이 문둥아 어서 오느라."

하는 것이 인사처럼 되어 있었다. 만도는 여간 언짢은 일이 있어도 이 여편네의 궁둥이 곁에 가서 붙어 앉으면 속이 저절로 쑥 내려가는 것이었다.

주막 안을 지나치면서 만도는 술방 문을 열어 볼까 했으나, 방문 앞에 신이 여러 켤레 널려 있고 방 안에서는 지금 웃음소리가 요란하기 때문에 돌아오는 길에 들리기로 했다.

신작로에 나서면 금시 읍이었다.

만도는 읍 들머리에서 잠시 망서리다가[17], 정거장 쪽과는 반대되는 방향으로 걸음을 놓았다. 장거리[18]를 찾아가는 것이었다.

'진수가 돌아오는데 고등어나 한 손 사 가지고 가야 될 거 아닌가.'

싶어서였다. 장날은 아니었으나, 고깃전에는 없는 고기가 없었다. 이것을 살까 하면 저것이 좋아 보이고, 그것을 사러 가면 또 그 옆에 것이 먹음직해 보이는 것이었다. 한참 이리저리 서성거리다가 결국은 고등어 한 손이었다. 그것을 달랑달랑 들고 정거장을 향해 가는데, 겨드랑 밑이 간질간질해 왔다. 그러나 한쪽밖에 없는 손에 고등어를 들었으니 참 딱했다. 어깻죽지를 연신 위아래로 움직거리는 수뿐이었다.

정거장 대합실에 들어선 만도는 먼저 벽에 걸린 시계부터 바라보았다. 2시 20분이었다.

---

15 눈섭 '눈썹'의 잘못.
16 농 실없이 놀리거나 장난으로 하는 말.
17 망서리다가 규범 표기는 '망설이다가'이다.
18 장거리 장이 서는 거리.

‘벌써 2시 20분이라니 내가 잘못 보나?’

아무리 두 눈을 씻고 보아도, 시계는 틀림없는 2시 20분인 것이다. 한쪽 걸상에 가서 궁둥이를 붙이면서도 곧장 미심쩍어 했다.

‘2시 20분이라니, 그러면 벌써 점심때가 지웠단 말인가?’

말도 아닌 것이다. 자세히 보니 시계는 유리가 깨어졌고, 먼지가 꺼멓게 앉아 있었다.

‘그러면 그렇지.’

엉터리였다. 벌써 그렇게 되었을 리가 없는 것이다.

“여보이소 지금 몇 싱교?”

맞은편에 앉은 양복쟁이한테 물어보았다.

“10시 40분이요.”

“예, 그렇교.”

만도는 고개를 굽신하고는 두 눈을 연신 껌벅거렸다.

‘10시 40분이라, 보자 그러면 아직도 한 시간이나 넘어 남았구나.’

그는 이제 안심이 되는 듯 후웅 하고 숨을 내쉬었다. 권연[19]을 한 개 빼 물고 불을 당겼다[20]. 정거장 대합실에 와서 이렇게 도사리고 앉아 있노라면, 만도는 곧장 생각하는 일이 한 가지 있었다. 그 일이 머리에 떠오르면, 등골을 찬 기운이 좍 스쳐 내려가는 것이다. 손가락이 시퍼렇게 굳어져서 마치 이끼 낀 나무토막 같은 팔뚝이 지금도 저만큼 눈에 보이는 듯하였다.

바로 이 정거장 마당에 100명 남짓한 사람들이 모여 웅성거리고 있었다. 그 중에는 만도도 섞여 있었다. 기차를 기다리고 있는 것이었으나, 그들은 모두 자기네들이 어디로 가는 것인지 모르는 것이었다. 그저 기차를 타라면 탈 사람들인 것이었다. 징용에 끌려 나가는 사람들이었다. 그러니까, 지금으로부터 십이

---

19 권연 궐련. 얇은 종이로 가늘고 길게 말아 놓은 담배.
20 당기다 ‘댕기다’의 잘못.

삼 년 옛날의 이야기인 것이다.

북해도 탄광으로 갈 것이라는 사람도 있었고 틀림없이 남양 군도[21]로 간다는 사람도 있었다. 더러는 만주로 갔으면 좋겠다고 하는 것이었다. 만도는 북해도가 아니면 남양 군도일 것이라고 거기도 아니면 만주겠지. 설마 저의들이 하늘 밖으로사 끌고 갈까 부냐고 아무렇지도 않은 듯이 그 들창코로 담배 연기를 푹푹 내뿜고 있었다. 그런데 마음이 좀 덜 좋은 것은 마누라가 저쪽 변소 모퉁이 사구라 나무[22] 밑에 우두커니 서서 한눈도 안 팔고 이쪽만을 바라보고 있는 때문이었다. 그래서 그는 주머니 속에 성냥을 두고도 옆에ㅅ사람[23]에게 불을 빌리자고 하며 슬며시 돌아서 버리곤 했다. 홈[24]으로 나가면서 뒤를 돌아보니 마누라는 울 밖에 서서 수건으로 코를 눌러 대고 있는 것이었다. 만도는 코허리가 씽했다. 기차가 꽥꽥 소리를 지르면서 덜커덩하고 움직이기 시작했을 때는 정말 속이 덜 좋았다. 눈앞이 뿌우옇게 흩어지는 것을 어쩌지 못했다. 그러나 정거장이 가아맣게 멀어져 가고 차창 밖으로 새로운 풍경이 휙휙 날라들자 이제 아무렇지도 않아지는 것이었다. 오히려 기분이 유쾌해지는 듯하였다.

바다를 본 것도 처음이었고, 그처럼 큰 배에 몸을 실어 본 것은 더구나 처음이었다. 배 밑창에 엎드려서 꽥꽥 게워 내는 사람들이 많았으나, 만도는 거저 골

---

21 남양 군도 태평양의 적도 부근에 흩어져 있는 섬의 무리. 마리아나, 마셜, 캐롤라인, 팔라우 따위의 여러 군도로 나뉜다.
22 사구라 나무 벚나무.
23 옆에ㅅ사람 원문을 그대로 살린 표기이다.
24 홈 플랫폼.

이 좀 떵했을 뿐 아무렇지도 않았다. 더러는 하루에 두 개씩 주는 뭉치ㅅ밥[25]을 남기기도 했으나, 그는 한꺼번에 하루 것을 뚝딱해도 시원찮았다. 모두들 내릴 준비를 하라는 명령이 내린 것은 사흘째 되는 날 황혼 때였다. 제가끔 봇짐을 챙기기에 바빴다. 만도는 호박 한 덩이만 한 보따리를 옆구리에 덜렁 찼다. 갑판 위에 올라가 보니, 하늘은 활활 타오르고 있고, 바닷물은 불에 녹은 쇠처럼 벌겋게 우쭐렁거리고[26] 있었다. 지금 막 태양이 물 위로 뚜욱 떨어져 가는 것이었다. 햇덩어리가 어쩌면 그렇게 크고 붉은지 정말 처음이었다. 그리고 바다 위에 주황빛으로 번쩍거리는 커다란 산이 둥둥 떠 있는 것이었다. 무시무시하도록 황홀한 광경에 일동은 딱 벌어진 입을 다물 줄을 몰랐다. 만도는 어깨마루를 버쩍 들어 올리면서, 히야- 하고 고함을 질러 댓다[27]. 그러나 그처럼 좋아할 건덕지[28]는 못 되는 것이었다. 섬에서 그들을 기다리고 있는 것은 숨 막히는 더위와 강제 노동과 그리고, 잠자리만씩이나 한 모기떼였던 것이다.

섬에다가 비행장을 닦는 것이었다. 모기에게 물려 혹이 된 곳을 벅벅 긁으며, 비 오듯 쏟아지는 땀을 무릅쓰고, 아침부터 해가 떨어질 때까지 산을 허물어 내고, 흙을 나르고 하기란, 고향에서 농사일에 뼈가 굳어진 몸에도 이만저만한 고역이 아니었다. 물도 입에 맞지 않았고 음식도 이내 변하곤 해서, 도저히 견디어 낼 것 같지 않았다. 게다가 병까지 돌았다. 일을 하다가도 벌떡 자빠라지기가 예사였다. 그러나 만도는 아침저녁으로 약간씩 설사를 했을 뿐, 넘어지지는 않았다. 물도 차츰 입에 맞아 갔고, 고된 일도 날이 감에 따라 몸에 베여[29] 버리는 것이었다. 밤에 날개를 치며 몰려드는 모기떼만 아니면, 그냥저냥 배겨 내겠는데 정말 그놈의 모기들만은 질색이었다.

사람의 힘이란 무서운 것이었다. 그처럼 험난하던 산과 산 틈바구니에 비행

---

25 뭉치ㅅ밥 원문을 따른 표기이다.
26 우쭐렁거리다 '쭐렁거리다'의 방언.
27 질러 댓다 규범 표기는 '질러 댔다'이다.
28 건덕지 '건더기'의 방언.
29 베다 '배다(버릇이 되어 익숙해지다.)'의 잘못.

장을 다듬어 내고야 말았던 것이다.

그러나 일은 그것으로 끝나는 것이 아니고 오히려 더 벅찬 일이 닥치는 것이었다. 연합군의 비행기가 날아들면서부터, 일은 밤중까지 계속되었다. 산허리에 굴을 파고 들어 가는 것인데 비행기를 집어넣을 굴이었던 것이다. 그리고 모든 시설을 다 굴속으로 옮겨야 했던 것이다.

여기저기서 다이너마이트 튀는 소리가 산을 흔들어 댔다. 앵앵앵— 하고 공습경보가 나면 일을 하던 손을 놓고 모두 굴 바닥에 납짝납짝 엎드려 있어야 했다. 비행기가 돌아갈 때까지 그리고[30] 있는 것이었다. 어떤 때는 근 한 시간 가까이나 엎드려 있어야 하는 때도 있었는데 차라리 그것이 얼마나 편한지 몰랐다. 그래서 더러는 공습이 있기를 은근히 기다리기도 하였다. 때로는 공습경보의 싸이렝[31]을 듣지 못하고 그냥 일을 계속하는 수도 있었다. 그럴 때는 모두 큰 손해를 보았다고 야단들이었다. 어떻게 된 셈인지 싸이렝도 미처 불기 전에 비행기가 산등성이를 넘어 달려드는 수도 있었다. 그럴 때는 정말 질겁을 하는 것이었다. 가장 많은 손해를 입는 것도 그런 경우였다. 만도가 한쪽 팔뚝을 잃어버린 것도 바로 그런 때의 일이었다.

여니 날과 다름없이 굴속에서 바위를 허물어 내고 있었다. 바위 틈서리에 구멍을 뚫어서 다이너마이트 장치를 하는 것이었다. 장치가 다 되면 모두 바깥으로 나가고 한 사람만 남아 불을 당기는 것이다. 그리고 그것이 터지기 전에 얼른 밖으로 뛰어나와야 되었다.

만도가 불을 당기는 차례였다. 모두 바깥으로 나가 버린 다음 그는 성냥을 끄내었다[32]. 그런데 왼[33] 영문인지 기분이 께름직했다. 모기에게 물린 자리가 자꾸 쓱쓱 쑤시는 것이다. 걱죽걱죽[34] 긁어 댔으나 도무지 시원한 맛이 없었다. 그는

---

30 그리고 '그러고'의 잘못.
31 싸이렝 '사이렌'의 잘못.
32 끄내다 '꺼내다'의 방언.
33 왼 '웬'의 잘못.
34 걱죽걱죽 '긁죽긁죽(함부로 자꾸 긁는 모양)'의 방언.

이맛살을 찌프리면서[35] 성냥을 득 그었다. 그래 그런지 몰라도 불은 이내 픽 하고 꺼져 버렸다. 성냥 알맹이 네 개째에사 겨우 심지에 불이 당겨졌다. 심지에 불이 붙는 것을 보자 그는 얼른 몸을 굴 밖으로 날렸다. 바깥으로 막 나서려는 때였다. 산이 무너지는 듯한 소리와 함께 사나운 바람이 귓전을 후리갈기는[36] 것이었다. 만도는 정신이 아찔하였다. 공습이었던 것이다. 산등성이를 넘어 달려든 비행기가 머리 위로 아슬아슬하게 지나는 것이었다. 미처 정신을 차리기도 전에 또 한 대가 뒤따라 날라드는 것이 아닌가. 만도는 그만 넋을 잃고 굴 안으로 도루 달려 들어갔다. 달려 들어가서 굴 바닥에 아무렇게나 팍 엎드려져 버리고 말았다. 그 순간이었다. 쾅! 굴 안이 미어지는 듯하면서 다이너마이트가 터졌다. 만도의 두 눈에서 불이 번쩍 났다.

만도가 어렴풋이 눈을 떠 보니, 바로 거기 눈앞에 누구의 것인지 모를 팔목이 하나 놓여 있었다. 손가락이 시퍼렇게 굳어져서 마치 이끼 긴 나무토막처럼 보이는 것이었다. 만도는 그것이 자기의 어깨에 붙어 있던 것인 줄을 알자 그만 으악— 하고 정신을 잃어버렸다.

재차 눈을 떴을 때는 그는 폭삭한 담요 속에 누워 있었고, 한쪽 어깻죽지가 못 견디게 콕콕 쑤셔 댔다. 절단 수술(切斷手術)은 이미 끝난 뒤였다.

쾌액— 기차 소리였다. 멀리 산모퉁이를 돌아오는가 보다. 만도는 앉았던 자리를 털고 벌떡 일어서며, 옆에 놓아두었던 고등어를 집어 들었다. 기적 소리가 가까워질수록 가슴이 울렁거렸다. 대합실 밖으로 뛰어나가, 홈이 잘 보이는 울타리 쪽으로 가서 발돋움을 하였다. 째랑째랑 하고 종이 울자, 한참 만에 차는 소리를 지르면서 달려들었다. 기관차의 옆구리에서는 김이 픽픽 풍겨 나왔다. 만도의 얼굴은 바짝 긴장되었다. 시꺼먼 열차 속에서 꾸역꾸역 사람들이 밀려 나왔다. 꽤 많은 사람들이 쏟아져 내리는 것이었다. 만도의 두 눈은 곧장 이리저리

---

35 찌프리다 '찌푸리다'의 잘못.
36 후리갈기다 '후려갈기다'의 잘못.

굴렀다. 그러나 아들의 모습은 쉽사리 눈에 띄지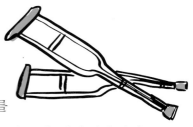
않았다. 저쪽 출찰구로 밀려가는 사람의 물결 속에
두 개의 지팡이를 의지하고 절룩거리면서 걸어 나가
는 상이군인[37]이 있었으나, 만도는 그 사람에게 주의를
기울이지는 않았다. 기차에서 내릴 사람은 모두 내렸는가 부다. 이제 미처 차에
오르지 못한 사람들이 홈을 이리저리 서성거리고 있을 뿐인 것이다.

'그놈이 거짓으로 편지를 띠웠을[38] 리는 없을 껀데!'

그는 자꾸 가슴이 떨렸다.

'이상한 일이다.'

하고 있을 때였다. 분명히 뒤에서

"아부지!"

부르는 소리가 들렸다. 만도는 깜짝 놀라며, 얼른 뒤를 돌아보았다. 그 순간,
만도의 두 눈은 무섭도록 크게 떠지고, 입은 짝 벌어졌다. 틀림없는 아들이었으
나, 옛날과 같은 진수는 아니었다. 양쪽 겨드랑이에 지팡이를 끼고 서 있는데
스쳐 가는 바람결에 한쪽 바짓가랭이[39]가 펄럭거리는 것이 아닌가.

만도는 눈앞이 노오래지는 것을 어쩌지 못했다. 한참 동안 거져 멍멍하기만
하다가, 코허리가 쩡해지면서 두 눈에 뜨거운 기운이 핑 도는 것이었다. 그러나
그는 여니 때처럼 코를 팽팽 풀어 던지지는 않았다.

"애라이 이놈아!"

만도의 입술에서 모지게 튀어나온 첫마디였다. 떨리는 목소리였다. 고등어를
든 손이 불끈 주먹을 쥐고 있었다.

"이게 무슨 꼴이고 이게."

---

37 상이군인 전투나 군사상 공무 중에 몸을 다친 군인.
38 띠웠을 규범 표기는 '띄웠을'이다.
39 바짓가랭이 '바짓가랑이'의 방언.

"아부지!"

"이놈아 이놈아."

만도의 들창코가 크게 벌름하다가 홀쩍 물코를 들어마셨다[40]. 진수의 얼굴에는 어느 결에 눈물이 꾀죄죄하게 흘러 있었다. 만도는 진수의 잘못이기나 한 듯 험한 얼굴로

"가자 어서."

무뚝뚝한 한마디를 던지고는 성큼성큼 앞장을 서 가는 것이었다. 진수는 입술에 나려와 묻는 짭짤한 것을 혀끝으로 날름 핥아 버리면서 절름절름 아버지의 뒤를 따랐다.

앞장서 가는 만도는 뒤따라오는 진수를 한 번도 돌아보지 않았다. 한눈을 파는 법도 없었다. 무겁디무거운 짐을 진 사람처럼 땅바닥을 응시하고, 이따금 끙끙거리면서 부지런히 걸어만 가는 것이었다. 지팡이에 몸을 의지하고 걷는 진수가 성한 사람의, 게다가 부지런히 걷는 걸음을 당해 낼 수는 도저이[41] 없었다. 한 걸음 두 걸음씩 뒤처지기 시작한 것이 그만, 작은 소리로 불러서는 들리지 않을 만큼 떨어져 버리고 말았다.

진수는 목구멍을 왈칵 넘어 울리는 뜨거운 기운을 꾹 참노라고, 어금니를 야물게 깨물어 보기도 하였다. 그리고 두 개의 지팡이와 한 개의 다리를 열심히 움직여 대는 것이었다.

앞서간 만도는 주막집 앞에 이르자, 비로소 한 번 뒤를 돌아보았다. 진수는 오다가 나무 밑에 서서 오줌을 누고 있었다. 지팡이는 땅바닥에 던져 놓고, 한쪽 손으로 볼일을 보고, 한쪽 손으로는 나무둥치를 감싸 안고 있는 모양이 을씨년스럽기 이를 데 없는 꼬락서니였다. 만도는 눈살을 찌푸리며, 으음! 하고 신음 소리 비슷한 무거운 소리를 내었다. 그리고 술방 앞으로 가서 방문을 왈칵 잡아

---

40 들어마시다 '들이마시다'의 잘못.
41 도저이 도저히.

당겼다.

기역 자 판 안에 도사리고 앉아서, 속옷을 뒤집어 짜고 이를 잡고 있던 여편네가 킥 하고 웃으며 후닥딱 옷섶을 여멋다[42].

그러나 만도는 웃지를 않았다. 방문턱을 넘어서며도 서방님 들어가신다는 소리를 지르지 않았다. 아마 이처럼 뚝뚝한 얼굴을 하고 이 술방에 들어서기란 처음 일 것이다. 여편네가 멋도 모르고

"오늘은 서방님 아닌가배."

하고 킬룩 웃었으나, 만도는 으음! 또 무거운 신음 소리를 했을 뿐, 도시 기분을 내지 않았다. 기역자판 앞에 가서 쭈구리고 앉기가 바쁘게

"빨리 빨리."

재촉을 하였다.

"핫다나 어지간히도 바쁜가배."

"빨리 꼬빼기로 한 사발 달라니까구마."

"오늘은 와 이카노?"

여편네가 쳐주는[43] 술 사발을 받아 들며, 만도는 후유– 한숨을 크게 내쉬었다. 그리고 입을 얼른 사발로 가져갔다. 꿀꿀꿀 잘도 넘어가는 것이다. 그 큰 사발을 단숨에 말려 버리고는 도로 여편네 눈앞으로 불쑥 내밀었다. 그렇게 거들빼기[44]로 석 잔을 해치우고사 으으윽! 하고 개트림을 하였다. 여편네가 눈이 휘둥굴해 가지고 혀를 내둘렀다.

빈속에 술을 그처럼 때려 마시고 보니 금새[45] 눈두덩이 확확 달아오르고 귀뿌리가 발갛게 익어 갔다. 술기가 얼근하게 돌자 이제 좀 속이 풀리는 상싶어 방문을 열고 바깥을 내다보았다. 진수는 이마에 땀을 척척 흘리면서 다 와 가고 있었다.

---

42 여멋다 규범 표기는 '여몄다'이다.
43 쳐주다 따라 주다.
44 거들빼기 무엇을 거듭해서 연거푸 먹거나 마심.
45 금새 '금세'의 잘못.

"진수야!"

버럭 소리를 질렀다.

"이리 들어와 보래."

"……."

진수는 아무런 대꾸도 없이 어기적어기적 다가왔다. 다가와서 방문턱에 걸터앉으니까, 여편네가 보고

"방으로 좀 들어오이소."

하였다.

"여기 좋심더."

그는 수세미 같은 손수건으로 이마와 코언저리를 싹싹 닦아 냈다.

"마 아무 데서나 묵어라, 저─ 국수 한 그릇 말아 주소."

"야."

"꼬빼기로 잘 좀…… 참지름도 치소 알았능교?"

"야아."

여편네는 코로 히죽 웃으면서, 만도의 옆구리를 살짝 꼬집고는 소코리[46]에서 삶은 국수 두 뭉텡이[47]를 집어 들었다.

진수가 국수를 흘흘 끌어 넣고 있을 때 여편네는 만도의 귓전으로 얼굴을 갖다 댔다.

"아들이가?"

만도는 고개를 약간 앞뒤로 끄덕거렸을 뿐, 좋은 기색을 하지 않았다. 진수가 국물을 훌쩍 들이마시고 나자, 만도는

"한 그릇 더 묵을래?"

하였다.

---

46 소코리 '소쿠리'의 잘못.
47 뭉텡이 '뭉텅이'의 방언.

"아니예."

"한 그릇 더 묵지 와."

"고만 묵을랍니더."

진수는 입술을 쌱 닦으며, 뿌시시[48] 자리에서 일어났다.

주막을 나선 그들 부자는 논두렁길로 접어들었다. 아까와 같이 만도가 앞장을 서는 것이 아니라 이번에는 진수를 앞세웠다. 지팡이를 짚고 찌긋둥찌긋둥[49] 앞서가는 아들의 뒷모습을 바라보며 팔뚝이 하나밖에 없는 아버지가 느릿느릿 따라가는 것이다. 손에 매달린 고등어가 대구 달랑달랑 춤을 추었다. 너무 급하게 들어 마셔서 그런지, 만도의 배 속에서는 우굴우굴 술이 끓고 다리가 휘청거렸다. 콧구멍으로 더운 숨을 훅훅 내불어 보니 정신이 아른해서 역시 좋았다.

"진수야!"

"예."

"니 우야다가 그래 댔노?"

"전쟁하다가 이래 안 댓십니꺼, 수류탄 쪼가리에 맞았심더."

"응 그래서?"

"그래서, 얼른 낫지 않고 막 썩어 들어가기 땜에, 군의관이 짤라 버립띠더. 병원에서예, 아부지!"

"와."

"이래 가지고 나 우째 살까 싶읍니더."

"우째 살긴 뭘 우째 살아? 목숨만 붙어 있으면 다 사는 기다. 그런 소리 하지 말아."

"……."

---

48 뿌시시 '부스스'의 방언.
49 찌긋둥찌긋둥 기우뚱기우뚱.

"나 봐라, 팔뚝이 하나 없어도 잘만 안 사나. 남 봄에 좀 덜 좋아서 그렇지, 살기사 왜 못 살아."

"차라리 아부지같이 팔이 하나 없는 편이 낫겠어예, 다리가 없어 놓니 첫째 걸어 댕기기에 불편해서 똑 죽겠심더."

"야야 안 그렇다. 걸어 댕기기만 하면 뭐 하노, 손을 지대로 놀려야 일이 뜻대로 되지."

"그럴까예?"

"그렇다니, 그러니까 집에 앉아서 할 일은 니가 하고, 나댕기메 할 일은 내가 하고, 그라면 안 대겠나, 그제?"

"예."

진수는 아버지를 돌아보며 대답했다. 만도는 돌아보는 아들의 얼굴을 향해서 지긋이 웃어 주었다. 술을 마시고 나면 이내 오줌이 마려워지는 것이다. 만도는 길가에 아무 데나 쭈그리고 앉아서 고기 묶음을 입에 물려고 하였다.

그것을 본 진수는

"아부지 그 고등어 이리 주소."

하였다. 팔이 하나밖에 없는 몸으로 물건을 손에 든 채 소변을 볼 수는 없는 것이다. 아버지가 용변을 마칠 때까지 진수는 저만큼 떨어져 서서, 지팡이를 한쪽 손에 모아 쥐고, 다른 손으로는 고등어를 들고 있었다. 볼일을 다 본 만도는 얼른 가서 아들의 손에서 고등어를 다시 받아 들었다.

개천 뚝에 이르렀다. 외나무다리가 놓여 있는 시냇물인 것이다. 진수는 딱 걱정이 되었다. 물은 그렇게 깊은 것 같지 않지만, 밑바닥이 모래흙이어서, 지팡이를 짚고 건너기가 만만할 것 같지 않기 때문이었다. 외나무다리 위로는 도저히 건너갈 재주가 없고…….

진수는 하는 수 없이 뚝에 퍼지고 앉아서 바짓가랭이를 걷어 올리기 시작했다. 만도는 잠시 멀뚱히 서서 아들의 하는 양을 내려다보고 있다가

"진수야 그만두고 자아 업자."

하는 것이었다.

"업고 건느면 다 대는 거 아니가. 자아 이거 받아라."

고등어 묶음을 진수 앞으로 쑥 내밀었다.

"……."

진수는 퍽 난처해하면서 못 이기는 듯이 그것을 받아 들었다. 만도는 등어리를 아들 앞에 갖다 대고 하나바께[50] 없는 팔을 뒤로 버쩍 내밀며

"자아 어서!"

진수는 지팡이와 고등어를 각각 한 손에 쥐고 아버지의 등어리로 가서 슬그머니 업혔다. 만도는 팔뚝을 뒤로 돌려서 아들의 하나뿐인 다리를 꼭 안았다. 그리고

"팔로 내 목을 감아야 될 끼다."

하는 것이었다. 진수는 무척 황송한 듯 한쪽 눈을 찍 감으면서 고등어와 지팡이를 든 두 팔로 아버지의 굵은 목줄기를 부둥켜안았다. 만도는 아랫배에 힘을 주며 끙! 하고 일어났다. 아랫도리가 약간 후들거렸으나 걸어갈 만은 하였다. 외나무다리 위로 조심조심 발을 내디디며 만도는 속으로

'인제 새파랗게 젊은 놈이 벌써 이게 무슨 꼴이고. 세상을 잘못 타고나서 진수 니 신세도 참 똥이다 똥.'

이런 소리를 줏어섬겼고, 아버지의 등에 업힌 진수는 곧장 미안스러운 얼굴을 하며

'나꺼정 이렇게 되다니 아부지도 참 복도 더럽게 없지, 차라리 내가 죽어 버렸더라면 나았을 낀데…….'

하고 중얼거렸다.

---

50 바께 조사 '밖에'의 잘못.

만도는 아직 술기가 약간 있었으나, 용케 몸을 가누며, 아들을 업고, 외나무 다리를 무사히 건너가는 것이었다. 눈앞에 우뚝 솟은 용머릿재가 이 광경을 가만이[51] 내려다보고 있었다.

(1957년)

---

51 가만이 '가만히'의 잘못.

오발탄

이범선

이범선(1920~1981?)

평안남도 신안주에서 태어났다. 은행원을 거쳐 교사 생활을 하던 중 소설가로 등단하여 작품을 발표하기 시작했다. 이범선은 전후 현실을 살아가는 사람들의 삶을 소설로 형상화한 작가이다. 이범선의 대표작 〈오발탄〉은 서울의 해방촌 일대를 중심으로 전후 세대의 아픔과 당시 한국 사회의 암담한 현실을 보여주는 작품이다.

계리사(計理士) 사무실 서기 송철호는 6시가 넘도록 사무실 한구석 자기 자리에 멍청하니 앉아 있었다. 무슨 미진한 사무가 있는 것도 아니었다. 장부는 벌써 접어 치운 지 오래고 그야말로 멍청하니 그저 앉아 있는 것이었다. 딴 친구들은 눈으로 시곗바늘을 밀어 올리다시피 5시를 기다려 휘딱 나가 버렸다. 그런데 점심도 못 먹은 철호는 허기가 나서만이 아니라 갈 데도 없었다.

"송 선생님은 안 나가세요?"

이제 청소를 해야 할 테니 그만 나가 달라는 투의 사환 애의 말에 철호는 다 낡아 빠진 해군 작업복 저고리 호주머니에 깊숙이 찌르고 있는 두 손을 빼내어서 무겁게 책상 위에 올려놓았다.

"나가야지."

하품 같은 대답이었다.

사환 애는 저쪽 구석에서부터 비질을 하기 시작하였다. 먼지가 사정없이 철호의 얼굴로 몰려왔다.

철호는 어슬렁 일어섰다. 이쪽 모서리 창가로 갔다. 바께쓰[1]의 물을 대야에 따랐다. 두 손을 끝에서부터 가만히 물속에 담갔다. 아직 이른 봄이라 물이 꽤 손 끝에 시렸다. 철호는 물속에 잠긴 두 손을 물끄러미 내려다보고 있었다. 펜대에 시달린 오른손 장지 첫 마디에 콩알만 한 못이 박혔다. 그 못에서 파란 명주실

---

1 바께스 한 손으로 들 수 있도록 손잡이를 단 통.

같은 것이 사르르 물속으로 풀려났다. 잉크. 그것은 잠시 대야 밑바닥을 기다 말고 사뿐히 위로 떠올라 안개처럼 연하게 피어서 사방으로 번져 나갔다. 손가락 끝을 중심으로 하고 그 색의 농도가 점점 연해져 갔다. 맑게 갠 가을 하늘색으로 대야 가장자리까지 번져 나간 그것은 다시 중심의 손끝을 향해 접어들며 약간 진한 파랑색[2]으로 달무리 모양 동그란 원을 그렸다.

피! 이건 분명히 피다!

철호는 엉뚱한 생각을 하고 있었다. 슬그머니 물속에서 손을 빼내었다. 그러자 이번엔 대야 밑바닥에 한 사나이의 얼굴을 보았다. 철호의 눈을 마주 쳐다보는 그 사나이는 얼굴의 온 근육을 이상스레 히물히물[3] 움직이며 입을 비죽거려 웃고 있었다.

이마에 길게 흐트러진 머리카락. 그 밑에 우묵하니 팬 두 눈. 깎인 볼. 날카롭게 여윈 턱. 송장처럼 꺼멓고 윤기 없는 얼굴. 그것은 까마득한 원시인(原始人)의 한 사나이였다.

몽둥이 끝에, 모난 돌을 하나 칡넝쿨로 아무렇게나 잡아매서 들고, 동굴 속에 남겨 두고 나온 식구들을 위하여 온종일 숲속을 맨발로 헤매고 다니던 사나이.

곰? 그건 용기가 부족하다.

멧돼지? 힘이 모자란다.

노루? 너무 날쌔어서.

꿩? 그놈은 하늘을 난다.

토끼? 토끼. 그래 고놈쯤은 꽤 때려잡음 직하다. 그런데 그것마저 요즈음은 몫에 잘 돌아오지 않는다. 사냥꾼이 너무 많다. 토끼보다도 더 많다.

그래도 무어든 들고 들어가야 하는 것이다.

사나이는 바위 잔등에 무릎을 꿇고 앉아 냇물에 손을 씻는다. 파란 물속에 빨

---

2 파랑색 '파란색'의 잘못.
3 히물히물 입술을 조금 실그러뜨리며 소리 없이 능청스럽게 자꾸 웃는 모양.

간 노을이 잠겼다. 끈적끈적하게 사나이의 손에 묻었던 피가 노을빛보다 더 진하게 우러난다.

무엇인가 때려잡은 모양이다. 곰? 멧돼지? 노루? 꿩? 토끼?

그런데 사나이가 들고 일어선 것은 그 어느 것도 아니었다. 보기에도 징그러운 내장. 그것이 무슨 짐승의 내장인지는 사나이 자신도 모른다. 사나이는 그 짐승의 머리도 꼬리도 못 보았다. 누군가가 숲속에 끌어내어 버린 것을 주워 오는 것이었다.

철호는 옆에 놓인 비누를 집어 들었다. 마구 두 손바닥으로 비볐다. 오구구 까닭 모를 울분이 끓어올랐다.

빈 도시락마저 들지 않은 손이 홀가분해 좋긴 하였지만, 해방촌⁴ 고개를 추어오르기에는 배 속이 너무 허전했다.

산비탈을 도려내고 무질서하게 주워 붙인 판잣집들이었다. 철호는 골목으로 접어들었다. 레이션 곽⁵을 뜯어 덮은 처마가 어깨를 스칠 만치 좁은 골목이었다. 부엌에서들 아무 데나 마구 버린 뜨물⁶이 미끄러운 길에는 구공탄 재가 군데군데 헌데 더뎅이⁷ 모양 깔렸다.

저만치 골목 막다른 곳에, 누런 시멘트 부대⁸ 종이를 흰 실로 얼기설기 문살에 얽어맨 철호네 집 방문이 보였다. 철호는 때에 절어서 마치 가죽끈처럼 된 헝겊이 달린 문걸쇠⁹를 잡아당겼다. 손가락이라도 드나들 만치 엉성한 문이면서 찌걱찌걱 집혀서 잘 열리지를 않았다. 아래가 잔뜩 잡힌 채 비틀어진 문틈으로 그의 어머니의 소리가 새어 나왔다.

---

4 해방촌 해방과 6·25 전쟁 이후 이북에서 내려온 사람들이 정착해 마을을 이룬 곳.
5 레이션 곽 식량이나 보급품 상자. '곽'은 '갑'의 잘못이다.
6 뜨물 곡식을 씻어 내 부옇게 된 물.
7 더뎅이 부스럼 딱지나 때 따위가 거듭 붙어서 된 조각.
8 부대 종이, 천, 가죽 따위로 만든 큰 자루.
9 문걸쇠 '문고리'의 방언.

"가자! 가자!"

미치면 목소리마저 변하는 모양이었다. 그것은 이미 그의 어머니의 조용하고 부드럽던 그 목소리가 아니고, 쨍쨍하고 간사한 게 어떤 딴사람의 목소리였다.

문을 열고 들어서는 철호의 얼굴에 걸레 썩는 냄새 같은 것이 확 풍겨 왔다. 철호는 문안에 들어선 채 우두커니 아랫목을 내려다보고 있었다. 중학교 시절에 박물관에서 미라를 본 일이 있었다. 그건 꼭 솜 누더기에 싸 놓은 미라였다. 흰 머리카락은 한 오리[10]도 제대로 놓인 것이 없었다. 그대로 수세미였다. 그 어머니는 벽을 향해 돌아누워서 마치 딸꾹질처럼 일정한 사이를 두고, 가자 가자 하는 외마디 소리를 지르고 있었다. 그 해골 같은 몸에서 어떻게, 그런 쨍쨍한 소리가 나오는지 이상하였다.

철호는 윗방으로 올라가 털썩 벽에 기대어 앉아 버렸다. 가슴에 커다란 납덩 어리를 올려놓은 것 같았다. 정말 엉엉 소리를 내어 울고 싶었다. 눈을 꼭 지르 감으며 애써 침을 삼켰다.

두 달 전까지만 해도 철호는 저녁때 일터에서 돌아오면, 어머니야 알아듣건 말건 그래도 어머니 지금 돌아왔습니다 하고 인사를 하곤 하였다. 그러나 요즈음은 그것마저 안 하게 되었다. 그저 한참 물끄러미 굽어보고 섰다가 그대로 윗방으로 올라와 버리는 것이었다.

컴컴한 구석에 앉아 있던 철호의 아내가 슬그머니 일어섰다. 담요 바지 무릎을 한쪽은 꺼멍, 또 한쪽은 회색으로 기웠다. 만삭이 되어서 꼭 바가지를 엎어 놓은 것 같은 배를 안은 아내는 몽유병자처럼 철호의 앞을 지나 나갔다. 부엌으로 나가는 것이었다. 분명 벙어리는 아닌데 아내는 말이 없었다.

"아버지."

철호는 누가 꼭대기를 쿡 쥐어박기나 한 것처럼 흠칠[11]했다.

---

10 오리 실, 나무, 대 따위의 가늘고 긴 조각을 세는 단위.
11 흠칠 몸을 반사적으로 움직이며 갑자기 놀라 떠는 모양.

바로 옆에 다섯 살 난 딸애가 눈을 동그랗게 뜨고 철호를 쳐다보고 있었다. 철호는 어린것에게로 얼굴을 돌렸다. 웃어 보이려는 철호의 얼굴이 도리어 흉하게 이지러졌다[12].

"나아, 삼춘이 나이롱[13] 치마 사 준댔다."

"응."

"그리구 구두두 사 준댔다."

"응."

"그러면 나 엄마하고 화신[14] 구경 간다."

"……."

철호는 그저 어린것의 노랗게 뜬 얼굴을 바라보고 있을 뿐이었다. 철호의 헌 셔츠 허리통을 잘라서 위에 끈을 꿰어 스커트로 입은 딸애는 짝짝이 양말 목달이에다 어디서 주운 것인지 가는 고무줄을 끼웠다.

"가자! 가자!"

아랫방에서 또 어머니의 그 저주 같은 소리가 들려왔다. 벌써 7년을 두고 들어 와도 전연 모를 그 어떤 딴사람의 목소리.

철호는 또 눈을 꼭 감았다. 머릿속의 녯줄이 팽팽히 헤워졌다[15]. 두 주먹으로 무엇이건 꽉 때려 부수고 싶은 충동에 철호는 어금니를 바사져라 맞씹었다.

좀 춥기는 해도 철호는 집 안보다 이 바위 잔등이 더 좋았다. 그래 철호는 저녁만 먹으면 언제나 이렇게 집 뒤 산등성이에 있는 바위 위에 두 무릎을 세워 안고 앉아서 하염없이 거리의 등불들을 바라보며 밤 깊기를 기다리는 것이었다. 어느 거리쯤인지 잘 분간할 수 없는 저 밑에서, 술 광고 네온사인이 핑그르르 돌고 깜빡 꺼졌다가 또 번뜩 켜지고, 핑그르르 돌고는 깜빡 꺼지고 하였다.

---

12 이지러지다 불쾌한 감정 따위로 얼굴이 일그러지다.
13 나이롱 '나일론'의 잘못.
14 화신 서울에 있던 백화점 이름.
15 헤우다 줄 따위가 팽팽하게 당겨지다.

철호는 그저 언제까지나 그렇게 그 네온사인을 지켜보고 있었다.

바위 잔등이 차츰차츰 식어 왔다. 마침내 다 식고 겨우 철호가 깔고 앉은 그 부분에만 약간 온기가 남았다. 이제 조금만 더 있으면 밑이 시려 올 것이다. 그러면 철호는 하는 수 없이 일어서야 하는 것이다.

드디어 철호는 일어섰다. 오래 까부려 붙이고 있던 두 다리가 저렸다. 두 손을 작업복 호주머니에 깊숙이 찔렀다. 철호는 밤하늘을 한 번 쳐다보았다. 지금까지 바라보던 밤거리보다 더 화려하게 별들이 뿌려져 있었다. 철호는 그 많은 별들 가운데서 북두칠성을 찾아보았다. 머리를 뒤로 젖혀 하늘을 쳐다보는 채 빙그르르 그 자리에서 돌았다. 거꾸로 달린 물주걱 같은 북두칠성은 쉽사리 찾아낼 수 있었다. 그 북두칠성 앞에 딴 별들보다 좀 크고 빛나는 별. 그건 북극성이었다. 철호는 지금 자기가 서 있는 지점과 북극성을 연결하는 직선을 밤하늘에 길게 그어 보았다. 그리고 그 선을 눈이 닿는 데까지 연장시켰다. 철호는 그렇게 정북(正北)을 향하여 한참이나 서 있었다. 고향 마을이 눈앞에 떠올랐다. 마을의 좁은 길까지, 아니 그 길에 박혀 있던 돌 하나까지도 선히 볼 수 있었다.

으스스 몸이 떨렸다. 한기가 전기처럼 발끝에서 튀어 콧구멍으로 빠져나갔다. 철호는 크게 재채기를 하였다. 그리고 또 한 번 부르르 몸을 떨며 바위 밑으로 내려왔다.

철호는 천천히 골목 안으로 들어섰다.

"가자!"

철호는 멈칫 섰다. 낮에는 이렇게까지 멀리 들리는 줄은 미처 몰랐던 어머니의 그 소리가 골목 어귀에까지 들려왔다.

"가자!"

그러나 언제까지 그렇게 골목에 서 있을 수도 없는 노릇이었다. 철호는 다시 발을 옮겨 놓았다. 정말 무거운 발걸음이었다. 그건 다리가 저려서만이 아니었다.

"가자!"

철호가 그의 집 쪽으로 걸음을 옮겨 놓을 때마다 그만치 그 소리는 더 크게 들려왔다.

가자는 것이었다. 돌아가자는 것이었다. 고향으로 돌아가자는 것이었다. 옛날로 되돌아가자는 것이었다. 그것은 이렇게 정신 이상이 생기기 전부터 철호의 어머니가 입버릇처럼 되풀이하던 말이었다.

삼팔선. 그것은 아무리 자세히 설명을 해 주어도 철호의 늙은 어머니에게만은 아무 소용없는 일이었다.

"난 모르겠다. 암만해도 난 모르겠다. 삼팔선. 그래 거기에다 하늘에 꾹 닿도록 담을 쌓았단 말이냐 어쨌단 말이냐. 제 고장으로 제가 간다는데 그래 막을 놈이 도대체 누구란 말이냐."

죽어도 고향에 돌아가서 죽고 싶다는 철호의 어머니였다. 그러고는

"이게 어디 사람 사는 게냐. 하루 이틀도 아니고."

하며 한숨과 함께 무릎을 치며 꺼지듯이 풀썩 주저앉곤 하는 것이었다.

그럴 때마다 철호는,

"어머니, 그래도 남한은 이렇게 자유스럽지 않아요?"

하고, 남한이니까 이렇게 생명을 부지하고 살 수 있지, 만일 북쪽 고향으로 간다면 당장에 죽는 것이라고, 자유라는 것이 얼마나 소중한 것인가를, 갖은 이야기를 다 예로 들어 가며 어머니에게 타일러 보는 것이었다. 그러나 자유라는 것을 늙은 어머니에게 이해시키기란 삼팔선을 인식시키기보다도 몇백 갑절 더 힘드는 일이었다. 아니 그것은 거의 불가능한 일이라 하겠다. 그래 끝내 철호는 어머니에게 자유라는 것을 설명하는 일을 단념하고 말았다. 그렇게 되고 보니 철호의 어머니에게는 아들 — 지지리 고생을 하면서도 고향으로 돌아갈 생각만은 죽어도 하지 않는 철호가 무슨 까닭인지는 몰라도 늙은 어미를 잡으려고 공연한 고집을 피우고 있는 천하에 고약한 놈으로만 여겨지는 것이었다.

그야 철호에게도 어머니의 심정이 이해되지 않는 것은 아니었다.

무슨 하늘이 알 만치 큰 부자는 아니었지만 그래도 꽤 큰 지주로서 한 마을의 주인 격으로 제법 풍족하게 평생을 살아오던 철호의 어머니 눈에는 아무리 그네가 세상을 모른다고 해도, 산등성이를 악착스레 깎아 내고 거기에다 게딱지 같은 판잣집을 다닥다닥 붙여 놓은 이 해방촌이 이름 그대로 해방촌(解放村)일 수는 없는 노릇이었다.

"나두 내 나라를 찾았다게 기뻐서 울었다. 엉엉 울었다. 시집올 때 입었던 홍치마를 꺼내 입구 춤을 추었다. 그런데 이 꼴 돟다[16]. 난 싫다. 아무래두 난 모르겠다. 뭐가 잘못됐건 잘못된 너머 세상이디그래."

철호의 어머니 생각에는 아무리 해도 모를 일이었던 것이었다. 나라를 찾았다면서 집을 잃어버려야 한다는 것은, 그것은 정말 알 수 없는 일이었던 것이었다.

철호의 어머니는 남한으로 넘어온 후로 단 하루도 이 가자는 말을 하지 않은 날이 없었다.

그렇게 지내 오던 그날, 6·25 사변으로 바로 발밑에 빤히 내려다보이는 용산 일대가 폭격으로 지옥처럼 무너져 나가던 날 끝내 철호는 어머니를 잃어버리고 말았던 것이었다.

"큰애야, 이젠 정말 가자. 데것 봐라. 담이 홈싹 무너뎄는데. 삼팔선의 담이 데렇게 무너뎄는데. 야."

그때부터 철호의 어머니는 완전히 정신 이상이었다. 지금의 어머니, 그것은 이미 철호의 어머니가 아니었다. 아무리 따져 보아도 그것이 철호 자기의 어머니일 수는 없었다. 세상에 아들딸마저 알아보지 못하는 어머니가 있을 수 있는 것일까? 그날부터 철호의 어머니는

"가자! 가자!"

---

16 돟다 '좋다'의 방언.

하고 저렇게 쨍쨍한 목소리로 외마디 소리를 지를 뿐 그 밖의 모든 것을 완전히 잃어버리고 있었다. 철호에게 있어서 지금의 어머니는 말하자면 어머니의 시체에 지나지 않았다.

뚫어진 창호지 구멍으로 그래도 희미한 불빛이 새어 나오고 있었다. 철호는 윗방 문을 열었다. 아랫방과 윗방 사이 문턱에 위태롭게 올려놓은 등잔이 개똥벌레처럼 가물거리고 있었다. 윗방 아랫목에는 딸애가 반듯이 누워서 잠이 들었다. 담요를 몸에다 돌돌 말고 반듯이 누운 것이 꼭 송장 같았다. 그 옆에 철호의 아내가 두 무릎을 꿇고 앉아 있었다. 꺼먼 헝겊과 회색 헝겊으로 기운 담요 바지 무릎 위에는 빨강색[17] 유단[18]으로 만든 조그마한 운동화가 한 켤레 놓여 있었다. 철호가 방 안에 들어서자 아내는 그 어린애의 빨간 신발을 모두어 자기 손바닥에 올려놓아 철호에게 들어 보였다.

"삼촌이 사 왔어요."

유난히 살눈썹[19]이 긴 아내의 눈이 가늘게 웃었다. 참으로 오래간만에 보는 아내의 웃음이었다. 자기가 미인이었다는 것을 잊어버리고 만 지 오랜 아내처럼 또 오래 보지 못하여 거의 잊어버려 가던 아내의 웃는 얼굴이었다.

철호는 등잔이 놓인 문턱 가까이 가서 앉으며 아내의 손에서 빨간 어린애의 신발을 받아 눈앞에서 아래위를 살펴보았다.

"산보 갔었소?"

거기 등잔불을 사이에 두고 윗방을 향해 앉은 철호의 동생 영호가 웃으며 철호를 쳐다보았다.

"언제 들어왔니."

"지금 막 들어와 앉는 길입니다."

---

17 빨강색 '빨간색'의 잘못.
18 유단 기름에 결은, 두껍고 질긴 큰 종이.
19 살눈썹 '속눈썹'의 방언.

그러고 보니 영호는 아직 넥타이도 끄르지 않고 있었다.

"형님!"

새삼스레 부르는 동생의 소리에 철호는 손에 들었던 어린애의 신발을 아내에게 돌리며 영호의 얼굴을 빤히 바라보았다.

"이제 우리두 한번 살아 봅시다. 제길, 남 다 사는데 우리라구 밤낮 이렇게만 살겠수. 근사한 양옥도 한 채 사구, 장기판만 한 문패에다 형님의 이름 석 자를, 제길 장님도 보게 써서 대못으로 땅땅 때려 박구 한번 살아 봅시다."

군대에서 나온 지 2년이 넘도록 아직 직업도 못 잡은 영호가 언제나 술만 취하면 하는 수작이었다.

"그리구 2000만 환짜리 세단 차도 한 대 삽시다. 거기다 똥통이나 싣고 다니게. 모든 새끼들이 아니꼬워서. 일이야 있건 없건 종일 빵빵 울리면서 동리를 들락날락해야지. 제길. 하하하."

비스듬히 벽에 기대어 앉은 영호는 벌겋게 열에 뜬 얼굴을 하고 담배 연기를 푸 내뿜었다.

"또 술 마셨구나."

고학으로 고생고생 다니던 대학 3학년에서 군대에 들어갔다가 나온 영호로서는, 특별한 기술이 없이 직업을 잡지 못하는 것은 별도리도 없는 노릇이라 칠수도 있었지만, 이건 어디서 어떻게 마시는 것인지 거의 저녁마다 이렇게 취해 들어오는 동생 영호가 몹시 못마땅한 철호의 말이었다.

"네, 조금 했습니다. 친구들이……."

그것도 들으나 마나 늘 같은 대답이었다. 또 그것이 거짓말이 아니라는 것도 철호는 알고 있었다.

"이제 술 좀 그만 마셔라."

"친구들과 어울리면 자연히 마시게 되는걸요."

"글쎄 그러니까 그 어울리는 걸 좀 삼가란 말이다."

"그럴 수도 없구요. 하하하."

"그렇다고 언제까지 그저 그렇게 어울려서 술이나 마시면 뭐가 되나."

"되긴 뭐가 돼요. 그저 답답하니까 만나는 거구, 만나면 어찌어찌하다 한잔씩 하며 이야기나 하는 거죠 뭐."

"글쎄 그게 맹랑한 일이란 말이다."

"그렇지만 형님, 그런 친구들이라도 있다는 게 좋지 않수. 그게 시시한 친구들이라 해도. 정말이지 그놈들마저 없었더라면 어떻게 살 뻔했나 하고 생각할 때가 많아요. 외팔이, 절름발이, 그런 놈들. 무식한 놈들. 참 시시한 놈들이지요. 죽다 남은 놈들. 그렇지만 형님, 그놈들 다 착한 놈들이야요. 최소한 남을 속이지는 않거든요. 공갈[20]을 때릴망정. 하하하하. 전우. 전우."

영호는 고개를 뒤로 젖히고 천장을 향해 후 담배 연기를 내뿜었다. 철호는 그저 물끄러미 영호의 모습을 쳐다볼 뿐 아무 말도 없었다. 영호는 여전히 천장을 향한 채 피어오르는 연기를 바라보며 한 손으로 목의 넥타이를 앞으로 잡아당겨 끌러 늦추어 놓았다.

"가자!"

아랫목에서 어머니가 소리를 질렀다.

영호는 슬그머니 아랫목으로 고개를 돌렸다. 한참이나 그렇게 어머니 쪽으로 고개를 돌리고 있는 영호는 아무 말도 없이 그저 눈만 껌뻑껌뻑하고 있었다.

철호는 길게 한숨을 쉬었다. 앞에 놓인 등잔불이 거물거물 춤을 추었다. 철호는 저고리 호주머니에서 담배를 꺼내었다. 꼬기꼬기 구겨진 파랑새[21] 갑 속에서 담배를 한 개비 뽑아내었다. 바삭바삭 마른 담배는 양끝이 반쯤 빠져나갔다. 철호는 그 양끝을 비벼 말았다. 흡사 비거[22] 모양으로 되었다. 철호는 그 비거 모양

---

20 공갈 '거짓말'을 속되게 이르는 말.
21 파랑새 담배 이름.
22 비거 설탕이나 엿에 우유, 향료를 넣고 끓여서 굳혀 만든 과자.

의 담배 한끝을 입에다 물었다.

"이걸 피슈, 형님."

영호가 자기 앞에 놓였던 담뱃갑을 집어서 철호의 앞으로 내어 밀었다. 빨간색 양담뱃갑이었다. 철호는 그 여느 것보다 좀 긴 양담뱃갑을 한 번 힐끔 쳐다보았을 뿐, 아무 소리도 없이 등잔불로 입에 문 파랑새 끝을 가져갔다. 영호는 등잔불 위에 꾸부린 형 철호의 어깨를 넌지시 바라보고 있었다. 지지지 소리가 났다. 앞이마에 흐트러져 내렸던 철호의 머리카락이 등잔불에 타며 또르르 끝이 말려올랐다. 철호는 얼굴을 들었다. 한 모금 빨자 벌써 손끝이 따갑게 꽁초가 되어 버린 담배를 입에서 떼었다. 천천히 연기를 내뿜는 철호의 미간에는 세로 석 줄의 깊은 주름이 패어졌다. 영호는 들었던 담뱃갑을 도로 방바닥에 내려놓았다. 그리고 조용히 등잔불로 시선을 떨어뜨렸다. 그의 입가에는 야릇한 웃음이 ― 애달픈, 아니 그 누군가를 비웃는 듯한, 그런 미소가 천천히 흘러 지나갔다.

한참 동안 아무도 말이 없었다.

"가자!"

아랫방 아랫목에서 몸을 뒤채는 어머니가 잠꼬대를 했다. 어머니는 이제 꿈속에서마저 생활을 잃어버린 모양이었다. 아주 낮은 그 소리는 한숨처럼 느리게 아래윗방에 가득 차 흘러 사라졌다.

여전히 아무도 말이 없었다.

철호는 꽁초를 손끝에 꼬집어 쥔 채 넋 빠진 사람 모양 가물거리는 등잔불을 지켜보고 있었고 동생 영호는 비스듬히 벽에 기대어 앉은 채 철호의 손끝에서 타고 있는 담배꽁초를 바라보고 있었고, 철호의 아내는 잠든 딸애의 머리맡에 가지런히 놓인 빨간 신발을 요리조리 매만지고 있었다.

"가자!"

또 한 번 어머니의 소리가 저 땅 밑에서 새어 나오듯이 들려왔다.

"형님은 제가 이렇게 양담배를 피우는 게 못마땅하지요?"

영호는 반쯤 탄 담배를 자기의 눈앞에 가져다 그 빨간 불티를 들여다보며 말했다.

"분에 맞지 않지."

철호는 여전히 등잔불을 바라보며 대답했다.

"그렇지만 형님, 형님은 파랑새와 양담배 두 가지 중에서 어느 것이 더 좋으슈?"

"……? 그야 양담배가 좋지. 그래서?"

그래서 너는 보리밥도 못 버는 녀석이 그래 좋은 것은 알아서 양담배를 피우는 거냐 하는 철호의 눈초리가 번뜩 영호의 면상을 때렸다.

"그래서 전 양담배를 택했어요."

"뭐가?"

"형님은 절 오해하시고 계세요."

"……?"

"제가 무슨 돈이 있어서 양담배를 사서 피우겠어요. 어쩌다 친구들이 사 주는 것이니 피우는 거지요. 형님은 또 제가 거의 저녁마다 술을 마시고 또 제법 합승을 타고 들어오는 것도 못마땅하시죠. 저도 알고 있어요. 형님은 때때로 25환 전찻값도 없어서 종로서 근 10리를 집에까지 터덜터덜 걸어서 돌아오시는 것을. 그렇지만 형님이 걸으신다고 해서, 한사코 같이 타고 가자는 친구들의 호의, 아니 그건 호의도 채 못 되는 싱거운 수작인지도 모르죠. 어쨌든 그것을 굳이 뿌리치고 저마저 걸어야 할 아무 까닭도 없지 않습니까? 이상한 놈들이죠. 술 담배는 사 주고 합승은 태워 줘도 돈은 안 주거든요."

영호는 손끝으로 뱅글뱅글 비벼 돌리는 담뱃불을 들여다보며 말했다.

"어쨌든 너도 이젠 좀 정신 차려 줘야지. 벌써 군대에서 나온 지도 이태[23]나

---

23 이태 두 해.

되지 않니."

"정신 차려야죠. 그러지 않아도 이달 안으로는 어찌 되든 간에 결판을 내구 말 생각입니다."

"어디 취직을 해야지."

"취직요? 형님처럼요? 전찻값도 안 되는 월급을 받고 남의 살림이나 계산해 주란 말이지요?"

"그럼 뭐 별 뾰족한 수가 있는 줄 아니."

"있지요. 남처럼 용기만 조금 있으면."

"……?"

어처구니없는 영호의 수작에 철호는 그저 멍청하니 영호의 얼굴을 쳐다보았다. 손끝이 따가웠다. 철호는 비루[24] 깡통으로 만든 재떨이에 담배를 비벼 껐다.

"용기?"

"네, 용기."

"용기라니."

"적어도 까마귀만 한 용기만이라도 말입니다. 영리할 필요는 없더군요. 우둔해도 상관없어요. 까마귀는 도무지 허수아비를 무서워하지 않습니다. 참새처럼 영리하지 못한 탓으로 그놈의 까마귀는 애당초에 허수아비를 무서워할 줄조차 모르거든요."

영호의 입가에는 좀 전에 파랑새 꽁초에다 불을 당기는 철호를 바라보던 때와 같은 야릇한 웃음이 또 소리 없이 감돌고 있었다.

"너 설마 무슨 엉뚱한 계획을 세우고 있는 것은 아니겠지."

철호는 약간 긴장한 얼굴을 하고 영호를 바라보며 꿀꺽 하고 침을 삼켰다.

"아니요, 엉뚱하긴 뭐가 엉뚱해요. 그저 우리들도 남처럼 다 벗어던지고 홀가

---

24 비루(ビール) '맥주'를 가리키는 일본 말.

분한 몸차림[25]으로 달려 보자는 것이죠 뭐."

"벗어던지고?"

"네, 벗어던지고. 양심이고, 윤리고, 관습이고, 법률이고 다 벗어던지고 말입니다."

영호의 큰 두 눈이 유난히 빛나는가 하자 철호의 눈을 정면으로 밀고 들었다.

"양심이고, 윤리고, 관습이고, 법률이고?"

"……."

"너는, 너는……."

영호는 아무 대답도 하지 않았다. 그러나 눈만은 똑바로 형 철호를 처다보고 있었다.

"그렇게나 살자면 이 형도 벌써 잘살 수 있었다."

철호의 목소리는 떨리고 있었다.

"그렇게나라니요?"

"양심을 버리고, 윤리와 관습을 무시하고, 법률까지도 범하고!?"

흥분한 철호의 큰 목소리에 영호는 지금까지 철호의 얼굴에 주었던 시선을 앞으로 죽 뻗치고 앉은 자기의 발끝으로 떨어뜨렸다.

"저도 형님을 존경하고 있어요. 고생하시는 형님을. 용케 이 고생을 참고 견디는 형님을. 그렇지만 형님은 약한 사람이야요. 용기가 없는 거지요. 너무 양심이 강해요. 아니 어쩌면 사람이 약하면 약한 만치, 그만치 반대로 양심이란 가시는 여물고 굳어지는 것인지도 모르죠."

"양심이란 가시?"

"네, 가시지요. 양심이란 손끝의 가십니다. 빼어 버리면 아무렇지도 않은데 공연히 그냥 두고 건드릴 때마다 깜짝깜짝 놀라는 거야요. 윤리요? 윤리. 그건

---

25 몸차림 몸을 보기 좋고 맵시 있게 하려고 하는 치장.

나이롱 빤쓰 같은 것이죠. 입으나 마나 불알이 덜렁 비쳐 보이기는 매한가지죠. 관습요? 그건 소녀의 머리 위에 달린 리본이라고나 할까요? 있으면 예쁠 수도 있어요. 그러나 없대서 뭐 별일도 없어요. 법률? 그건 마치 허수아비 같은 것입니다. 허수아비. 덜 굳은 바가지에다 되는대로 눈과 코를 그리고 수염만 크게 그린 허수아비. 누더기를 걸치고 팔을 쩍 벌리고 서 있는 허수아비. 참새들을 향해서는 그것이 제법 공갈이 되지요. 그러나 까마귀쯤만 돼도 벌써 무서워하지 않아요. 아니 무서워하기는커녕 그놈의 상투 끝에 턱 올라앉아서 썩은 흙을 쑤시던 더러운 주둥이를 쓱쓱 문질러도 별일 없거든요. 흥."

영호는 코웃음을 쳤다. 그리고 거기 문턱 밑에 담뱃갑에서 새로 담배를 한 개 빼어 물고 지금까지 들고 있던 다 탄 꽁다리에서 불을 옮겨 빨았다.

"가자!"

어머니의 그 소리가 또 들렸다. 어머니는 분명히 잠이 들어 있는 것이었다. 그러면서도 간간이 저렇게 가자 가자 소리를 지르는 것이었다. 그것은 어쩌면 어머니에게는 호흡처럼 생리화해 버린 것인지도 몰랐다.

철호는 비스듬히 모로 앉은 동생 영호의 옆얼굴을 한참이나 노려보고 있었다. 영호는 영호대로 퀭한 두 눈으로 깜박이기를 잊어버린 채 아까부터 앞으로 뻗친 자기의 발끝을 바라보고 있었다. 이윽고 철호는 영호에게서 눈을 돌려 버렸다. 그리고 아랫방과 윗방 사이 칸막이를 한 널쪽에 등을 기대며 모로 돌아앉았다. 희미한 등잔불 빛에 잠든 딸애의 조그마한 얼굴이 애처로웠다. 그 어린것 옆에 앉은 철호의 아내는 왼쪽 무릎을 세우고 그 위에 손을 펴 깔고 턱을 괴었다. 아까부터 철호와 영호, 형제가 하는 말을 조용히 듣고만 있는 그네는 무엇을 생각하고 있는지 한쪽 손끝으로, 거기 방바닥에 가지런히 놓인 빨간 어린애의 신발만 몇 번이고 쓸어 보고 있었다.

철호는 고개를 푹 떨어뜨려 턱을 가슴에 묻었다. 영호는 새로 피워 문 담배를 연거푸 서너 번 들이빨았다. 그리고 또 말을 계속하였다.

"저도 형님의 그 생활 태도를 잘 알아요. 가난하더라도 깨끗이 살자는. 그렇지요. 깨끗이 사는 게 좋지요. 그런데 형님 하나 깨끗하기 위하여 치르는 식구들의 희생이 너무 어처구니없이 크고 많단 말입니다. 헐벗고 굶주리고. 형님 자신만 해도 그렇죠. 밤낮 쑤시는 충치 하나 처치 못 하시고. 이가 쑤시면 치과에 가서 치료를 하거나 빼어 버리거나 해야 할 것 아니야요. 그런데 형님은 그것을 참고 있어요. 낯을 잔뜩 찌푸리고 참는단 말입니다. 물론 치료비가 없으니까 그러는 수밖에 없겠지요. 그겁니다. 바로 그겁니다. 그 돈을 어떻게든지 구해야죠. 이가 쑤시는데 그럼 어떻게 해요. 그걸 형님처럼, 마치 이 쑤시는 것을 참고 견디는 그것이 돈을—치료비를 버는 것이기나 한 것처럼 생각하는 것. 안 쓰는 것은 혹 버는 셈이 된다고 할 수도 있을 거야요. 그렇지만 꼭 써야 할 데 못 쓰는 것이 버는 셈이라고는 할 수 없지 않아요. 세상에는 이런 세 층의 사람들이 있다고 봅니다. 즉 돈을 모으기 위해서만으로 필요 이상의 돈을 버는 사람과 필요하니까 그 필요하니 만치의 돈을 버는 사람과, 또 하나는 이건 꼭 필요한 돈도 채 못 벌고서 그 대신 생활을 조리는[26] 사람들. 신발에다 발을 맞추는 격으로. 형님은 아마 그 맨 끝의 층에 속하겠지요. 필요한 돈도 미처 벌지 못하는 사람. 깨끗이 살자니까 그럴 수밖에 없다고 하시겠지요. 그래요. 그것은 깨끗하기는 할지 모르죠. 그렇지만 그저 그것뿐이지요. 언제까지나 충치가 쏘아 부은 볼을 싸쥐고 울상일 수밖에 없지요. 그렇지 않습니까? 그야 형님! 인생이 저 골목 안에서 10환짜리를 받고 코 흘리는 어린애들에게 보여 주는 요지경[27]이라면야 자기가 가지고 있는 돈값만치 구멍으로 들여다보고 말 수도 있겠지요. 그렇지만 어디 인생이 자기 주머니 속의 돈 액수만치만 살고 그만두고 싶다면 그만둘 수 있는 요지경인가요 어디. 돈만치만 먹고 말 수 있는 그런 편리한 목구멍인가요 어디. 싫어도 살아야 하니까 문제지요. 사실이지 자살을 할 만치 소중한 인생도 아니고요. 살자

---

26 조리다 '줄이다(살림의 규모를 본디보다 작게 하다.)'의 옛말.
27 요지경 확대경을 장치하여 놓고 그 속의 여러 가지 재미있는 그림을 돌리면서 구경하는 장치나 장난감.

니까 돈이 필요하구요. 필요한 돈이니까 구해야죠. 왜 우리라고 좀 더 넓은 테두리, 법률선(法律線)까지 못 나가란 법이 어디 있어요. 아니 남들은 다 벗어던지구 법률선까지도 넘나들면서 사는데, 왜 우리만이 옹색한 양심의 울타리 안에서 숨이 막혀야 해요. 법률이란 뭐야요. 우리들이 피차에 약속한 선이 아니야요?"

영호는 얼굴을 번쩍 들며 반쯤 끌러 놓았던 넥타이를 마저 끌러서 방구석에 픽 던졌다.

철호는 여전히 턱을 가슴에 푹 묻은 채 묵묵히 앉아 두 짝 다 엄지발가락이 몽땅 밖으로 나온 뚫어진 양말을 내려다보고 있었다. 나일론 양말을 한 켤레 사면 반년은 무난히 뚫어지지 않고 견딘다는 말을 들었다. 그러나 뻔히 알면서도 번번이 100환짜리 무명 양말을 사 들고 들어오는 철호였다. 700환이란 돈을 단번에 잘라 낼 여유가 도저히 없는 월급이었던 것이다.

"가자!"

어머니는 또 몸을 뒤채었다.

"그건 억설[28]이야."

철호는 천천히 고개를 들었다. 신문지를 바른 맞은편 벽에, 쭈그리고 앉은 아내의 그림자가 커다랗게 비쳐 있었다. 꼽추처럼 꼬부리고 앉은 아내의 그림자는 헝클어진 머리카락이 괴물스러웠다. 철호는 눈을 감았다. 머리마저 등 뒤 칸막이 반자[29]에 기대었다.

철호의 감은 눈앞에 10여 년 전 아내가 흰 저고리 까만 치마를 입고 선히 나타났다. 무대에 나선 그네는 더욱 예뻤다. E여자 대학 졸업 음악회였다. 노래가 끝나자 박수 소리가 그칠 줄을 몰랐다. 그날 저녁 같이 거리를 거닐던 그네는 정말 싱싱하고 예뻤었다. 그러나 지금 철호 앞에 쭈그리고 앉은 아내는 그때의 그네가 아니었다. 무슨 둔한 동물처럼 되어 버린 그네. 이제 아무런 희망도 가져

---

28 억설 근거도 없이 억지로 고집을 세워서 우겨 대는 말.
29 반자 방, 마루의 천장을 가려서 만든 구조체.

보려고 하지 않는 아내. 철호는 가만히 눈을 떴다. 그래도 아내의 살눈썹만은 전처럼 까맣고 길었다.

"가자!"

철호는 흠칫 놀라 환상에서 깨어났다.

"억설요? 그런지도 모르죠."

한참이나 잠잠하니 앉아 까물거리는 등잔불을 바라보던 영호의 맥 빠진 대답이었다.

"네 말대로 한다면 돈 있는 사람들은 다 나쁜 사람이란 말밖에 더 되나 어디."

"아니죠. 제가 어디 나쁘고 좋고를 가렸어요. 나쁘긴 누가 나빠요? 왜 나빠요? 아 잘사는 게 나빠요? 도시 나쁘고 좋고부터 따질 아무런 선도 없지요 뭐."

"그렇지만 지금 네 말로는 잘살자면 꼭 양심이고 윤리고 뭐고 다 버려야 한다는 것이 아니고 뭐야."

"천만에요. 잘못 이해하신 겁니다. 간단히 말씀드리면 이렇다는 것입니다. 즉 양심껏 살아가면서 잘살 수도 있기는 있다. 그러나 그것은 극히 적다. 거기에 비겨서 그 시시한 것들을 벗어던지기만 하면 누구나 틀림없이 잘살 수 있다."

"그것이 바로 억설이란 말이다. 마음 한구석이 어딘가 비틀려서 하는 억지란 말이다."

"글쎄요, 마음이 비틀렸다고요. 그건 아마 사실일는지 모르겠어요. 분명히 비틀렸어요. 그런데 그 비틀리기가 너무 늦었어요. 어머니가 저렇게 미치기 전에 비틀렸어야 했지요. 한강 철교를 폭파하기 전에 말입니다. 하나밖에 없는 누이동생 명숙이가 양공주[30]가 되기 전에 비틀렸어야 했지요. 환도령(還都令)[31]이 내리기 전에. 하다못해 동대문 시장에 자리라도 한 자리 비었을 때 말입니다. 그러구 이놈의 배때기에 지금도 무슨 내장이나 한 것처럼 박혀 있는 파편이 터지

---

30 양공주 예전에, 미군 병사를 상대로 몸을 파는 여자를 이르던 말.
31 환도령 휴전 협정이 맺어지고 피난민들에게 자신들이 살던 곳으로 돌아가라는 정부의 발표.

기 전에 말입니다. 아니 그보다도 더 전에, 제가 뭐 무슨 애국자나처럼 남들은 다 기피하는 군대에 어머니의 원수를 갚겠노라고 자원하던 그전에 말입니다."

"……."

"……그보다도 더 전에 썩 전에 비틀렸어야 했을지 모르죠. 나면서부터 비틀렸더라면 더 좋았을지도 모르죠."

영호는 푹 고개를 떨어뜨렸다. 길게 한숨을 내쉬었다. 그 한숨이 후르르 떨고 있었다. 철호는 한참 동안 아무 말도 하지 않았다. 윗목에 앉아 있던 철호의 아내가 방바닥에 떨어진 눈물을 손끝으로 장난처럼 문지르고 있었다. 영호도 훌쩍훌쩍 코를 들이켜고 있었다.

"그렇지만 인생이란 그런 게 아니야. 너는 아직 사람이란 어떻게 살아야만 하는 것인지조차도 모르고 있어."

"그래요, 사람이란 과연 어떻게 살아야 하는 것인지는 정말 모르겠어요. 그렇지만 이제 이 물고 뜯고 하는 마당에서 살자면, 생명만이라도 유지하자면 어떻게 해야 할는지는 알 것 같애요. 허허."

영호는 눈물이 글썽하니 괸 눈을 천장을 향해 쳐들며 자기 자신을 비웃듯이 허허 하고 웃었다.

"가자!"

또 어머니는 가자고 했다. 영호는 아랫목으로 눈을 돌렸다. 철호는 길게 한숨을 쉬었다. 앞의 등잔불이 크게 흔들거렸다. 방 안의 모든 그림자들이 움직였다. 집 전체가 그대로 기울거리는³² 것 같았다. 그것뿐 조용했다. 밤이 꽤 깊은 모양이었다. 세상이 온통 잠들고 있었다.

저만치 골목 밖에서부터 딱 딱 딱 딱 구둣발 소리가 뾰족하게 들려왔다. 점점 가까워 왔다. 바로 아랫방 문 앞에서 멎었다. 영호는 문께로 얼굴을 돌렸다. 삐

---

32 기울거리다 물체가 이리저리 자꾸 기울어지다.

걱삐걱 두어 번 비틀리던 방문이 열렸다. 여동생 명숙이가 들어섰다. 싱싱한 몸매에 까만 투피스가 제법 어느 회사의 여사무원 같았다.

"늦었구나."

영호가 여전히 두 다리를 쭉 뻗고 앉은 채 고개만 뒤로 젖혀서 명숙을 쳐다보았다.

명숙은 영호의 말에 아무런 대꾸도 없이 돌아서서 문밖에서 까만 하이힐을 집어 올려 아랫방 모서리에 들여놓았다. 그리고 백을 휙 방구석에 던졌다. 겨우 겉저고리와 스커트를 벗어 건 명숙은 아랫방 뒷구석에 가서 털썩 하고 쓰러지듯 가로누워 버렸다. 그리고 거기 접어 놓은 담요를 끌어다 머리 위에서부터 푹 뒤집어썼다.

철호는 명숙을 거들떠보지도 않고 덤덤히 등잔불만 지켜보고 있었다.

철호는 언젠가 퇴근하던 길에 전차 창문 밖에서 본 명숙의 꼴을 생각하고 있는 것이었다.

철호가 탄 전차가 을지로 입구 십자 거리에서 머물러 신호를 기다리고 있었다. 손잡이를 붙들고 창을 향해 서 있던 철호는 무심코 밖을 내다보았다. 전차 바로 옆에 미군 지프차가 한 대 와 섰다. 순간 철호는 확 낯이 달아올랐다.

핸들을 쥔 미군 바로 옆자리에 색안경을 쓴 한국 여자가 앉아 있었다. 그것이 바로 명숙이었던 것이다. 바로 철호의 턱밑에서였다. 역시 신호를 기다리는 그 지프차 속에서 미군은 한 손은 핸들에 걸치고 또 한 팔로는 명숙의 허리를 넌지시 끌어안는 것이었다. 미군이 명숙의 얼굴을 들여다보며 뭐라고 수작을 걸었다. 명숙은 다리를 겹치고 앉은 채 앞을 바라보는 자세 그대로 고개를 까딱거렸다. 그 미군 지프차 저편에 와 선 택시 조수가 명숙이와 미군을 쳐다보며 피시시 웃었다. 전찻간에서도 마찬가지였다. 철호 바로 옆에 나란히 서 있던 청년들이 쑥덕거렸다.

"그래도 멋은 부렸네."

"멋? 그래 색안경을 썼으니 말이지?"

"장사치곤 고급이지 밑천 없이."

"저것도 시집을 갈까?"

"흥."

철호는 손잡이를 놓았다. 그리고 반대편 가운데 문께로 가서 돌아서고 말았다. 그것은 분명히 슬픈 감정만은 아니었다. 뭐라고 말할 수조차 없는 숯덩어리 같은 것이 꽉 목구멍을 치밀었다. 정신이 아뜩해지는 것 같았다. 하품을 하고 난 뒤처럼 콧속이 싸하니 쓰리면서 눈물이 징 솟아올랐다. 철호는 앞에 있는 커다란 유리를 꽉 머리로 받아 부수고 싶은 충동을 느끼며 어금니를 꽉 맞섭었다. 찌르르 벨이 울렸다. 덜커덩 전차가 움직였다. 철호는 문짝에 어깨를 가져다 기대고 눈을 감아 버렸다.

그날부터 철호는 정말 한마디도 누이동생 명숙이와 말을 하지 않았다. 또 명숙이도 철호를 본체만체였다.

"자, 우리도 이제 잡시다."

영호가 가슴을 펴서 내어 밀며 바로 앉았다.

등잔불을 끄고 두 방 사이의 문을 닫았다.

폭 가라앉은 것같이 피곤했다. 그러면서도 철호는 정작 잠을 이룰 수는 없었다. 밤은 고요했다. 시간이 그대로 흐르기를 멈추어 버린 것같이 조용했다. 철호의 아내도 이제 잠이 들었나 보다. 앓는 소리를 내었다. 철호는 눈을 감았다. 어딘가 아득히 먼 것을 느끼고 있었다. 철호도 잠이 들어 가고 있었다.

"가자!"

다들 잠든 밤의 그 어머니의 소리는 엉뚱하게 컸다. 철호는 흠칫 눈을 떴다. 차츰 눈이 어둠에 익어 갔다. 며칠인가, 문틈으로 새어 든 달빛이 철호의 옆에서 잠든 딸애의 머리에서부터 발끝까지 죽 파란 줄을 그었다. 철호는 다시 눈을 감았다. 길게 한숨을 쉬며 벽을 향해 돌아누웠다.

"가자!"

또 어머니가 소리를 질렀다. 그러나 철호는 눈을 뜨지 않았다. 그도 마저 잠이 들어 버린 것이었다.

그런데 이번에는 아랫방에서 명숙이가 눈을 떴다. 아랫목에 어머니와 윗목에 오빠 영호 사이에 누운 명숙은 어둠 속에 가만히 손을 내어 밀었다. 어머니의 손을 더듬어 잡았다. 뼈 위에 겨우 가죽만이 씌워진 손이었다. 그 어머니의 손에서는 체온이 느껴지는 것이 아니라 축축이 습기가 미끈거렸다. 명숙은 어머니 쪽을 향하여 돌아누웠다. 한쪽 손을 마저 내밀어서 두 손으로 어머니의 송장 같은 손을 감싸 쥐었다.

"가자!"

딸의 손을 느끼는지 못 느끼는지 어머니는 또 한 번 허공을 향해 가자고 소리 질렀다.

"엄마!"

명숙이의 낮은 소리였다. 명숙은 두 손으로 감싸 쥔 어머니의 여윈 손을 가만히 흔들었다.

"가자!"

"엄마!"

기어이 명숙은 흐느끼기 시작하였다. 명숙은 어머니의 손을 끌어다 자기의 입에 틀어막았다.

"엄마!"

숨을 죽여 가며 참는 명숙의 울음은 한숨으로 바뀌며 어머니의 손가락을 입 안에서 잘근잘근 씹어 보는 것이었다.

"겁내지 말라."

옆에서 영호가 잠꼬대를 했다.

"가자!"

어머니는 명숙의 손에서 자기의 손을 빼어 가지고 저쪽으로 돌아누워 버렸다.

명숙은 다시 담요를 끌어다 머리 위까지 푹 썼다. 그리고 담요 속에서 흐득흐득 울고 있었다.

"엄마."

이번엔 윗방에서 어린것이 엄마를 불렀다.

철호는 잠 속에서 멀리 그 소리를 들었다. 그러면서도 채 잠이 깨어지지는 않았다.

"엄마."

어린것은 또 한 번 엄마를 불렀다.

"오 오 왜. 엄마 여기 있어."

아내의 반쯤 깬 소리였다. 어린것을 끌어다 안는 모양이었다. 철호는 그 소리를 멀리 들으며 다시 곤히 잠들어 버렸다.

"오줌."

"오. 오줌 누겠니. 자 일어나. 착하지."

철호의 아내는 일어나 앉으며 어린것을 안아 일으켰다. 구석에서 깡통을 끌어다 대어 주었다.

"참, 삼춘이 네 신발 사 왔지. 아주 예쁜 거. 볼래?"

깡통을 타고 앉은 어린것을 뒤에서 안아 주고 있던 철호의 아내는 한 손으로 어린것의 머리맡에 놓아두었던 신발을 집어다 보여 주었다. 희미하게 달빛이 들이비쳤을 뿐인 어두운 방 안에서는 그것은 그저 겨우 모양뿐 색채를 잃고 있었다.

"내 거야? 엄마."

"그래, 네 거야."

"예뻐?"

"참 예뻐. 빨강이야."

"응……."

어린것은 잠에 취한 소리로 물으며 신발을 두 손에 받아 가슴에 안았다.

"자 이제 거기 놔두고 자야지."

"응, 낼 신어도 돼?"

"그럼."

어린것은 오물오물 담요 속으로 파고들어 갔다.

"엄마. 낼 신어도 돼?"

"그럼."

뭔가 좀 좋은 것은 아껴야 한다고만 들어 오던 어린것은 또 한 번 이렇게 다짐하는 것이었다.

아내는 어린것의 담요 가장자리를 꼭꼭 눌러 주고 나서 그 옆에 누웠다.

다들 다시 잠이 들었다. 어느 사이에 달빛이 비껴서 칼날 같은 빛을 철호의 가슴으로 옮겼다. 어린것이 부스스 머리를 들었다. 배를 깔고 엎드렸다. 어린것은 조그마한 손을 베개 너머로 내밀었다. 거기 가지런히 놓아둔 신발을 만져 보았다. 어린것은 안심한 듯이 다시 베개를 베고 누웠다. 또다시 조용해졌다. 한참 만에 또 어린것이 움직거렸다. 잠이 든 줄만 알았던 어린것은 또 엎드렸다. 머리맡에 신발을 또 끌어당겼다. 조그마한 손가락으로 신발 코를 꼭 눌러 보았다. 그러고는 이번에는 아주 자리 위에 일어나 앉았다. 신발을 무릎 위에 들어 올려놓았다. 달빛에다 신발을 들이대어 보았다. 바닥을 뒤집어 보았다. 두 짝을 하나씩 두 손에 갈라 들고 고무바닥을 맞대어 보았다. 이번엔 발을 앞으로 내놓았다. 가만히 신발을 가져다 신었다. 앉은 채로 꼭 방바닥을 디디어 보았다.

"가자!"

어린것은 깜짝 놀랐다. 얼른 신발을 벗었다. 있던 자리에 도로 모아 놓았다. 그리고 한 번 더 신발을 바라보고 난 어린것은 살그머니 누웠다. 오물오물 담요 속으로 기어 들어갔다.

점심을 못 먹은 배는 오후 2시에서 3시 사이가 제일 견디기 힘들었다. 철호는 펜을 장부 위에 놓았다. 저쪽 구석에 돌아앉은 사환 애를 바라보았다. 보리차라도 한 잔 더 마시고 싶었다. 그러나 두 잔까지는 사환 애를 시켜서 가져오랄 수 있었으나 세 번까지는 부르기가 좀 미안했다. 철호는 걸상을 뒤로 밀고 일어섰다. 책상 모서리에 놓인 찻종³³을 집어 들었다. 그리고 출입문으로 나갔다. 복도의 풍로³⁴ 위에서 커다란 주전자가 끓고 있었다. 보리차를 찻종 하나 가득히 부었다. 구수한 냄새가 피어올랐다. 철호는 뜨거운 찻종을 손가락으로 꼬집어 들고 조심조심 자기 자리로 돌아와 앉았다. 그리고 찻종을 입으로 가져갔다. 후 불었다. 마악 한 모금 들이마시는 때였다.

"송 선생님 전화입니다."

사환 애가 책상 앞에 와 알렸다. 철호는 얼른 찻종을 책상 위에 내려놓았다. 그리고 과장 책상 앞으로 갔다. 수화기를 들었다.

"네, 송철호올시다. 네? 경찰서요……? 전 송철호라는 사람인데요? 네? 송영호요? 네? 바로 제 동생입니다. 무슨? ……네? 네? 송영호가요? 제 동생이 말입니까? 곧 가겠습니다. 네 네."

철호는 수화기를 걸었다. 그리고 걸어 놓은 수화기를 멍하니 내려다보고 서 있었다. 사무실 안의 사람들의 시선이 모두 철호에게로 쏠렸다.

"무슨 일인가. 동생이 교통사고라도?"

서류를 뒤적이던 과장이 앞에 서 있는 철호를 쳐다보며 말했다.

"네? 네, 저 과장님, 잠깐 다녀오겠습니다."

철호는 마시던 보리차를 그대로 남겨 둔 채 사무실을 나섰다. 영문을 모르는 동료들이 서로 옆 사람의 얼굴을 힐끗 쳐다보는 것이었다.

---

33 찻종 차를 따라 마시는 종지.
34 풍로 화로의 하나. 흙이나 쇠붙이로 만드는데, 아래에 바람구멍을 내어 불이 잘 붙게 하였다.

철호는 전에도 몇 번 경찰서의 호출을 받은 일이 있었다.

양공주 노릇을 하는 누이동생 명숙이가 걸려들면 그 신원 보증을 해야 하는 철호였다. 그때마다 철호는 치안관 앞에서 낯을 못 들고 앉았다가 순경이 앞세우고 나온 명숙을 데리고 아무 말도 없이 경찰서 뒷문을 나서곤 하였다. 그럴 때면 철호는 울었다. 하나밖에 없는 누이동생이 정말 밉고 원망스러웠다. 철호는 명숙을 한 번 돌아다보는 일도 없이 전찻길을 따라 사무실로 걸었고, 또 명숙은 명숙이대로 적당한 곳에서 마치 낯도 모르는 사람이나처럼 딴 길로 떨어져 가버리곤 하는 것이었다.

그런데 이번에는 누이동생이 아니라 남동생 영호의 건이라고 했다. 며칠 전 밤에 취해서 지껄이던 영호의 말들이 머리를 스치고 지나갔다. 불안했다. 그런들 설마 하고 마음을 다시 먹으며 철호는 경찰서 문을 들어섰다.

권총 강도.

형사에게서 동생 영호의 사건 내용을 들은 철호는 앞에 앉은 형사의 얼굴을 바보 모양 멍청히 바라보고 있을 뿐이었다. 점점 핏기가 가셔 가는 철호의 얼굴은 표정을 잃은 채 굳어 가고 있었다.

어느 회사에서 월급을 줄 돈 1500만 환을 찾아서 은행 앞에 대기시켰던 지프차에 싣고 마악 떠나려고 하는데 중절모를 깊숙이 눌러쓰고 색안경을 낀 괴한 두 명이 차 속으로 올라오며 권총을 내어 들더라는 것이었다.

"겁내지 마라! 차를 우이동으로 돌려라."

운전수와 또 한 명 회사원은 차가운 권총 구멍을 등에 느끼며 우이동까지 갔다고 한다. 어느 으슥한 숲속에서 차를 세웠다고 한다. 그러고는 둘이 다 차 밖으로 나가라고 한 다음, 괴한들이 대신 운전대로 옮아 앉더라고 한다. 운전수와 회사원은 거기 버려둔 채 차는 전속력으로 다시 시내로 향해 달렸단다. 그러나 지프차는 미아리도 채 못 와서 경찰에 붙들리고 말았다는 것이었다. 그런데 차 안에는 괴한이 한 사람밖에 없었다고 한다.

형사가 동생을 면회하겠느냐고 물었을 때도 철호는 그저 얼이 빠져서, 두 무릎 위에 맥없이 손을 올려놓고 앉은 채 아무 대답도 못 했다.

이윽고 형사실 뒷문이 열리더니 거기 영호가 나타났다.

"이리로 와."

수갑이 채워진 두 손을 배 앞에다 모으고 천천히 형사의 책상 앞으로 걸어 나오는 영호는 거기 걸상에 앉았다 일어서는 철호를 향하여 약간 머리를 끄덕여 보였다. 동생의 얼굴을 뚫어져라고 바라보고 서 있는 철호의 여윈 볼이 히물히물 움직였다. 괴로울 때의 버릇으로 어금니를 꽉꽉 씹고 있는 것이었다.

형사는 앞에 와서 선 영호에게 눈으로 철호를 가리켰다.

영호는 철호에게로 돌아섰다.

"형님, 미안합니다. 인정선(人情線)에 걸렸어요. 법률선까지는 무난히 뛰어넘었는데. 쏘아 버렸어야 하는 건데."

영호는 철호의 얼굴을 들여다보며 빙그레 웃었다. 그러고는 옆으로 비스듬히 얼굴을 떨어뜨리며 수갑을 채운 오른손 검지를 권총 방아쇠를 당기는 때처럼 까불어서 지그시 당겨 보는 것이었다.

철호는 눈도 깜빡하지 않고 그저 영호의 머리카락이 흐트러져 내린 이마를 바라보고 있었다.

"돌아가세요. 형님."

영호는, 등신처럼 서 있는 형이 도리어 민망한 듯이 조용히 말했다.

"수감해."

형사가 문간에 지키고 서 있는 순경을 돌아보았다.

영호는 그에게로 오는 순경을 향해 마주 걸어갔다. 영호는 뒷문으로 끌려 나가다 말고 멈춰 섰다. 그리고 뒤를 돌아보았다.

"형님, 어린것 화신 구경이나 한번 시키세요. 제가 약속했었는데."

뒷문이 쾅 닫혔다. 철호는 여전히 영호가 사라진 뒷문을 바라보고 서 있었다.

눈이 뿌옇게 흐려졌다. 아무것도 보이지 않았다.

"쏠 의사는 처음부터 없었던 것 같은데."

조서를 한옆[35]으로 밀어 놓으며 형사가 중얼거렸다. 철호는 거기 걸상에 가만히 걸터앉았다.

"혹시 그 같이한 청년을 모르시나요."

철호의 귀에는 형사의 말소리가 아주 멀었다.

"끝내 혼자서 했다고 우기는데, 그러나 증인이 있으니까 이제 차츰 사실대로 자백하겠지만."

여전히 철호는 말이 없었다.

경찰서를 나온 철호는 어디를 어떻게 걸었는지 알 수 없었다. 철호는 술 취한 사람 모양 허청거리는 다리로 자기 집이 있는 언덕길을 올라가고 있었다. 철호는 골목길 어귀에 들어섰다.

"가자!"

철호는 거기 멈춰 섰다. 고개를 뒤로 젖혔다. 그러나 그는 하늘을 쳐다보는 것이 아니었다.

하 하고 숨을 크게 내쉬는 철호는 울고 있었다. 눈물이 콧속으로 흘러서 찝찔하니 목구멍으로 넘어갔다.

"가자. 가자. 어딜 가잔 거야. 도대체 어딜 가잔 거야."

철호는 꽥 소리를 지르고 있었다. 거기 처마 밑에 모여 앉아서 소꿉질을 하던 어린애들이 부스스 일어서며 그를 쳐다보았다. 철호는 그 앞을 모른 체 지나쳐 버렸다.

"오빠 어딜 그렇게 돌아다뉴."

---

35 한옆 한쪽 옆.

철호가 아랫방에 들어서자 윗방 구석에서 고리짝[36]을 열어 놓고 뒤지고 있던 명숙이가 역한 소리를 했다. 윗방에는 넝마 같은 옷가지들이 한 무더기 쌓여 있었다. 딸애는 고리짝 옆에 쪼그리고 앉아서 명숙이가 뒤져 내놓은 헌 옷들을 무슨 진귀한 것이나처럼 지켜보고 있었다. 철호는 아내가 어딜 갔느냐고 물어보려다 말고 그대로 윗방 아랫목에 털썩 주저앉아 버렸다.

"어서 병원에 가 보세요."

명숙은 여전히 고리짝을 들추며 돌아앉은 채 말했다.

"병원엘?"

"그래요."

"병원에라니?"

"언니가 위독해요. 어린애가 걸렸어요."

"뭐가?"

철호는 눈앞이 아찔했다.

점심때부터 진통이 시작되었는데 영 해산을 못 하고 애를 썼단다. 그런데 죽을 악을 쓰다 보니까 어린애의 머리가 아니라 팔부터 나왔다고 한다. 그래 병원으로 실어 갔는데, 철호네 회사에 전화를 걸었더니 나가고 없더라는 것이었다.

"지금쯤 아마 애를 낳았거나, 그렇지 않으면……."

명숙은 흰 헝겊들을 골라 개켜서 한옆으로 젖혀 놓으며 말했다. 아마 어린애의 기저귀를 고르고 있는 모양이었다. 그런데 이상했다. 좀 전에 아찔하던 정신이 사르르 풀리며 온몸의 맥이 쑥 빠져나갔다. 철호는 오래간만에 머릿속이 깨끗이 개는 것을 느꼈다.

말라리아를 앓고 난 다음 날처럼 맥은 하나도 없으면서 머리는 비상히 깨끗

---

36 고리짝 고리버들의 가지나 대오리 따위로 엮어서 상자같이 만든 물건. 주로 옷을 넣어 두는 데 쓴다.

했다. 뭐 놀랄 일이 있느냐 하는 심정이 되었다. 마치 회사에서 무슨 사무를 한 뭉텅이 맡았을 때와 같은 심사였다. 철호는 호주머니에서 담배를 꺼내어 물었다. 언제나 새로 사무를 맡아 시작하기 전에 하는 버릇이었다. 철호는 일어섰다. 그리고 문을 열었다.

"어딜 가슈."

명숙이가 돌아보았다.

"병원에."

"무슨 병원인지도 모르면서."

철호는 참 그렇다고 생각했다.

"S병원이야요."

"……."

철호는 슬그머니 문밖으로 한 발을 내디디었다.

"돈을 가지고 가야지 뭐."

"……돈."

철호는 다시 문안으로 들어섰다. 우두커니 발부리를 내려다보고 서 있었다. 명숙이가 일어섰다. 그리고 아랫방으로 내려갔다. 벽에 걸어 놓았던 핸드백을 벗겼다.

"옛수."

100환짜리 한 다발이 철호 앞 방바닥에 던져졌다. 명숙은 다시 돌아서서 백을 챙기고 있었다. 철호는 명숙의 뒷모습을 물끄러미 바라보고 있었다. 철호의 눈이 명숙의 발뒤축에 머물렀다. 나일론 양말이 계란만치 구멍이 뚫렸다. 철호는 명숙의 그 구멍 뚫린 양말 뒤축에서 어떤 깨끗함을 느끼고 있었다. 오래간만에 철호는 명숙에 대한 오빠로서의 애정을 느꼈다.

"가자."

어머니가 또 외마디 소리를 질렀다.

철호는 눈을 발밑에 돈다발로 떨어뜨렸다. 허리를 꾸부렸다. 연기가 든 때처럼 두 눈이 싸하니 쓰렸다.

"아버지 병원에 가? 엄마 애기 났어[37]?"

"그래."

철호는 돈을 저고리 호주머니에 밀어 넣으며 문을 나섰다.

"가자."

골목을 빠져나가는 철호의 등 뒤에서 또 한 번 어머니의 소리가 들려왔다.

아내는 이미 죽어 있었다.

"네. 그래요."

철호는 간호원보다도 더 심상한[38] 표정이었다. 병원의 긴 복도를 흐청흐청 걸어서 널따란 현관으로 나왔다. 시체가 어디 있느냐고 묻지도 않았다. 무엇인가 큰일이 한 가지 끝났다는 그런 기분이었다. 아니 또 어찌 생각하면 무언가 해야 할 일이 많이 생긴 것 같은 무거운 기분이기도 했다. 그러면서도 그 해야 할 일이 무엇인지는 좀처럼 생각이 나질 않았다. 그저 이제는 그리 서두를 필요도 없어졌다는 생각만으로 철호는 거기 병원 현관에 한참이나 우두커니 서 있었다.

이윽고 병원의 큰 문을 나선 철호는 전찻길을 따라서 천천히 걸었다. 자전거가 휙 그의 팔꿈치를 스치고 지나갔다. 그는 멈춰 섰다. 자기도 모르게 그는 사무실 쪽으로 걸어가고 있었다. 6시도 더 지났을 무렵이었다. 이제 사무실로 가야 할 아무 일도 없었다. 그는 전찻길을 건넜다. 또 한참 걸었다. 그는 또 멈춰 섰다. 이번엔 어느 사이에, 낮에 왔던 경찰서 앞에 와 있었다. 그는 또 돌아섰다. 또 걸었다. 그저 걸었다. 집으로 돌아가자는 생각도 아니면서 그의 발길은 자동 기계처럼 남대문 쪽을 향해 걷고 있었다. 문방구점. 라디오방. 사진관. 제과점.

---

37 났다 규범 표기는 '낳다'이다.
38 심상하다 대수롭지 않고 예사롭다.

그는 길가에 늘어선 이런 가게의 진열장들을 하나하나 기웃거리며 걷고 있었다. 그러면서도 무엇이 있는지 하나도 보이지는 않았다. 그러던 철호는 또 우뚝 섰다. 그는 거기 눈앞에 걸린 간판을 쳐다보고 있었다. 장기판만 한 흰 판에 빨간 페인트로 치과라고 씌어 있었다. 철호는 갑자기 이가 쑤시는 것을 느꼈다. 아침부터, 아니 벌써 전부터 홀떡홀떡 쑤시는 충치가 갑자기 아파 났다. 양쪽 어금니가 아래위 다 쑤셨다. 사실은 어느 것이 정말 쑤시는 것인지조차도 분간할 수가 없었다. 철호는 호주머니에 손을 넣어 보았다. 만 환 다발이 만져졌다.

철호는 치과 간판이 걸린 층계 2층으로 올라갔다.

치과 걸상에 머리를 젖히고 입을 아 벌리고 앉았다. 의사는 달가닥달가닥 소리를 내며 이것저것 여러 가지 쇠꼬치를 그의 입에 넣었다 꺼냈다 하였다. 철호는 매시근하니[39] 잠이 왔다. 아무런 생각도 하지 않고 입을 크게 벌린 채 눈을 감고 있었다.

"좀 아팠지요? 뿌리가 꾸부러져서."

의사가 집게에 뽑아 든 이를 철호의 눈앞에 가져다 보여 주었다. 속이 시꺼멓게 썩은 징그러운 이뿌리에 뻘건 살점이 묻어 나왔다. 철호는 솜을 입에 문 채 머리를 좌우로 흔들어 보였다. 사실 아프지도 아무렇지도 않았다.

"됐습니다. 한 30분 후에 솜을 빼어 버리슈. 피가 좀 나올 겁니다."

"이쪽을 마저 빼 주십시오."

철호는 옆의 타구에 피를 뱉고 나서 또 한쪽 볼을 눌러 보았다.

---

39 매시근하다 기운이 없고 나른하다.

"어금니를 한 번에 두 대씩 빼면 출혈이 심해서 안 됩니다."

"괜찮습니다."

"아니. 내일 또 빼지요."

"다 빼 주십시오. 한목[40]에 몽땅 다 빼 주십시오."

"안 됩니다. 치료를 해 가면서 한 대씩 빼야지요."

"치료요? 그럴 새가 없습니다. 마악 쑤시는걸요."

"그래도 안 됩니다. 빈혈증이 일어나면 큰일 납니다."

하는 수 없었다. 철호는 치과를 나왔다. 또 걸었다. 잇몸이 밍하니 아픈 것 같기도 하고 또 어찌하면 시원한 것 같기도 했다. 그는 한 손으로 볼을 쓸어 보았다.

그렇게 얼마를 걷던 철호는 거기에 또 치과 간판을 발견하였다. 역시 2층이었다.

"안 될 텐데요."

거기 의사도 꺼렸다. 철호는 괜찮다고 우겼다. 한쪽 어금니를 마저 빼었다. 이번에는 두 볼에다 다 밤알만큼씩 한 솜덩어리를 물고 나왔다. 입안이 찝찔했다. 간간이 길가에 나서서 피를 뱉었다. 그때마다 시뻘건 선지피가 간덩어리처럼 엉겨서 나왔다.

남대문을 오른쪽에 끼고 돌아서 서울역이 보이는 데까지 왔을 때 으스스 몸이 한 번 떨렸다. 머리가 휭하니 비어 버린 것 같다고 생각했다. 바로 그때에 번쩍 거리에 전등이 들어왔다. 눈앞이 한 번 환해졌다. 그런데 다음 순간에는 어찌된 셈인지 좀 전에 전등이 켜지기 전보다 더 거리가 어두워졌다. 철호는 눈을 한 번 꾹 감았다. 다시 떴다. 그래도 매한가지였다. 이건 배 속이 비어서 그렇다고 철호는 생각했다. 그는 새삼스레, 점심도 저녁도 안 먹은 자기를 깨달았다. 뭐든가 좀 먹어야겠다고 생각했다. 구수한 설렁탕 생각이 났다. 입안에 군침이 하나

---

40 한목 한꺼번에 몰아서 함을 나타내는 말.

가득히 괴었다. 그는 어느 전주 밑에 가서 쭈그리고 앉아서 침을 뱉었다. 그런데 그건 침이 아니라 진한 피였다. 그는 다시 일어섰다. 또 한 번 오한이 전신을 간질이고 지나갔다. 다리가 약간 떨리는 것 같았다. 그는 속히 음식점을 찾아내어야겠다고 생각하며 서울역 쪽으로 허청허청[41] 걸었다.

"설렁탕."

무슨 약 이름이기나 한 것처럼 한마디 일러 놓고는 그는 식탁 위에 엎드려 버렸다. 또 입안으로 하나 찝찔한 물이 괴었다. 철호는 머리를 들었다. 음식점 안을 한 바퀴 휘둘러보았다. 머리가 아찔했다. 그는 일어섰다. 그리고 문밖으로 급히 걸어 나갔다. 음식점 옆 골목에 있는 시궁창에 가서 쭈그리고 앉았다. 울컥하고 입안에 것을 뱉었다. 그러나 이번에는 주위가 어두워서 그것이 핀지 또는 침인지 알 수 없었다. 철호는 저고리 소매로 입술을 닦으며 일어섰다. 이를 뺀 자리가 쿡 한 번 쑤셨다. 그러자 뒤이어 거기에 호응이나 하듯이 관자놀이가 또 쿡 쑤셨다. 철호는 아무래도 좀 이상하다고 생각했다. 이제 빨리 집으로 돌아가 누워야겠다고 생각했다. 그는 다시 큰길로 나왔다. 마침 택시가 한 대 왔다. 그는 손을 한 번 흔들었다.

철호는 던져지듯이 털썩 택시 안에 쓰러졌다.

"어디로 가시죠?"

택시는 벌써 구르고 있었다.

"해방촌."

자동차는 스르르 속력을 늦추었다. 해방촌으로 가자면 차를 돌려야 하는 까닭이었다. 운전수는 줄지어 달려오는 자동차의 사이가 생기기를 노리고 있었다. 저만치 자동차의 행렬이 좀 끊겼다. 운전수는 핸들을 잔뜩 비틀어 쥐었다. 운전수가 몸을 한편으로 기울이며 마악 핸들을 틀려는 때였다. 뒷자리에서 철

---

41 허청허청 다리에 힘이 없어 잘 걷지 못하고 비틀거리는 모양.

호가 소리를 질렀다.

"아니야. S병원으로 가."

철호는 갑자기 아내의 죽음을 생각했던 것이었다. 운전수는 다시 획 핸들을 이쪽으로 틀었다. 운전수 옆에 앉아 있는 조수 애가 한 번 철호를 돌아다보았다. 철호는 뒷자리 한구석에 가서 몸을 틀어박은 채 고개를 뒤로 젖히고 눈을 감고 있었다. 차는 한국은행 앞 로터리를 돌고 있었다. 그때에 또 뒤에서 철호가 소리를 질렀다.

"아니야. ×경찰서로 가."

눈을 감고 있는 철호는 생각하는 것이었다. 아내는 이미 죽었는데 하고.

이번에는 다행히 차의 방향을 바꿀 필요가 없었다. 그냥 달렸다.

"×경찰서 앞입니다."

철호는 눈을 떴다. 상반신을 번쩍 일으켰다. 그러나 곧 또 털썩 뒤로 기대고 쓰러져 버렸다.

"아니야. 가."

"×경찰섭니다. 손님."

조수 애가 뒤로 몸을 틀어 돌리고 말했다.

"가자."

철호는 여전히 눈을 감고 있었다.

"어디로 갑니까?"

"글쎄 가."

"하 참 딱한 아저씨네."

"……."

"취했나?"

운전수가 힐끔 조수 애를 쳐다보았다.

"그런가 봐요."

"어쩌다 오발탄(誤發彈)[42] 같은 손님이 걸렸어. 자기 갈 곳도 모르게."

운전수는 기어를 넣으며 중얼거렸다. 철호는 까무룩히 잠이 들어 가는 것 같은 속에서 운전수가 중얼거리는 소리를 멀리 듣고 있었다. 그리고 마음속으로 혼자 생각하는 것이었다.

'아들 구실. 남편 구실. 애비 구실. 형 구실. 오빠 구실. 또 계리사 사무실 서기 구실. 해야 할 구실이 너무 많구나. 너무 많구나. 그래 난 네 말대로 아마도 조물주의 오발탄인지도 모른다. 정말 갈 곳을 알 수가 없다. 그런데 지금 나는 어디건 가긴 가야 한다.'

철호는 점점 더 졸려 왔다. 다리가 저린 것처럼 머리의 감각이 차츰 없어져 갔다.

"가자!"

철호는 또 한 번 귓가에 어머니의 소리를 들었다고 생각하며 푹 모로 쓰러지고 말았다.

차가 네거리에 다다랐다. 앞의 교통 신호등에 빨간불이 켜졌다. 차가 섰다. 또 한 번 조수 애가 뒤를 돌아보며 물었다.

"어디로 가시죠?"

그러나 머리를 푹 앞으로 수그린 철호는 아무 대답도 없었다.

따르릉 벨이 울렸다. 긴 자동차의 행렬이 움직이기 시작했다. 철호가 탄 차도 목적지를 모르는 대로 행렬에 끼어서 움직이는 수밖에 없었다. 철호의 입에서 흘러내린 선지피가 흥건히 그의 와이셔츠 가슴을 적시고 있는 것은 아무도 모르는 채 교통 신호등의 파랑 불 밑으로 차는 네거리를 지나갔다.

(1959년)

---

42 오발탄 잘못 쏜 탄환.

꺼삐딴 리

전광용

전광용(1919~1988)

함경남도 북청에서 태어났다. 1955년 〈조선일보〉 신춘문예에
소설 〈흑산도〉가 당선되면서 본격적인 작품 활동을 시작했다.
전광용의 대표작 〈꺼삐딴 리〉는 세속적 이익만을 좇는 출세주
의자의 모습을 통해 한국 사회 지도층 전반의 타락과 이기심을
꼬집는 작품이다. 작가는 이처럼 일제 강점기를 거쳐 전쟁으로
이어지는 역동적인 시대 배경을 중심으로 창작 활동을 펼쳤다.
문학을 전공하여 교수로 재직하면서 소설 창작뿐만 아니라 소
설 연구에도 몰두한 학자이기도 하다. 〈충매화〉〈세끼미〉《태백
산맥》《나신》 등 여러 작품을 썼다.

수술실에서 나온 이인국(李仁國) 박사는 응접실 소파에 파묻히듯이 깊숙이 기대어 앉았다.

그는 백금 무테안경을 벗어 들고 이마의 땀을 닦았다. 등골에 축축이 밴 땀이 잦아들어 감에 따라 피로가 스며 왔다. 2시간 20분의 집도(執刀). 위장 속의 균종(菌腫)[1] 적출. 환자는 아직 혼수상태에서 깨지 못하고 있다.

수술을 끝낸 찰나 스쳐 가는 육감 그것은 성공 여부의 적중률을 암시하는 계시 같은 것이다. 그러나 오늘은 웬일인지 뒷맛이 꺼림칙하다.

그는 항생질(抗生質) 의약품[2]이 그다지 발달되지 않았던 일제 시대부터 개복 수술에 최단 시간의 기록을 세웠던 것을 회상해 본다.

맹장염이나 포경(包莖) 수술, 그 정도의 것은 약과다. 젊은 의사들에게 맡겨 버리면 그만이다. 대수술의 경우에는 그렇게 방임할 수만은 없다. 환자 측에서도 대개 원장의 직접 집도를 조건부로 입원시킨다. 그는 그것을 자랑으로 삼아 왔고 스스로 집도하는 쾌감마저 느꼈었다.

그의 병원 부근은 거의 한 집 건너 병원이랄 수 있을 정도로 밀집한 지대다. 이름 없는 신설 병원 같은 것은 숫제[3] 비 장날 시골 전방처럼 한산한 속에 찾아오는 손님을 기다리고 있는 형편이다.

그러나 이인국 박사는 일류 대학 병원에까지 손을 쓰지 못하여 밀려오는 급

---

1 균종 곰팡이 종류의 세균이 침입하여 생기는 혹과 비슷한 종기.
2 항생질 의약품 미생물이나 세균의 번식을 억제하는 화학 물질로 된 의약품.
3 숫제 아예 전적으로.

환자들 틈에 끼여 환자의 감별에서 각별한 신경을 쓰고 있다.

그것은 마치 여관 보이가 현관으로 들어서는 손님의 옷차림을 훑어보고 그 등급에 맞는 방을 순간적으로 결정하거나 즉석에서 서슴지 않고 거절하는 경우와 흡사한 것이라고나 할까.

이인국 박사의 병원은 두 가지의 전통적인 특징을 가지고 있다.

병원 안이 먼지 하나도 없이 정결하다는 것과 치료비가 여느 병원의 갑절이나 비싸다는 점이다.

그는 새로운 환자의 초진(初診)에서는 병에 앞서 우선 그 부담 능력을 감정하는 데서부터 시작한다. 신통치 않다고 느껴지는 경우에는 무슨 핑계를 대든, 그것도 자기가 직접 나서는 것이 아니라 간호원더러 따돌리게 하는 것이다.

그렇게 중환자가 아닌 한 대부분의 경우 예진(豫診)[4]은 젊은 의사들이 했다. 원장은 다만 기록된 진찰 카드에 따라 환자의 증세와 아울러 경제 제도를 판정하는 최종 진단을 내리면 된다.

상대가 지기[5]나 거물급이 아닌 한 외상이라는 명목은 붙을 수가 없었다. 설령 있다 해도 이 양면 진단은 한 푼의 미수나 결손도 없게 한 그의 반생을 통한 의술 생활의 신조요 비결이었다.

그러기에 그의 고객은, 왜정 시대[6]는 주로 일본인이었고 현재는 권력층이 아니면 재벌의 셈속에 드는 축이어야만 했다.

그의 일과는 아침에 진찰실에 나오자 손가락 끝으로 창틀이나 탁자 위를 훑어 무테안경 속 움푹한 눈으로 응시하는 일에서 출발한다.

이때 손가락 끝에 먼지만 묻으면 불호령이 터지고, 간호원은 하루 종일 원장의 신경질에 부대껴야만 한다.

---

4 예진 환자의 병을 자세하게 진찰하기 전에 미리 간단하게 진찰하는 일.
5 지기 지기지우(知己之友). 서로 마음이 통하는 벗.
6 왜정 시대 '일제 강점기'의 전 용어.

아무튼 단골 고객들은 그의 정결한 결백성에 감탄과 경의를 표해 마지않는다.

1·4 후퇴 시 청진기가 든 손가방 하나를 들고 월남한 이인국 박사다. 그는 수복되자 재빨리 셋방 하나를 얻어 병원을 차렸다. 그러나 이제는 평당 50만 환을 호가하는 도심지에 타일을 바른 2층 양옥을 소유하게 되었다. 그는 자기 전문의 외과 외에 내과, 소아과, 산부인과 등 개인 병원을 집결시켰다. 운영은 각자의 호주머니 셈속이었지만 종합 병원의 원장 자리는 의젓이 자기가 차지하고 있다.

이인국 박사는 양복 조끼 호주머니에서 십팔금 회중시계를 꺼내어 시간을 보았다.

2시 40분!

미국 대사관 브라운 씨와의 약속 시간은 20분밖에 남지 않았다. 이 시계에도 몇 가닥의 유서 깊은 이야기가 숨어 있다. 이인국 박사는 시계를 볼 때마다 참말 '기적'임에 틀림없었던 사태를 연상하게 된다.

왕진 가방과 삼팔선을 넘어온 피란 유물의 하나인 시계. 가방은 미군 의사에게서 얻은 새것으로 갈아 매어 흔적도 없게 된 지금, 시계는 목숨을 걸고 삶의 도피행을 같이한 유일품이요, 어찌 보면 인생의 반려(伴侶)이기도 한 것이다.

밤에 잘 때에도 그는 시계를 머리맡에 풀어 놓거나 호주머니에 넣은 채로 버려두지 않는다. 반드시 풀어서 등기 서류, 저금통장 등이 들어 있는 비상용 캐비닛 속에 넣고야 잠자리에 드는 것이었다. 거기에는 또 그럴 만한 연유가 있었다. 이 시계는 제국 대학을 졸업할 때 받은 영예로운 수상품이다. 뒤쪽에는 자기 이름이 새겨져 있다.

그 후 30여 년, 자기 주변의 모든 것이 변하여 갔지만 시계만은 옛 모습 그대로다. 주변뿐만 아니라 자기 자신은 얼마나 변한 것인가. 20대 홍안[7]을 자랑하던 젊음은 어디로 사라진 것인지 머리카락도 반백[8]이 넘었고 이마의 주름은 깊어만 간다. 일제 시대, 소련군 점령하의 감옥 생활, 6·25 사변, 삼팔선, 미군 부대, 그동안 몇 차례의 아슬아슬한 죽음의 고비를 넘긴 것이다.

'월삼 17석[9].'

우여곡절 많은 세월 속에서 아직도 제 시간을 유지하는 것만도 신기하다. 시간을 보고는 습성처럼 째각째각 소리에 귀 기울이는 때의 그의 가느다란 눈매에는 흘러간 인생의 축도[10]가 서리는 것이었다. 그 속에서도, 각모(角帽)[11]와 쓰메에리 학생복을 벗어 버리고 신사복으로 갈아입던 그날의 감회를 더욱 새롭게 해 주는 충동을 금할 길 없는 것이었다.

이인국 박사는 수술 직전에 서랍에 집어넣었던 편지에 생각이 미쳤다.

미국에 가 있는 딸 나미. 본래의 이름은 일본식의 나미꼬[奈美子]다. 해방 후 그것이 거슬린다기에 나미로 불렀고 새로 기류계[12]에 올릴 때에는 꼬[子] 자를 완전히 떼어 버렸다.

나미짱! 딸의 모습은 단란하던 지난날의 추억과 더불어 떠올랐다.

온 집안의 재롱둥이였던 나미, 그도 이젠 성숙했다. 그마저 자기 옆에서 떠난 지금, 새로운 정에서 산다고는 하지만 이인국 박사는 가끔 물밀어 오는 허전한 감을 금할 길이 없었다.

아내는 거제도 수용소에 있을 때 죽었고, 아들의 생사는 지금껏 알 길이 없다.

서울에서 다시 만나 후처로 들어온 혜숙(蕙淑). 20년의 연령 차에서 오는 세

---

7 홍안　붉은 얼굴이라는 뜻으로, 젊어서 혈색이 좋은 얼굴을 이르는 말.
8 반백　흰색과 검은색이 반반 정도인 머리털.
9 월삼 17석　'월삼'은 시계를 만든 미국의 회사 이름 'Waltham'을 의미하며, '17석'은 그 시계에 박혀 있는 보석의 수가 17개라는 뜻이다.
10 축도　대상이나 그림을 일정한 비율로 줄여서 원형보다 작게 그린 그림.
11 각모　'사각모자'의 준말.
12 기류계(寄留屆)　본적지 밖에 머무른다는 뜻을 관할 관청에 신고하던 서류.

대의 거리감을 그는 억지로 부인해 본다. 그러나 혜숙의 피둥피둥한 탄력에 윤기가 더해 가는 살결에 비해 자기의 주름 잡힌 까칠한 피부는 육체적 위축감마저 느끼게 하는 때가 없지 않았다.

그들 사이에서 난 돌 지난 어린것, 앞날이 아득한 이 핏덩이만이 지금의 이인국 박사의 곁을 지켜 주는 유일한 피붙이다.

이인국 박사는 기대와 호기에 가득 찬 심정으로 항공 우편의 피봉[13]을 뜯었다.

전번 편지에서 가타부타[14] 단안[15]은 내리지 않고 잘 생각해서 결정하라고 한 그 후의 경과다.

'결국은 그렇게 되고야 마는 건가…….'

그는 편지를 탁자 위에 밀어 놓았다. 어쩌면 이러한 결말은 딸의 출국 이전에서부터 이미 싹튼 것인지도 모른다는 생각이 들었다.

대학에서 영문과를 택한 딸, 개인 지도를 하여 준 외인 교수, 스칼라십[16]을 얻어 준 것도 그고, 유학 절차의 재정 보증인을 알선해 준 것도 그가 아닌가, 우연한 일은 아니다.

그러한 시류에 따라 미국 유학을 해야만 한다고 주장한 것은 오히려 아버지 자기가 아닌가.

동양학을 연구하고 있는 외인 교수. 이왕이면 한국 여성과 결혼했으면 좋겠다던 솔직한 고백에, 자기의 학문을 위한 탁월한 견해라고 무심코 찬의를 표한 것도 자기가 아니던가. 그것도 지금 생각하면 하나의 암시였음이 분명하지 않은가.

이인국 박사는 상아로 된 오존 파이프를 앞니에 힘을 주어 지그시 깨물며 눈을 감았다.

---

13 피봉 **겉봉투.**
14 가타부타 **어떤 일에 대하여 옳다느니 그르다느니 함.**
15 단안 **어떤 사항에 대한 생각을 딱 잘라 결정함.**
16 스칼라십(scholarship) **장학금. 혹은 장학금을 받을 자격.**

꼭 풀 쑤어 개 좋은 일을 한 것만 같은 분하고도 허황한 심정이다.

'코쟁이 사위.'

생각만 해도 전신의 피가 역류하는 것 같은 몸서리가 느껴졌다.

'더러운 년 같으니, 기어코……'

그는 큰기침을 내뱉었다.

그의 생각은 왜정 시대 내선일체[17]의 혼인론이 떠돌던 이야기에 꼬리를 물었다. 그때는 그것을 비방하거나 굴욕처럼 느끼지는 않았다. 오히려 당연한 것으로 해석했고 어찌 보면 우월한 것으로 생각하지 않았던가. 그런데 이 경우는…….

그는 딸의 편지 구절을 곱씹었다.

'애정에 국경이 있어요?'

이것은 벌써 진부하다. 아비도 학창 시절에 그런 풍조는 다 마스터했다. 건방지게, 이제 새삼스레 아비에게 설교 조로…… 좀 더 솔직하지 못하고…….

그러니 외딸인 제가 그런 국제결혼의 시금석[18]이 되겠단 말인가.

'아무튼 아버지께서 쉬[19] 한번 오신다니 최종 결정은 아버지의 의향에 따라 결정할 예정입니다만…….'

그래 아버지가 안 가면 그대로 정하겠단 말인가.

이인국 박사는 일대 잡종(一大雜種)의 유전 법칙이 떠오르자 머리를 내저었다. '흰둥이 외손자', 생각만 해도 징그럽다.

그는 내던졌던 사진을 다시 집어 들었다.

대학 캠퍼스 같은 석조전의 거대한 건물, 그 앞의 정원, 뒤쪽에 짝을 지어 걸어가는 남녀 학생, 이 배경 속에 딸과 그 외인 교수가 나란히 어깨를 짚고 서서

---

17 내선일체 일본과 조선은 한 몸이라는 뜻. 일본이 조선인들의 자주 독립 의지를 꺾고 한반도에서의 자원 수탈을 정당화하기 위해 만들어 낸 논리이다.
18 시금석 귀금속의 순도를 판정하는 데 쓰이는 암석이라는 뜻. 가치, 능력, 역량 따위를 알아볼 수 있는 기준이 되는 기회나 사물을 비유적으로 이르는 말이다.
19 쉬 '쉬이(멀지 아니한 가까운 장래에)'의 준말.

웃음을 짓고 있다.

'흥 놀기는 잘들 논다…….'

응, 신음 소리를 치며 그는 자리에서 일어섰다. 아무튼 미스터 브라운을 만나 이왕 가는 길이면 좀 더 서둘러야겠다. 그 가장 대우가 좋다는 국무성 초청 케이스의 확정 여부를 빨리 확인해야겠다는 생각이 조바심을 쳤다.

그는 아내 혜숙이 있는 살림방 쪽으로 건너갔다.

"여보, 나미가 기어코 결혼하겠다는구려."

"그래요……."

아내의 어조에는 별다른 감동이나 의아도 없음을 이인국 박사는 직감했다.

그는 가능한 한 혜숙이 앞에서 전실 소생의 애들 이야기를 하는 것을 삼가 왔다.

어떻게 보면 나미의 미국 유학을 간접적으로 자극한 것은 가정 분위기의 소치[20]라는 자격지심이 없지 않기도 했다.

나미는 물론 혜숙을 단 한 번도 어머니라고 불러 준 일이 없었다.

혜숙이 또한 나미 앞에서 어머니라고 버젓이 행세한 일도 없었다.

지난날의 간호원과 오늘의 어머니, 그 사이에는 따져서 표현할 수 없는 미묘한 감정들이 복재[21]되어 있었다.

"선생님의 일이라면 무엇이든지 돕겠어요."

서울에서 이인국 박사를 다시 만났을 때 마음속 그대로 털어놓은 혜숙의 첫마디였다.

처음에는 혜숙이도 부인의 별세를 몰랐고, 이인국 박사도 혜숙이의 혼인 여부를 참견하지 않았다.

혜숙은 곧 대학 병원을 그만두고 이리로 옮겨 왔다.

---

20 소치 어떤 까닭으로 생긴 일.
21 복재 몰래 숨어 있음.

나미는 옛정이 다시 살아 혜숙을 언니처럼 따랐다.

이들의 혼인이 익어 갈 때 이인국 박사는 목에 걸리는 딸의 의향을 우선 듣기로 했다.

딸도 아버지의 외로움을 동정하고 있었다. 자기 자신 아버지의 시중이 힘에 겨웠고 또 그사이 실지[22]의 아버지 뒤치다꺼리를 혜숙이 해 왔으므로 딸은 즉석에서 진심으로 찬의를 표했다.

그러나 시간이 흐를수록 혜숙과 나미의 간격은 벌어졌고, 혜숙도 남편과의 정상적인 가정생활에 나미가 장애물이 되는 것 같은 느낌을 차츰 가지게 되었다.

혜숙 자신도 처음에는 마음 놓고 이인국 박사를 남편이랍시고 일대일로 부르진 못했다.

나미의 출발, 그 후 어린애의 해산, 이러한 몇 고개를 넘는 사이에 이제 겨우 아내답게 늠름히 남편을 대할 수 있고 이인국 박사 또한 제대로의 남편의 체모[23]로 아내에게 농을 걸 수도 있게끔 되었다.

"기어쿠 그 외인 교수하군가 가까워지는 모양인데."

이인국 박사는 아내의 얼굴을 직시하지는 못하고 마치 독백하듯이 뇌까렸다.

"할 수 있어요, 제 좋다는 대로 해야지요."

마치 남의 이야기를 하는 것처럼 이인국 박사에게는 들려왔다.

"글쎄, 하기는 그렇지만……."

그는 입맛만 다시며 더 이상 계속하지 못했다.

잠을 깨어 울고 있는 어린것에게 젖을 물리고 있는 아내의 젊은 육체에서 자극을 느끼면서 이인국 박사는 자기 자신이 죄를 지은 것만 같은 나미에 대한 강박 관념을 금할 길이 없었다.

---

22 실지 실제의 처지나 경우.
23 체모 몸가짐이나 체면.

저 어린것이 자라서 아들 원식(元植)이나 또 나미 정도의 말 상대가 되려도 아직 20여 년의 세월이 흘러야 한다.

그때 자기는 70이 넘는 할아버지다.

현대 의학이 인간의 평균 수명을 연장하고, 암(癌) 같은 고질이 아닌 한 불의의 죽음은 없다 하지만, 자기 자신이 의사이면서 스스로의 생명 하나를 보장할 수 없다.

'마누라는 눈앞에서 나는 새 놓치듯이 죽이지 않았던가.'

아무리 해도 저놈이 대학을 나올 때까지는 살아야 한다. 아무렴, 때가 때인 만큼 미국 유학까지는 내 생전에 시켜 주어야지.

하기야 그런 의미에서도 일찌감치 미국 혼반²⁴을 맺어 두는 것도 그리 해로울 건 없지 않나. 아무렴 우리보다는 낫게 사는 사람들인데. 남 좀 보기 체면이 안 서서 그렇지.

그는 자위인지 체념인지 모를 푸념을 곱씹었다.

"여보, 저걸 좀 꾸려요."

이인국 박사의 말씨는 점잖게 가라앉았다.

"뭐 말이에요?"

아내는 젖꼭지를 물린 채 고개만을 돌려 되묻는다.

"저, 병 말이오."

그는 화장대 위에 놓은 골동품을 가리켰다.

"어디 가져가셔요?"

"저 미 대사관 브라운 씨 말이야. 늘 신세만 졌는데……."

아내가 꼼꼼히 싸 놓은 포장물을 들고 이인국 박사는 천천히 현관을 나섰다.

벌써 석간신문이 배달되었다.

---

24 혼반 서로 혼인을 맺을 만한 양반의 지체. 여기서는 미국인과의 '혼인'을 의미한다.

아무리 생각해도 그것은 분명 기적임에 틀림없는 일이었다. 간헐적으로 반복되어 공포와 감격을 함께 휘몰아치는 착잡한 추억. 늘 어제 일마냥[25] 생생하기만 하다.

1945년 8월 하순.

아직 해방의 감격이 온 누리를 뒤덮어 소용돌이칠 때였다.

말복(末伏)도 지난 날씨언만 여전히 무더웠다. 이인국 박사는 이 며칠 동안 불안과 초조에 휘둘려 잠도 제대로 자지 못했다. 무엇인가 닥쳐올 사태를 오돌오돌[26] 떨면서 대기하는 상태였다.

그렇게 붐비던 환자도 하나 얼씬하지 않고 쉴 사이 없던 전화도 뜸하여졌다. 입원실은 최후의 복막염 환자였던 도청의 일본인 과장이 끌려간 후 텅 비었다.

조수와 약제사는 궁금증이 나서 고향에 다녀오겠다고 떠나갔고 서울 태생인 간호원 혜숙이만이 남아 빈집 같은 병원을 지키고 있었다.

2층 10조 다다미방에 훈도시[27]와 유카타[28] 바람에 뒹굴고 있던 이인국 박사는 견디다 못해 부채를 내던지고 일어났다.

그는 목욕탕으로 갔다. 찬물을 퍼서 대야째로 머리에서부터 몇 번이고 내리부었다. 등줄기가 시리고 몸이 가벼워졌다.

그러나 수건으로 몸을 닦으면서도 무엇인가 짓눌려 있는 것 같은 가슴속의 갑갑증을 가셔 낼 수가 없었다.

그는 창문으로 기웃이 한길가[29]를 내려다보았다. 우글거리는 군중들은 아직도 소음 속으로 밀려가고 있다.

굳게 닫혀 있는 은행 철문에 붙은 벽보가 한길을 건너 하얀 윤곽만이 두드러져 보인다.

---

25 마냥 '처럼'의 잘못.
26 오돌오돌 '오들오들'의 잘못.
27 훈도시(ふんどし) 일본의 전통 속옷. 앞가리개.
28 유카타(ゆかた) 일본의 전통 의상. 가운 형태로 된 평상복.
29 한길가 사람이나 차가 많이 다니는 넓은 길의 양쪽 가장자리.

아니 그곳에 씌어 있는 구절.

'親日派, 民族 反逆者를 打倒하자.[30]'

옆에 붉은 동그라미를 두 겹으로 친 글자가 그대로 눈앞에 선명하게 보이는 것만 같다.

어제 저물녘에 그것을 처음 보았을 때의 전율이 되살아왔다.

순간 이인국 박사는 방 쪽으로 머리를 홱 돌렸다.

'나야 원 괜찮겠지…….'

혼자 뇌까리면서 그는 다시 부채를 들었다. 그러나 벽보를 들여다보고 있을 때 자기와 눈이 마주치는 순간, 일그러지는 얼굴에 경멸인지 통쾌인지 모를 웃음을 비죽거리면서 아래위로 훑어보던 그 춘석(春錫)이 녀석의 모습이 자꾸만 머릿속으로 엄습하여 어두운 밤에 거미줄을 뒤집어쓴 것처럼 꺼림텁텁하기만 했다.

그깟 놈 하고 머리에서 씻어 버리려도 거머리처럼 자꾸만 감아 붙는 것만 같았다.

벌써 6개월 전의 일이다.

형무소에서 병보석[31]으로 가출옥[32]되었다는 중환자가 업혀서 왔다.

횅뎅그런 눈에 앙상하게 뼈만 남은 몸을 제대로 가누지도 못하는 환자, 그는 간호원의 부축으로 겨우 진찰을 받았다.

청진기의 상아 꼭지를 환자의 가슴에서 등으로 옮겨 두 줄기의 고무줄에서 감득되는 숨소리를 감별하면서도, 이인국 박사의 머릿속은 최후 판정의 분기점을 방황하고 있었다.

---

30 親日派, 民族 反逆者를 打倒하자 친일파, 민족 반역자를 타도하자.
31 병보석 구류 중인 미결수가 병이 날 경우 그를 석방하는 일.
32 가출옥 형기(刑期)가 끝나지 않은 죄수를 일정한 조건 아래 미리 풀어 주는 '가석방'의 전 용어.

입원시킬 것인가, 거절할 것인가…….

환자의 몰골이나 업고 온 사람의 옷매무새로 보아 경제 정도는 뻔한 일이라 생각되었다.

그러나 그것보다도 더 마음에 켕기는 것이 있었다. 일본인 간부급들이 자기 집처럼 들락날락하는 이 병원에 이런 사상범[33]을 입원시킨다는 것은 관선[34] 시의원이라는 체면에서도 떳떳치 못할뿐더러, 자타가 공인하는 모범적인 황국 신민(皇國臣民)[35]의 공든 탑이 하루아침에 무너지는 결과를 가져오는 것이라는 생각이 들었다.

순간 그는 이런 경우의 가부 결정에 일도양단하는[36] 자기 식으로 찰나적인 단안을 내렸다.

그는 응급 치료만 하여 주고 입원실이 없다는 가장 떳떳하고도 정당한 구실로 애걸하는 환자를 돌려보냈다.

환자의 집이 병원에서 멀지 않은 건너편 골목 안에 있다는 것은 후에 간호원에게서 들었다. 그러나 그쯤은 예사로운 일이었기에 그는 그대로 아무렇지도 않게 흘러버렸다.

그런데 며칠 전 시민대회 끝에 있는 해방 경축 시가행진을 자기도 흥분에 차 구경하느라고 혜숙이와 함께 대문 앞에 나갔다가, 자위대 완장(腕章)을 두르고 대열에 끼인 젊은이와 눈이 마주쳤다.

이쪽을 노려보는 청년의 눈에서 불똥이 튀는 것 같은 살기를 느꼈다.

무슨 영문인지 모르고 어리벙벙하던 이인국 박사는, 그것이 언젠가 입원을 거절당한 사상범 환자 춘석이라는 것을 혜숙에게서 듣고야 슬금슬금 주위의 눈치를 살피며 집으로 기어 들어왔다.

---

33 사상범 현존 사회 체제에 반대하는 사상을 가지고 개혁을 꾀하는 행위를 함으로써 성립하는 범죄. 또는 그런 죄를 지은 사람.
34 관선 국가 기관에서 가려 뽑음.
35 황국 신민 일제 강점기에, 천황이 다스리는 나라의 신하 된 백성이라 하여 일본이 자국민을 이르던 말.
36 일도양단하다 칼로 무엇을 대번에 쳐서 두 도막을 내다. 어떤 일을 선뜻 결정하는 것을 비유적으로 이르는 말.

그 후 그는 될 수 있는 대로 거리로 나가는 것을 피하였지마는 공교롭게도 어제저녁에 그 벽보 앞에서 마주쳤었다.

갑자기 밖이 왁자지껄 떠들어 대었다. 머리에 깍지를 끼고 비스듬히 누워서 갈피를 잡을 수 없는 생각에 골몰하던 이인국 박사는 일어나 앉아 한길 쪽에 귀를 기울였다. 들끓는 소리는 더 커 갔다. 궁금증에 견디다 못해 그는 엉거주춤 꾸부린 자세로 밖을 내다보았다. 포도[37]에 뒤끓는 사람들은 손에 손에 태극기와 적기(赤旗)[38]를 들고 환성을 올리고 있었다.

'무엇일까?'

그는 고개를 갸웃하며 다시 자리에 주저앉았다.

계단을 구르며 급히 올라오는 발자국 소리가 들려왔다. 혜숙이다.

"아마 소련군이 들어오나 봐요. 모두들 야단법석이에요……."

숨을 헐떡이며 이야기하는 혜숙이의 말에 이인국 박사는 아무 대꾸도 없이 눈만 껌벅이며 도로 앉았다. 여러 날째 라디오에서 오늘 입성 예정이라고 했으니 인제 정말 오는가 보다 싶었다.

혜숙이 내려간 뒤에도 이인국 박사는 한참 동안 아무 거동도 못하고 바깥쪽을 내다보고만 있었다.

무엇을 생각했던지 그는 움찔 자리에서 일어났다. 그러고는 벽장문을 열었다. 안쪽에 손을 뻗쳐 액자 틀을 끄집어내었다.

國語 常用의 家[39]

---

37 포도 포장도로.
38 적기 붉은 기. 공산주의를 상징하는 기.
39 國語 常用의 家 국어 상용의 가. '국어를 일상어로 쓰는 집'이라는 뜻. 여기서의 '국어'는 일본어를 가리킨다. 일제가 일본어를 잘 쓰는 집에 내린 상장의 글귀이다.

해방되던 날 떼어서 집어넣어 둔 것을 그동안 깜박 잊고 있었다.

그는 액자틀 뒤를 열어 음식점 면허장 같은 두터운 모조지를 빼내어 글자 한 자도 제대로 남지 않게 손끝에 힘을 주어 꼼꼼히 찢었다.

이 종잇장 하나만 해도 일본인과의 교제에 있어서 얼마나 떳떳한 구실을 할 수 있었던 것인가. 야릇한 미련 같은 것이 섬광처럼 머릿속을 스쳐 갔다.

환자도 일본 말 모르는 축은 거의 오는 일이 없었지만 대외 관계는 물론 집안에서도 일체 일본 말만을 써 왔다. 해방 뒤 부득이 써 오는 제 나라 말이 오히려 의사 표현에 어색함을 느낄 만큼 그에게는 거리가 먼 것이었다.

마누라의 솔선수범하는 내조지공[40]도 컸지만 애들까지도 곧잘 지켜 주었기에 이 종잇장을 탄 것이 아니던가. 그것을 탄 날은 온 집안이 무슨 큰 경사나 난 것처럼 기뻐들 했었다.

"잠꼬대까지 국어로 할 정도가 아니면 이 영예로운 기회야 얻을 수 있겠소." 하던 국민총력연맹[41] 지부장의 웃음 띤 치하 소리가 떠올랐다.

그 순간, 자기 자신은 아이들을 소학교부터 일본 학교에 보낸 것을 얼마나 다행으로 여겼던 것인가.

그는 후 한숨을 내뿜었다. 그러고는 저금통장의 잔액을 깡그리 내주던 은행 지점장의 호의에 새삼 고마움을 느끼는 것이었다.

그것마저 없었더라면…… 등골에 오싹하는 한기가 느껴 왔다.

무슨 정치가 오든 그것만 있으면 시내 사람의 절반 이상이 굶어 죽기 전에야 우리 집 차례는 아니겠지. 그는 손금고가 들어 있는 안방 단스[42]를 생각하면서 혼자 중얼거렸다.

이인국 박사는 무슨 일이 일어나도 꼭 자기만은 살아남을 것 같은 막연한 기

---

40 내조지공 안에서 돕는 공이란 뜻으로, 아내가 집안일을 잘 다스려 남편을 돕는 것을 말함.
41 국민총력연맹 1940년 10월 결성된 친일 단체 '국민총력조선연맹'의 약칭.
42 단스(だんす) '장롱'을 가리키는 일본어.

대를 곱씹고 있다.

주위가 어두워 왔다.

지축[43]이 흔들리는 것 같은 동요와 소름이 가까워졌다. 군중들의 환호성이 터져 나왔다. 만세 소리가 연방 계속되었다.

세상 형편을 알아보려고 거리에 나갔던 아내가 돌아왔다.

"여보, 당꾸 부대[44]가 들어왔어요. 거리는 온통 사람들 사태가 났는데 집 안에 처박혀 뭘 하구 있어요……."

"뭘 하기는?"

"나가 보아요, 마우재[45]가 들어왔어요……."

어둠 속에서 아내의 음성은 격했으나 감격인지 당황인지 알 길이 없었다.

'계집이란 저렇게 우둔하구두 대담한 것일까…….'

이인국 박사는 엷은 어둠 속에서 마누라 쪽을 주시하면서 입맛을 다셨다.

"불두 엽때 안 켜구."

마누라가 전등 스위치를 틀었다. 이인국 박사는 100촉 전등의 너무 환한 것이 못마땅했다.

"불은 왜 켜는 거요?"

"그럼 켜지 않구 캄캄한데…… 자, 어서 나가 봅시다."

마누라가 이끄는 데 따라 이인국 박사는 마지못하면서 시침을 떼고 따라나섰다.

헤드라이트의 눈부신 광선. 탱크 부대의 진주는 끝을 알 수 없이 계속되고 있다.

이인국 박사는 부신 불빛을 피하면서 가로수에 기대어 섰다. 박수와 환호성,

---

43 지축 지구의 자전축.
44 당꾸 부대 탱크(tank) 부대.
45 마우재 '러시아인'의 방언.

만세 소리가 그칠 줄 모르는 양안(兩岸)[46]을 끼고 탱크는 물밀듯 서서히 흘러간다. 위뚜껑을 열고 반신을 내민 중대가리의 병정은 간간이 '우라아[47]' 하면서 손을 내흔들고 있다.

이인국 박사는 자기와는 아무 관련도 없는 이방 부대라는 환각을 느끼면서 박수도 환성도 안 나가는 멋쩍은 속에서 멍하니 쳐다보고만 있다. 그는 자기의 거동을 주시하지나 않나 해서 주위를 두리번거렸다.

그러나 아무도 그에게는 관심을 두는 일 없이 탱크를 향하여 목청이 터지도록 거듭 만세만 부르고 있지 않은가.

"어떻게 되겠지……."

그는 밑도 끝도 없는 한마디를 뇌면서 유유히 집으로 들어왔다.

민요 뒤에 계속되던 행진곡이 그치고 주둔군 사령관의 포고문이 방송되고 있다.

이인국 박사는 라디오 앞에 다가앉아 귀를 기울였다.

시민의 생명 재산은 절대 보장한다, 각자는 안심하고 자기의 직장을 수호하라, 총기(銃器), 일본도(日本刀) 등 일체의 무기 소지는 금하니 즉시 반납하라는 등의 요지였다.

그는 문득 단스 속에 넣어 둔 엽총(獵銃)에 생각이 미치었다. 그러면 저거도 바쳐야 하는 것일까. 영국제 쌍발[48], 손때 묻은 애완물같이 느껴져 누구에게 단 한 번 빌려주지 않았던 최신형 특제품이었다.

이인국 박사는 다이얼을 돌렸다. 대체 서울에서는 어떻게들 하고 있는 것일까.

거기도 마찬가지다. 민요가 아니면 행진곡이 나오고 그러다가는 건국준비위원회[49] 누구인가의 연설이 계속된다.

---

46 양안 강이나 하천 따위의 양쪽 기슭.
47 우라아 '만세'라는 뜻의 러시아어.
48 쌍발 총구가 두 개인 것.
49 건국준비위원회 1945년 8월 15일 광복 직후 여운형이 중심이 되어 조직한 건국 준비 단체.

대체 앞으로 어떻게 될 것인가 궁금증을 해결할 방법이 없다.

해방 직후 이삼일 동안은 자기도 태연하였지만 뻔질나게 드나들던 몇몇 친구들도 소련군 입성이 보도된 이후부터는 거의 나타나질 않는다. 그렇다고 자기 자신이 뛰어다니며 물을 경황은 더욱 없다.

밤이 이슥해서야 중학교와 국민학교[50]를 다니는 아들딸이 굉장한 구경이나 한 것처럼 탱크와 로스케[51]의 이야기를 늘어놓으며 돌아왔다.

그들은 아버지의 심중은 아랑곳없다는 듯이 어머니, 혜숙이와 함께 저희들 이야기에만 꽃을 피우고 있었다.

이인국 박사는 슬그머니 일어나 2층으로 올라와 다다미방에서 혼자 뒹굴었다.

앞일은 대체 어떻게 전개될 것인지 뛰어넘을 수가 없는 큰 바다가 가로놓인 것만 같았다. 풀어낼 수 있는 실마리가 전연 다듬어지지 않는 뒤헝클어진 상념 속에서 그대로 이인국 박사는 꺼지려는 짚불[52]을 불어 일으키는 심정으로 막연한 한 가닥의 기대만을 끝내 포기하지 않은 채 천장을 멍청히 쳐다보고만 있었다.

지난 일에 대한 뉘우침이나 가책 같은 건 아예 있을 수 없었다.

자동차 속에서 이인국 박사는 들고 나온 석간을 펼쳤다.

1면의 제목을 대강 훑고 난 그는 신문을 뒤집어 꺾어 3면으로 눈을 옮겼다.

　　北韓 蘇聯 留學生 西獨으로 脫出[53]

바둑돌 같은 굵은 활자의 제목. 왼편 전단을 차지한 외신 기사. 손바닥만 한 사진까지 곁들여 있다.

---

50 국민학교 '초등학교'의 전 용어.
51 로스케(Rusky) '러시아 사람'을 낮잡아 이르는 말.
52 짚불 짚을 태운 불.
53 北韓 蘇聯 留學生 西獨으로 脫出 북한 소련 유학생 서독으로 탈출.

그는 코허리에 내려온 안경을 올리면서 눈을 부릅떴다.

그의 시각은 활자 속을 헤치고 머릿속에는 아들의 환상이 뒤엉켜 들이차 왔다. 아들을 모스크바로 유학시킨 것은 자기의 억지에서였던 것만 같았다.

출신 계급, 성분, 어디 하나나 부합될 조건이 있었단 말인가. 고급 중학을 졸업하고 의과 대학에 입학된 바로 그해다.

이인국 박사는 그때나 지금이나 자기의 처세 방법에 대하여 절대적인 자신을 가지고 있다.

"애, 너 그 노어[54] 공부를 열심히 해라."

"왜요?"

아들은 갑자기 튀어나오는 아버지의 말에 의아를 느끼면서 반문했다.

"야 원식아, 별수 없다. 왜정 때는 그래도 일본 말이 출세를 하게 했고 이제는 노어가 또 판을 치지 않니. 고기가 물을 떠나서 살 수 없는 바에야 그 물속에서 살 방도를 궁리해야지. 아무튼 그 노서아[55] 말 꾸준히 해라."

아들은 아버지 말에 새삼스러이 자극을 받는 것 같진 않았다.

"내 나이로도 인제 이만큼 뜨내기 회화쯤은 할 수 있는데, 새파란 너희 낫세[56]로야 그걸 못 하겠니?"

"염려 마세요, 아버지……."

아들의 대답이 그에게는 믿음직스럽게 여겨졌다.

이인국 박사는 심각한 표정으로 말을 이었다.

"어디 코 큰 놈이라구 별것이겠니, 말 잘해서 진정이 통하기만 하면 그것들두 다 그렇지……."

이인국 박사는 끝내 스텐코프 소좌의 배경으로 요직에 있는 당 간부의 추천

---

54 노어 러시아어.
55 노서아 러시아.
56 낫세 '나잇살'의 잘못.

을 받아 아들의 소련 유학을 결정짓고야 말았다.

"여보, 보통으로 삽시다. 거저 표 나지 않게 사는 것이 이런 세상에선 가장 편안할 것 같아요. 이제 겨우 죽을 고비를 면했는데 또 재까지 그 '높이 드는' 복판에 휘몰아 넣으면 어쩔라구⋯⋯."

"가만있어요, 호랑이두 굴에 가야 잡는 법이오. 무슨 세상이 되든 할 대로 해 봅시다."

"그래도 저 어린것을 어떻게 노서아까지 보낸단 말이오."

"아니, 중학교 애들도 가지 못해 골들을 싸매는데, 대학생이 못 가 견딜라구."

"그래도 어디 앞일을 알겠소⋯⋯."

"괜한 소리, 재가 소련 바람을 쏘이구 와야 내게 허튼소리 하는 놈들도 찍소리를 못 할 거요. 어디 보란 듯이 다시 한번 살아 봅시다."

아들의 출발을 앞두고, 걱정하는 마누라를 우격다짐으로 무마시키고 그는 아들의 유학을 관철하였다.

'흥, 혁명 유가족두 가기 힘든 구멍을 친일파 이인국의 아들이 뚫었으니 어디 두구 보자⋯⋯.'

그는 만장의 기염[57]을 토하며 혼자 중얼거리고는 희망에 찬 미소를 풍겼다.

그다음 해에 사변[58]이 터졌다.

잘 있노라는 서신이 계속하여 왔지만 동란 후 후퇴할 때까지 소식은 두절된 대로였다.

마누라의 죽음은 외아들을 사지로 보낸 것 같은 수심에도 그 원인이 있었다고 그는 생각하고 있다.

이인국 박사는 신문 다찌끼리[59] 속에 채워진 글자를 하나도 빼지 않고 다 훑

---

57 만장의 기염 아주 굉장한 기세.
58 사변 사람의 힘으로는 피할 수 없는 천재(天災)나 그 밖의 큰 사건. 또는 한 나라가 상대국에 선전 포고도 없이 침입하는 일. 여기서는 6·25 전쟁을 일컬음.
59 다찌끼리(たちきり) 조각면. 흔히 '박스 기사'라고 한다.

어 내려갔다.

그러나 아들의 이름에 연관되는 사연은 한마디도 없었다.

'이 자식은 무얼 꾸물꾸물하느라고 이런 축에도 끼지 못한담…… 사태를 판별하고 임기응변의 선수를 쓸 줄 알아야지, 맹추[60]같이…….'

그는 신문을 포개어 되는대로 말아 쥐었다.

'개천에서 용마[61]가 난다는데 이건 제 애비만도 못한 자식이야.'

그는 혀를 찍찍 갈겼다.

'어쩌면 가족이 월남한 것조차 모르고 주저하고 있는 것이나 아닐까. 아니 이제는 그쪽에도 소식이 가서 제게도 무언중의 압력이 퍼져 갈 터인데…… 역시 고지식한 놈이 아무래도 모자라…….'

그는 자동차에서 내리자 건 가래침을 내뱉었다.

'독또오루[62] 리, 내가 책임지고 보장하겠소. 아들을 우리 조국 소련에 유학시키시오.'

스텐코프의 목소리가 고막에 와 부딪는 것만 같았다.

자위대가 치안대로 바뀐 다음 날이다. 이인국 박사는 치안대에 연행되었다.

시멘트 바닥에 무릎을 꿇고 앉은 그는 입술이 파랗게 질려 있었다. 하반신이 저려 오고 옆구리가 쑤신다. 이것만으로도 자기의 생애를 통한 가장 큰 고역이라고 그는 생각하고 있다. 그러나 그것보다는 앞으로 닥쳐올 예기할 수 없는 사태가 공포 속에 그를 휘몰았다.

지나가고 지나오는 구둣발 소리와 목덜미에 퍼부어지는 욕설을 들으면서 꺾이듯이 축 늘어진 그의 머리는 들릴 줄을 몰랐다.

---

60 맹추 똑똑하지 못하고 매우 흐리멍덩한 사람을 낮잡아 이르는 말.
61 용마 매우 잘 달리는 훌륭한 말.
62 독또오루 러시아어로 '닥터(의사)'를 의미하는 말.

시간만이 흘러가고 있었다.

그의 머릿속에는 짓눌렸던 생각들이 하나씩 꼬리를 치켜들기 시작했다.

'이럴 줄 알았더면 어디든지 가 숨거나, 진작으로 남으로라도 도피했을 걸…… 그러나 이 판국에 나를 감싸 줄 사람이 어디 있담. 의지할 만한 곳은 다 나와 같은 코스를 밟았거나 조만간에 밟을 사람들이 아닌가. 일본인! 가장 믿었던 성벽이 다 무너지고 난 지금 누구를…….'

'그래도 어떻게 되겠지…….'

이 막연한 기대는 절박한 이 순간에도 그에게서 완전히 떠나 버리지는 않았다.

'다행이다. 인민재판의 첫 코에 걸리지 않은 것만 해도. 끌려간 사람들의 행방은 전연 알 길이 없다. 즉결 처형을 당했다는 소문도 떠돈다. 사흘의 여유만 더 있었더라면 나는 이미 이곳을 떴을는지도 모른다. 다 운명이다. 아니 그래도 무슨 수가 있겠지…….'

"쪽발이[63] 끄나풀, 야 이 새끼야."

고함 소리에 놀라 이인국 박사는 흠칫 머리를 들었다.

때도 묻지 않은 일본 병사 군복에 완장을 찬 젊은이가 쏘아보고 있다. 춘석이다.

이인국 박사는 다시 쳐다볼 힘도 없었다. 모든 사태는 짐작되었다.

이제는 죽는구나, 그는 입속으로 뇌까렸다.

"왜놈의 밑바시[64], 이 개새끼야."

일본 군용화가 그의 옆구리를 들이찬다.

"이 새끼, 어디 죽어 봐라."

구둣발은 앞뒤를 가리지 않고 전신을 내지른다.

등골 척수에 다급한 충격을 받자 이인국 박사는 비명을 지르고 꼬꾸라졌다.

---

63 쪽발이 일본 사람을 낮잡아 이르는 말. 엄지발가락과 나머지 발가락들을 가르는 게다를 신는다는 데서 온 말이다.
64 밑바시 '음식 찌꺼기'를 가리키는 방언.

그는 현기증을 일으켰다. 어깻죽지를 끌어 바로 앉혀도 몸을 가누지 못하고 한쪽으로 쓰러졌다.

"민족과 조국을 팔아먹은 이 개돼지 같은 놈아, 너는 총살이야, 총살……."

어렴풋이 꿈속에서처럼 들려왔다. 그러나 그에게는 그 말도 아무런 반향을 일으키지 못했다.

시간이 얼마나 흘렀을까, 자기 앞자락에서 부스럭거리는 감촉과 금속성의 부닥거리는 소리를 듣고 어렴풋이 정신을 차렸다.

노란 털이 엉성한 손목이 시곗줄을 끄르고 있다. 그는 반사적으로 앞자락의 시계 주머니를 부둥켜 쥐면서 손의 임자를 힐끔 처다보았다. 눈동자가 파란 중대가리 소련 병사가 시곗줄을 거머쥔 채 이빨을 드러내고 히죽이 웃고 있다.

그는 두 손으로 있는 힘을 다해 양복 안주머니를 감싸 쥐었다.

"흥…… 야뽄스끼[65]……."

병사의 눈동자는 점점 노기를 띠어 갔다.

"아니, 이것만은!"

그들의 대화는 서로 통하지 않는 대로 손아귀와 눈동자의 대결은 그대로 지속되고 있었다.

병사는 됫박[66]만 한 손으로 이인국 박사의 손을 뿌리치면서 시계를 채어 냈다. 시곗줄은 끊어져 고리가 달린 끝머리가 이인국 박사의 손가락 끝에서 달랑거렸다.

병사는 밖으로 나가 버렸다.

'죽음과 시계…….'

이인국 박사는 토막 난 푸념을 되풀이하고 있다.

양쪽 팔목에 팔뚝시계를 둘씩이나 차고도 만족이 안 가 자기의 회중시계까지

---

65 야뽄스끼 러시아어로 '일본인'을 의미함.
66 됫박 '되(곡식, 가루, 액체 따위를 담아 분량을 헤아리는 데 쓰는 그릇)'를 속되게 이르는 말.

앗아 가는 그 병정의 모습을 머릿속에 똑똑히 되새겨 갈 뿐이다.

감방 속은 빼곡히 찼다.

그러나 고참자와 신입자의 서열은 분명했다. 달포[67]가 지나는 사이에 맨 안쪽 똥통 위에 자리 잡았던 이인국 박사는 3분지 2의 지점으로 점차 승격되었다.

그는 하루 종일 말이 없었다. 범인 속에 섞여 있던 감방 밀정[68]이 출감된 다음 날부터 불평만을 늘어놓던 축들이 불려 나가 반송장[69]이 되어 들어왔지만, 또 하루 이틀이 지나자 감방 속의 분위기는 여전히 불평과 음식 이야기로 소일[70]되었다.

이인국 박사는 자기의 죄상이라는 것을 폭로하기도 싫었지만 예전에 고등계 형사들에게서 실컷 얻어들은 지식이 약이 되어 함구령[71]이 지상 명령이라는 신념을 일관하고 있었다.

그는 간밤에 출감한 학생이 내던지고 간 노어(露語) 회화 책을 첫 장부터 곰곰이 뒤지고 있을 뿐이다.

등골이 쏘고 옆구리가 결려 온다. 이것으로 고질이 되는가 하는 생각이 없지 않다. 아침저녁으로 기온이 사뭇 내려가고 있다. 아무리 체념한다면서도 초조감을 막을 길 없다.

노어 책을 읽으면서도 그의 청각은 늘 감방 속의 이야기를 놓치지 않고 있다. 그들이 예측하는 식대로의 중형으로 치른다면 자기의 죄상은 너무도 어마어마하다. 양곡 조합의 쌀을 몰래 팔아먹은 것이 7년, 양민[72]을 강제로 보국대[73]

---

67 달포 한 달이 조금 넘는 기간.
68 밀정 남몰래 사정을 살핌. 또는 그런 사람.
69 반송장 죽은 것이나 다름없는 사람.
70 소일 어떠한 것에 재미를 붙여 심심하지 아니하게 세월을 보냄.
71 함구령 어떤 일의 내용을 말하지 말라는 명령.
72 양민 선량한 일반 백성.
73 보국대 일제 강점기에, 우리나라 사람을 강제 노동에 동원하기 위하여 만든 부대.

에 동원했다는 것이 10년, 감정적인 즉결이 아니라 법에 의한 처단이라고 내대지만[74] 이 난리 판국에 법이고 뭣이고 있을까, 마음에만 거슬리면 총살일 판인데…….

'친일파, 민족 반역자, 반일 투사 치료 거부, 일제의 간첩 행위…….'

이건 너무도 어마어마한 죄상이다. 취조할 때 나열하던 그대로 한다면 고작해야 무기 징역, 사형감일지도 모른다.

그는 방 안을 둘러보며 후 큰 숨을 내쉬었다.

처마 밑에 바싹 달라붙은 환기창에서 들이비치던 손수건만 한 햇살이 참대자처럼 길어졌다가 실오리만큼 가늘게 떨리며 사라졌다. 그 창살을 거쳐 아득히 보이는 가을 하늘이 잊었던 지난 일을 한 덩어리로 얽어 휘몰아 오곤 했다. 가슴이 찌릿했다.

밖의 세계와는 영원한 단절이다.

그는 눈을 감았다. 마누라, 아들, 딸, 혜숙이, 누구누구…… 그러다가 외과계의 원로 이인국 박사에 이르자, 목구멍이 타는 것같이 꽉 막혔다.

그는 헛기침을 하고 침을 삼켰다.

'그럼, 어쩐단 말이야. 식민지 백성이 별수 있었어. 날구뛴들 소용이 있었느냐 말이야. 어느 놈은 일본 놈한테 아첨을 안 했어. 주는 떡을 안 먹은 놈이 바보지. 흥, 다 그놈이 그놈이었지.'

이인국 박사는 자기변명을 합리화시키고 나면 가슴이 좀 후련해 왔다.

거기다 어저께의 최종 취조 장면에서 얻은 소련 고문관의 표정은 그에게 일루[75]의 희망을 던져 주는 것이 있었다. 물론 그것이 억지의 자위(自慰)일지도 모른다고 생각되었지만.

아마 스텐코프 소좌라고 했지. 그 혹부리 장교. 직업이 의사라고 했을 때, 독

---

74 내대다 요구나 조건 따위를 상대편 앞에 강력하게 제시하다.
75 일루 한 오리의 실이라는 뜻으로, 몹시 미약하거나 불확실하게 유지되는 상태를 이르는 말.

또오루 하고 고개를 기웃거리던 순간의 표정, 그것이 무슨 기적의 예시 같기만 했다.

이인국 박사는 신음 소리에 놀라 눈을 떴다.

복도에 켜 있는 엷은 전등 불빛이 쇠창살을 거쳐 방 안에 줄무늬를 놓으며 비쳐 들어왔다. 그는 환기창 쪽을 올려다보았다. 아직도 동도 트지 않은 깜깜한 밤이다.

생똥 냄새가 코를 찌른다. 바짓가랑이 한쪽이 축축하다. 만져 본 손을 코에 갖다 댔다. 구역질이 난다. 역시 똥 냄새다.

옆에 누운 청년의 앓는 소리는 계속되고 있다. 찬찬히 눈여겨보았다. 청년 궁둥이도 젖어 있다.

'설산가 부다.'

그는 살창문을 흔들며 교화소원[76]을 고함쳐 불렀다.

"뭐야!"

자다가 깬 듯한 흐린 소리가 들려왔다.

"환자가…… 이거, 이거 봐요."

창살 사이로 들여다보는 소원의 얼굴은 역광 속에서 챙 붙은 모자 밑의 둥그스름한 윤곽밖에 알려지지 않는다.

이인국 박사는 청년의 궁둥이께를 손가락으로 가리키며 들여다보고 있다.

"이거, 피로군, 피야."

그는 그제야 붉은빛을 발견하곤 놀란 소리를 쳤다.

"적리[77]야, 이질[78]……."

---

76 교화소원 교도소의 직원. '교화소'는 교도소의 전 용어.
77 적리 급성 전염병인 이질의 하나.
78 이질 변에 고름이 섞여 나오며 뒤가 잦은 증상을 보이는 전염병.

그는 직업의식에서 떠오르는 대로 큰 소리를 질렀다.

"뭐, 적리?"

바깥 소리는 확실히 납득이 안 간 음성이다.

"피똥 쌌소, 피똥을…… 이것 봐요."

그는 언성을 더욱 높였다.

"응, 피똥……."

아우성 소리에 감방 안의 사람들은 하나둘 눈을 뜨며 저마다 놀란 소리를 쳤다.

"적리, 이건 전염병이오, 전염병."

"뭐 전염병……."

그제야 교화소원이 문을 열고 들어왔다.

얼마 후 환자는 격리되었고 남은 사람들은 똥을 닦느라고 한참 법석을 치고 다시 잠을 불러일으키질 못했다.

이튿날 미결감[79] 다른 감방에서 또 같은 증세의 환자가 두셋 발생했다. 날이 갈수록 환자는 늘기만 했다.

이 판국에 병만 나면 열의 아홉은 죽는 길밖에 없다고 생각한 이인국 박사는 새로운 위협에 사로잡히기 시작했다.

저녁 후 이인국 박사는 고문관실로 불려 나갔다.

"동무는 당분간 환자의 응급 치료실에서 일하시오."

이게 무슨 청천벽력 같은 기적일까, 그는 통역의 말을 의심했다.

소련 장교와 통역관을 번갈아 쳐다보는 그의 눈동자는 생기를 띠어 갔다.

"알겠소 엥……?"

"네."

---

79 미결감 아직 판결이 끝나지 않은 죄수들의 감방.

다짐에 따라 이인국 박사는 기쁨을 억지로 감추며 평범한 어조로 대답했다.

'글쎄 하늘이 무너져도 솟아날 구멍은 있다니까.'

그는 아무 표정도 나타내지 않으려고 이를 악물었다.

죽어 넘어진 송장이 개 치우듯 꾸려져 나가는 것을 보고 이인국 박사는 꼭 자기 일같이만 느껴졌다.

"의사, 이것은 나의 천직이다."

그는 몇 번이고 감격에 차 중얼거렸다. 그는 있는 힘을 다해 자기 담당의 환자를 치료했다. 이러한 일은 그의 실력이 혹부리 고문관의 유다른 관심을 끌게 한 계기를 만들어 주었다.

사상범을 옥사시키는 경우는 책임자에게 큰 문책이 온다는 것은 훨씬 후에야 그가 안 일이다.

소련 군의관에게 기술이 인정된 이인국 박사는 계속 병원에 근무하게 되었다. 그러나 죄상 처벌의 결말에 대해서는 알 길이 없었다.

그는 이 절호의 기회를 최대한으로 활용하고 싶었다. 이제는 죽어도 한이 없을 것만 같았다.

이렇게 하여 이 보이지 않는 구속에서까지 완전히 벗어날 수는 없을까.

그는 환자의 치료를 하면서도 늘 스텐코프의 왼쪽 뺨에 붙은 오리알만 한 혹을 생각하고 있었다.

불구라면 불구로 볼 수 있는 그 혹을 가지고 고급 장교에까지 승진했다는 것은, 소위 말하는 당성(黨性)[80]이 강하거나 그렇지 않으면 전공(戰功)[81]이 특별했음에 틀림없다는 생각이 들었다.

그것 하나만 물고 늘어지면 무엇인가 완전히 살아날 틈바귀가 생길 것만 같

---

80 당성 당원이 자신이 속한 당의 이익을 위하여 거의 무조건 가지는 충실한 마음과 행동.
81 전공 전투에서 세운 공로.

았다.

이인국 박사의 뜨내기 노어도 가끔 순시하는[82] 스텐코프와 인사말을 주고받을 수 있을 정도로 진전되었다.

이 안에서의 모든 독서는 금지되었지만 노어 교본과 당사(黨史)[83]만은 허용되었다.

이인국 박사는 마치 생명의 열쇠나 되는 듯이 초보 노어 책을 거의 암송하다시피 했다.

크리스마스를 전후하여 장교들의 주연[84]이 베풀어지는 기회가 거듭되었다.

얼근히 주기를 띤 스텐코프가 순시를 돌았다.

이인국 박사는 오늘의 이 기회를 놓치지 않겠다고 마음먹었다.

수일 전 소군 장교 한 사람이 급성 맹장염이 터져 복막염으로 번졌다.

그 환자의 실을 뽑는 옆에 온 스텐코프에게 이인국 박사는 말 절반 손짓 절반으로 혹을 수술하겠다는 의사를 표명했다.

스텐코프는 '하라쇼[85]'를 연발했다.

그 후 몇 번 통역을 사이에 두고 수술 계획에 대한 자세한 의사를 진술할 기회가 생겼다.

이인국 박사는 일본인 시장의 혹을 수술하던 일을 회상하면서 자신 있는 설복[86]을 했다.

'동경 경응대학[87] 병원에서도 못하겠다는 것을 내가 거뜬히 해치우지 않았던가.'

그는 혼자 머릿속에서 자문자답 하면서 이번 일에 도박 같은 심정으로 생명

---

82 순시하다 돌아다니며 사정을 보살피다.
83 당사 정당의 역사에 대한 기록.
84 주연 술잔치.
85 하라쇼 '좋습니다' '알았습니다'라는 뜻의 러시아어.
86 설복 알아듣도록 말하여 수긍하게 함.
87 경응대학 일본 도쿄에 있는 사립 종합 대학의 하나인 '게이오대학'을 이름.

을 걸었다.

소련 군의관을 입회시키고 몇 차례의 예비 진단이 치러졌다.

수술일은 왔다.

이인국 박사는 손에 익은 자기 병원의 의료 기재를 전부 운반하여 오게 했다.

군의관 세 사람이 보조하기로 했지만 집도는 이인국 박사 자신이 했다. 야전 병원의 젊은 군의관들이란 그에게 있어선 한갓 풋내기로밖에 보이지 않았다.

그는 수술을 진행하는 동안 그들 군의관들을 자기 집 조수 부리듯 했다. 집도 이후의 수술대는 완전히 자기 진단하의 왕국이라고 생각되었다.

그러나 아까 수술 직전에 사인한, 실패되는 경우에는 총살에 처한다는 서약서가 통일된 정신을 순간순간 흐려 놓곤 한다.

수술대에 누운 스텐코프의 침착하면서도 긴장에 찼던 얼굴, 그것도 전신 마취가 끝난 후 3분이 못 갔다.

간호부는 가제⁸⁸로 이인국 박사의 이마에 내맺힌 땀방울을 연방 찍어 내고 있다.

기구가 부딪는 금속성과 서로의 숨소리만이 고촉⁸⁹의 반사등이 내리비치는 방 안의 질식할 것 같은 침묵을 헤살⁹⁰ 짓고 있다.

수술은 예상 이상의 단시간으로 끝났다.

위생복을 벗은 이인국 박사의 전신은 땀으로 흠뻑 젖었다.

완치되어 퇴원하는 날 스텐코프는 이인국 박사의 손을 부서져라 쥐면서 외쳤다.

---

88 가제(gaze) 부드럽고 성긴 의료용 무명천. 거즈.
89 고촉 밝기의 도수가 높은 촉광.
90 헤살 일을 짓궂게 훼방함.

"꺼삐딴[91] 리, 스바씨보[92]."

이인국 박사는 입을 헤벌리고 웃기만 했다. 마음의 감옥에서 해방된 것만 같았다.

"아진[93], 아진…… 오첸 하라쇼[94]."

스텐코프는 엄지손가락을 높이 들면서 네가 첫째라는 듯이 이인국 박사의 어깨를 치며 찬양했다.

다음 날 스텐코프는 이인국 박사를 자기 방으로 불렀다.

그가 이인국 박사에게 스스로 손을 내밀어 예절적인 악수를 청한 것은 이것이 처음이었다.

'적과 적이 맞부딪치면서 이렇게 180도로 전환될 수가 있을까, 노랑 대가리도 역시 본심에서는 하나의 인간임에는 틀림없는 것이 아닌가.'

"내일부터는 집에서 통근해도 좋소."

이인국 박사는 막혔던 둑이 터지는 것 같은 큰 숨을 삼켜 가면서 내쉬었다.

이번에는 이인국 박사가 스텐코프의 손을 잡았다.

"스바씨보, 스바씨보."

"혹 나한테 무슨 부탁이 없소?"

이인국 박사는 문득 시계가 머리에 떠올랐다.

그러면서도 곧이어 이 마당에 그런 이야기를 꺼낸다는 것은 오히려 꾀죄죄하게 보이지 않을까 하는 생각이 뒤따랐다. 그러나 아무래도 그 미련이 가셔지지 않았다.

이인국 박사는 비록 찾지 못하는 경우가 있더라도 솔직히 심중을 털어놓으리라고 마음먹었다.

---

91 꺼삐딴 영어의 '캡틴(captain)'에 해당하는 러시아어. 8·15 직후 소련군이 북한에 진주하자 '최고, 우두머리'라는 의미로 많이 쓰였다.
92 스바씨보 '고맙다'라는 뜻의 러시아어.
93 아진 '아주' '매우'라는 뜻의 러시아어.
94 오첸 하라쇼 '참으로 좋다'라는 뜻의 러시아어.

그는 통역의 보조를 받아 가며 시간과 장소를 정확히 회상하면서 시계를 약탈당한 경위를 상세히 설명했다.

스텐코프는 혹이 붙었던 뺨을 쓰다듬으면서 긴장된 모습으로 듣고 있었다.

"염려 없소, 독또오루 리. 위대한 붉은 군대가 그럴 리가 없소. 만약 있었다 하더라도 그것은 무슨 착각이었을 것이오. 내가 책임지고 찾도록 하겠소."

스텐코프의 얼굴에 결의를 띤 심각한 표정이 스쳐 가는 것을 이인국 박사는 똑바로 쳐다보았다.

'공연한 말을 끄집어내어 일껏[95] 잘되어 가는 일에 부스럼을 만드는 것은 아닐까.'

그는 솟구치는 불안과 후회를 짓눌렀다.

"안심하시오, 독또오루 리, 하하하."

스텐코프는 큰 웃음으로 넌지시 말끝을 막았다.

이인국 박사는 죽음의 직전에서 풀려나 집으로 향했다.

어느 사이 저렇게 노어로 의사 표시를 할 수 있게 되었느냐고 스텐코프가 감탄하더라는 통역의 말을 되뇌면서…….

차가 브라운 씨의 관사 앞에 닿았다.

성조기(星條旗)를 보면서 이인국 박사는 그날의 적기와 돌려 온 시계를 생각했다.

응접실에 안내된 이인국 박사는 주인이 나오기를 기다리면서 방 안을 둘러보았다. 대사관으로는 여러 번 찾아갔지만 집으로 찾아온 것은 이번이 처음이다.

3년 전 딸이 미국으로 갈 때부터 신세 진 사람이다.

---

95 일껏 **모처럼 애써서.**

벽 쪽 책꽂이에는 《이조실록(李朝實錄)》[96] 《대동야승(大東野乘)》 등 한적(漢籍)[97]
이 빼곡히 차 있고 한쪽에는 고서(古書)의 질책(帙冊)[98]이 가지런히 쌓여져 있다.

맞은편 책상 위에는 작은 금동 불상(金銅佛像) 곁에 몇 개의 골동품이 진열되
어 있다. 12폭 예서(隸書)[99] 병풍 앞 탁자 위에 놓인 재떨이도 세월의 때 묻은 백
자기다.

저것들도 다 누군가가 가져다준 것이 아닐까 하는 데 생각이 미치자 이인국
박사는 얼굴이 화끈해졌다.

그는 자기가 들고 온 상감진사(象嵌辰砂) 고려청자 화병에 눈길을 돌렸다. 사
실 그것을 내놓는 데는 얼마간의 아쉬움이 없지 않았다. 국외로 내보낸다는 자
책감 같은 것은 아예 생각해 본 일이 없는 그였다.

차라리 이인국 박사에게는 저렇게 많으니 무엇이 그리 소중하고 달갑게 여겨
지겠느냐는 망설임이 더 앞섰다.

브라운 씨가 나오자 이인국 박사는 웃으며 선물을 내어놓았다. 포장을 풀고
난 브라운 씨는 만면에 미소를 띠며 기쁨을 참지 못하는 듯 댕큐를 거듭 부르짖
었다.

"참 이거 귀중한 것입니다."

"뭐 대단한 것이 아닙니다만 그저 제 성의입니다."

이인국 박사는 안도감에 잇닿는 만족을 느끼면서 브라운 씨의 기쁨에 맞장구
를 쳤다.

브라운 씨가 영어 반 한국말 반으로 섞어 하는 이야기를 들으면서 이인국 박
사는 흐뭇한 기분에 젖었다.

"닥터 리는 영어를 어디서 배웠습니까?"

---

96 《이조실록(李朝實錄)》 《조선왕조실록》을 가리킴.
97 한적 한문으로 쓴 책.
98 질책 여러 권으로 한 벌을 이루는 책.
99 예서 한자의 열 가지 서체 중 하나. 노예와 같이 천한 일을 하는 사람도 이해하기 쉽도록 한 글씨라는 뜻에서
붙은 이름이다.

"일제 시대에 일본 말 식으로 배웠지요. 예를 들면 '잣도 이즈 아 도'식으루요."

"그런데 지금 발음은 좋은데요, 문법이 아주 정확한 스텐더드 잉글리시입니다."

그는 이 말을 들을 때 문득 스텐코프의 말이 연상됐다. 그러고 보면 영국에 조상을 가진다는 브라운 씨는 아르(R) 발음을 그렇게 나타내지 않는 것 같게 여겨졌다.

"얼마 전부터 개인 교수를 받고 있습니다."

"아, 그렇습니까."

이인국 박사는 자기의 어학적 재질에 은근히 자긍을 느꼈다.

브라운 씨가 부엌 쪽으로 갔다 오더니 양주 몇 병이 놓인 쟁반이 따라 나왔다.

"아무거라도 마음에 드는 것으로 하십시오."

이인국 박사는 보드카 잔을 신통한 안주도 없이 억지로라도 단숨에 들이켜야 속 시원해하던 스텐코프를 브라운 씨 얼굴에 겹쳐 보고 있다.

그는 혈압 때문에 술을 조절해야 하는 자기 체질에 알맞게 스카치 잔을 핥듯이 조금씩 목을 축이면서 브라운 씨의 이야기를 기다렸다.

"그거, 국무성에서 통지 왔습니다."

이인국 박사는 뛸 듯이 기뻤으나 솟구치는 흥분을 억제하면서 천천히 손을 내밀어 악수를 청했다.

"댕큐, 댕큐."

어쩌면 이것은 수술 후의 스텐코프가 자기에게 하던 방식 그대로인지도 모른다는 생각이 들었다.

이인국 박사는 지성이면 감천이라구 , 나의 처세법은 유에스에이에도 통하는구나 하는 기고만장한 기분이었다.

청자 병을 몇 번이고 쓰다듬으면서 술잔을 거듭하는 브라운 씨도 몹시 즐거운 기분이었다.

"미국에 가서의 모든 일도 잘 부탁합니다."

"네, 염려 마십시오. 떠나실 때 소개장을 써 드리지요."

"감사합니다."

"역사는 짧지만, 미국은 지상의 낙토[100]입니다. 양국의 우호와 친선에 도움이 되기를 바랍니다."

"땡큐……."

다음 날 휴전선 지대로 같이 수렵하러 가기로 약속하고 이인국 박사는 브라운 씨 대문을 나섰다.

이번 새로 장만한 영국제 쌍발 엽총의 짙푸른 총신을 머리에 그리면서 그의 몸은 날기라도 할 듯이 두둥실 가벼웠다. 이인국 박사는 아까 수술한 환자의 경과가 궁금했으나 그것은 곧 씻겨져 갔다.

그의 마음속에는 새로운 포부와 희망이 부풀어 올랐다.

신체검사는 이미 끝난 것이고 외무부 출국 수속도 국무성 통지만 오면 즉일 될 수 있게 담당 책임자에게 교섭이 되어 있지 않은가? 빠르면 일주일 내에 떠나게 될지도 모른다는 브라운 씨의 말이 떠올랐다.

대학을 갓 나와 임상 경험도 신통치 않은 것들이 미국에만 갔다 오면 별이라도 딴 듯이 날치는 꼴이 눈꼴사나웠다.

'어디 나두 댕겨오구 나면 보자!'

문득 딸 나미와 아들 원식의 얼굴이 한꺼번에 망막으로 휘몰아 왔다. 그는 두 주먹을 불끈 쥐며 얼굴에 경련을 일으키듯 긴장을 띠다가 어색한 미소를 흘려 보냈다.

'흥, 그 사마귀 같은 일본 놈들 틈에서도 살았고, 닥싸귀[101] 같은 로스케 속에서 살아났는데, 양키라고 다를까…… 혁명이 일겠으면 일구, 나라가 바뀌겠으

---

100 낙토 낙원의 땅. 천국 같은 땅.
101 닥싸귀 '도꼬마리(열매에 자잘한 가시가 붙어 있어 옷에 잘 붙는 잡초)'의 방언.

면 바뀌구, 아직 이 이인국의 살 구멍은 막히지 않았다. 나보다 얼마든지 날뛰던 놈들도 있는데, 나쯤이야……'

그는 허공을 향하여 마음껏 소리치고 싶었다.

'그러면 우선 비행기 회사에 들러 형편이나 알아볼까……'

이인국 박사는 캘리포니아 특산 시가[102]를 비스듬히 문 채 지나가는 택시를 불러 세웠다.

그는 스프링이 튈 듯이 복스[103]에 털썩 주저앉았다.

"반도 호텔로……"

차창을 거쳐 보이는 맑은 가을 하늘은 이인국 박사에게는 더욱 푸르고 드높게만 느껴졌다.

(1962년)

---

102 시가(cigar) 담뱃잎을 썰지 않고 통째로 돌돌 말아 만든 담배.
103 복스(box) 무두질한 송아지 가죽.

닳아지는 살들

이호철

이호철 (1932~2016)

함경남도 원산에서 태어났다. 6·25 전쟁 때 인민군으로 동원되었다가 후에 남한으로 넘어와 소설가가 되었다. 〈닳아지는 살들〉은 6·25 전쟁으로 인한 남북 분단의 문제를 소설로 형상화한 이호철의 대표작이다. 탈북 작가라는 특수성은 분단 상황의 모순을 더욱 실감 나게 그리는 데 원동력이 되었다. 또 다른 대표작 〈판문점〉과 〈소시민〉 등은 6·25 전쟁을 겪은 작가의 살아 있는 체험의 산물이었다. 이들 소설의 주인공은 〈닳아지는 살들〉의 '선재'로 이어지는데, 작품 속 인물들을 통해 작가는 전쟁을 겪은 소시민들의 불안한 삶과 분단 문제 등을 사실적으로 보여 준다.

5월의 어느 날 저녁이었다. 맏딸이 또 밤 12시에 돌아온대서 벌써부터 기다리고들 있었다. 서성대는 사람은 없으나 언제나처럼 누구인가를 기다리고 있는 분위기는 감돌고 있었다.

은행 두취[1]로 있다가 현역에서 은퇴하고 명예역으로 이름만 걸어 놓고 있는 (지금도 거기에서 매달 들어오는 수입으로 한 달 살림은 넉넉했다.) 70이 넘은 늙은 주인은 연한 남색 명주옷을 단정하게 입고 응접실 쏘파에 기대어 앉아 있었다. 단정하게 입긴 입었으나 어쩐지 헐렁헐렁해 보이고 축 늘어진 앉음새는 속이 허하여 혼자 힘으로 일어설 힘조차 없을 것처럼 보였다. 귀가 멀고 반백치였다. 그러나 허연 살결의 넓적한 얼굴은 훨씬 젊어 보이고 서양 사람의 풍격[2]을 느끼게 하였다. 며느리 정애(貞愛)와 막내딸 영희(英姬)가 옆자리에 앉아 있었다. 며느리의 한복 차림을 싫어하는 왕년의 시아버지의 뜻대로, 정애는 봄 쉐터[3]에 통이 좁은 까만 바지 차림이고 영희는 원피스를 입고 있었다. 며느리와 시누이는 사이 좋은 자매를 연상케 하였다. 세 사람은 모두 넓은 창문 너머 어두운 뜰을 내다보고 있었다. 정애는 시아버지의 한 팔을 부축하고 앉았고 영희는 옆에 턱을 받치고 앉았다.

바깥은 어둡고 뜰 변두리의 늙은 나무들은 바람에 불려 서늘한 소리를 내었다. 처마 끝 저편에 퍼진 하늘엔 별이 총총하게 박혀 있으나, 아스므레한[4] 기운

---

1 두취 예전에 '은행장'을 이르던 말.
2 풍격 사람의 풍채와 품격.
3 쉐터 스웨터.
4 아스므레하다 조금 어둑하고 희미하다. 표준어는 '아슴푸레하다'이다.

에 잠겨 있다. 집은 전체로 조용하고 썰렁했다.

꽝 당 꽝 당.

먼 어느 곳에선 이따금 여운이 긴 쇠붙이 뚜드리는 소리가 들려왔다. 밑 거리의 철공장이나 대장깐[5]에서 벌겋게 단 쇠를 쇠망치로 두드리는 소리 같았다. 근처에 그런 곳은 없을 것이었다. 그렇다면 굉장히 먼 곳일 것이었다.

꽝 당 꽝 당.

단조로운 소리이면서 송곳처럼 쑤시는 구석이 있는, 밤중에 간헐적으로 들려오는 그 소리는 이상하게 신경을 자극했다.

"참, 저거 무슨 소리유?"

영희가 미간을 찌푸리면서 말했다.

"글쎄 무슨 소릴까……"

정애가 심드렁하게 대답했다.

"이 근처에 철공장은 없을 텐데."

"……"

정애는 표정으로만 수긍을 했다.

꽝 당 꽝 당.

그 쇠붙이의 쇠망치에 부딪치는 소리는 여전히 간헐적으로 이어지고 있었다. 밤 내 이어질 셈이었다. 자세히 그 소리만 듣고 있으려니까 바깥의 서늘대는 늙은 나무들도 초여름 밤의 바람에 불려서 그런 것이 아니라, 저 소리의 여운에 울려 흔들리고 있는 것이었다. 그 소리는 이 방 안의 벽 틈서리를 쪼개고도 있는 것이었다. 형광등 바로 위의 천정에 비수가 잠겨 있을 것이었다. 초록빛 벽 틈서리에서 어머니는 편안하시다. 돌아가서 편안하시다, 형편없이 되어 가는 집안 꼴을 감당하지 않아서 편안하시다. 꽝 당 꽝 당 저 소리는 그여히 이 집을 주

---

5 대장깐 대장간.

저앉게 하고야 말 것이다. 집지기 구렁이도 눈을 뜨고 슬금슬금 나타날 때가 되었을 것이다. 그리고 향연이다 마지막 향연이다. 유감이 없이 이별을 고해야 할 것이다. 모두 유감이 없이 이별을 고해야 할 것이다.

영희가 갑짜기 조작적인 구석이 느껴지게 필요 이상으로 깔깔대며 웃었다. 정애가 화들짝 놀랐다. "참 언니, 내가 지금 무슨 생각을 하고 있는지 아우?" 하곤, "아버지 팔을 그렇게 부축하고 있으니까 며느리 같지가 않구 딸 같아요." 하고 말했다.

정애는 약간 수집어하는 듯한 표정을 지었다. 아버지는 물론 못 듣고 있었다. 제 코 앞의 사마귀만 주무르고 있었다.

영희가 계속 다급하게 말을 이었다. 목소리가 높아지고 조급해 있었다. 쇠붙이 뚜드리는 소리가 듣기 싫어서 안 들으려고, 억지로 조잘대고 있는 셈이었다.

꽝 당 꽝 당.

그러나 그 쇠붙이 소리는 같은 30초가량의 간격으로 이어지고 있었다. 뾰족뾰족한 30초다. 영희 목소리의 밑층 넓은 터전으로 잠겨 그 소리는 더욱 윤기를 내고 있다.

"그러니까 우리 집두 적당히 민주적인 집안인 셈이겠죠. 시아버지와 며느리 사이가 이쯤 되어 있으니." 잠시 사이를 두었다가 더 목소리를 높여 "그렇지만 진력이 안 나우? 올켄? 도대체 무엇인지 굉장히 빠진 게 있어. 큰 나사못이래도 좋고, 받들어 주는 기둥이래두 좋고, 그런 것 말이야요. 아이, 안 그럴수?"

정애는 시아버지를 닮아 있었다. 시아버지와는 다른 성격으로 백치가 되어 있었다. 대화(對話)란 피차 신경을 긁어 놓기 위해서, 밤낮 할 짓이 없이 이렇게 앉아 있는 사람들끼리 잊어버렸던 일을 되불러 일으켜 피차 골치를 앓게 하기 위해서, 쓸모없는 사변[6]을 위해서, 태어난 것은 아니라고 그렇게 믿고 있는 듯

---

6 사변 깊이 생각하여 시비를 가림.

보였다.

"오늘 저녁두 또 12시유?"

영희가 또 말했다. 계속해서 "오빠 또 2층이겠우?" 하곤,

"참, 그인 아직 안 돌아왔죠?"

그이란 선재(善哉)일 것이었다. 아직 약혼까지는 안 됐으나 결국은 그렇게 낙착되리라고[7] 피차 각오하고 있고, 주위에서도 다 그렇게 알고 있는 터였다. 이북으로 시집을 가서 이젠 20년 가까이 만나지 못한 언니의 사촌 동생이라니 그렇게 알밖에 없었다. 一·四 후퇴 때 월남을 하여 험한 세상 건너오면서 두터움이 배어들 만도 하였다. 3년 전에 세상을 떠난 늙은 어머니가 그를 몹시 아껴 주고 측은해하였다. 제 맏딸의 시동생이라는 연줄을 생각해서였을 것이다. 역시 70이 되어 노망도 들 만했지만, 맏딸의 이모저모를 선재에게 되풀이 되풀이 물어보는 눈치였다. 임종 때도 온 가족이 다 모여 있었지만 선재를 기여히 확인하고서야 안심을 하였다. 아마도 맏딸 대신으로 삼았을 것이었다. 결국 이러는 사이에 2층의 구석방을 차지해 버렸다. 때로는 일이 만 환 들여놓는 수도 있었지만 이즈음에 와서는 그것도 뚝 끊어졌다. 처음 한동안은 불결한 사람으로 느껴지고 천티가 흐른다고 생각했으나, 자기는 팔자 드센 여자 시집을 안 가야 할 여자로 막연하게 자처하고 있는 사이에, 어느새 그와도 익숙해졌다. 어느 수산물 회사에 있다고 하나 그 자상한[8] 내력을 알 만큼 그토록 익숙한 것은 물론 아니었다.

"어째서 하필이면 12시유?"

영희가 말했다.

"글쎄."

정애가 대답했다.

---

7 낙착되다 문제가 되던 일의 결말이 맺어지다.
8 자상하다 찬찬하고 자세하다.

"정말 돌아오기나 하면 오죽 좋겠우."

영희가 말했다.

"글쎄 그러기나 하면."

정애가 대답했다.

"생각하면 참 웃워 죽겠어."

영희가 웃지는 않고 웃는 시늉만을 했다. 그러기를 멈추고 장난치듯이 말했다.

"숫제 우리 모두 헤져 버립시다. 어떻게든 살게는 되겠지 뭐. 뿔뿔히[9] 헤져 버려. 그까짓 꺼 뭐 어떼요. 쉬울 것 같애 차라리."

차라리 한번 그렇게 해 보자는 셈으로 익살맞게 눈까지 치켜올려 떴다.

마침 성식(成植)이 층층다리를 내려와 안 복도로 통하는 문을 살그머니 열었다. 정애와 영희의 시선과 부딪치자 영희 쪽을 향해,

"왜들 그러구 앉았어?"

하고 물었다.

영희는 히죽이 웃으면서 조금 가시가 돋친 소리로 말했다.

"오빤 여전히 파자마 차림이구려, 또 언니를 기다리지 않우."

성식은 대답이 없이 아버지의 건너편 의자에 앉았다.

영희가 말했다.

"오빠, 오늘두 12시유 글쎄." 곧 이어서

"같이 안 기다릴라우?"

성식은 대답이 없이 신문을 펼쳐 들었다.

"이 집 젊은 주인이니까 같이 기다려야지 뭐, 안 그렇수 언니."

하곤 아버지 쪽을 향해 손짓을 섞어 큰 소리로

---

9 뿔뿔히 '뿔뿔이'의 잘못.

"아버지, 오빠두 기다려 준대요, 오빠두." 아버지는 후들짝 놀란 얼굴을 하며 딱히 알아듣지는 못한 눈치이나 머리를 끄덕였다.

뚜렷하게 내색은 안 내지만 오빠가 선재와 자기와의 일에 철저하게 방관적인 것을 영희는 알고 있다. 선재를 경멸하고 있는 눈치다. 딱이[10] 선재를 사랑하고 있는 것도 아닌데 오빠의 그런 투가 영희의 자존심을 긁어 놓았다. 그리고 그것이 차라리 선재를 자기의 어느 구석과 굳게 연결시켜 놓는 것이다.

"오빠, 그이 몇 시에 돌아온단 말 못 들었우?"

성식은 미간을 찡그리면서 머리를 가로저었다.

"오빠, 내가 말끝마다 오빠를 긁어 놓고 있는 것을 알우?"

성식의 안경알이 한 번 차게 번쩍했다.

"왜 그러는지 알우? 알 테지 뭐, 난 요새 오빠와 선재 씨를 요모조모로 비교해 봐요, 오빠가 아니꼬운 점이 많아."

"……."

"설흔네 살, 낯색이 해맑앙구, 긴 다리가 바싹 여위구 낮이나 밤이나 파자마 차림, 음악을 공부한다고 하다가 대학은 미술 대학을 나오구, 미국을 두어 번 다녀온 후론 취직을 할 염도 않구 그렇다구 딱이 할 일도 없구 막연하게 작곡가를 꿈꾸고 있구 그다음 오빠를 설명할 얘기가 또 뭐 있을까?"

안경알만 또 번쩍했다.

가슴이 또 답답해 왔다.

복도로 나와 버렸다.

꽝 당 꽝 당.

잠시 잊어버렸던 그 소리는 다시 광물성의 딴딴한 것으로 번쩍번쩍 달려들었다. 가슴에서 카바이트[11] 내음새가 났다. 지축을 흔들 듯이 달려들었다. 목욕탕

---

10 딱이 '딱히'의 잘못.
11 카바이트 '카바이드'의 잘못.

문이 열려 있고 휑하게 불이 켜져 있었다. 불을 끌까 하다가 역시 켜 두는 것이 좋을 듯하여 그냥 두었다.

이북에 있는 언니가 12시에 돌아오다니 그러한 것은 물론 찬찬하게 따져 볼 성질이 못 되었다. 그러나 어느 때부터인지 딱이 알 수 없지만, 이렇게 기다리는 일에는 이젠 익숙해져 있었다. 아버지는 2년 전부터 귀가 멀어 있었다. 귀가 멀면서 말수가 적어졌다. 말로 할 수도 있는 것을 대개는 눈짓이나 표정으로 뜻을 전하군 했다. 그러면서 차츰 머리가 텅 비어지고 반백치가 되어 간 것이었다. 집 안 전체를 통어해[12] 나가는 줄이 끊어지면서, 식모는 훨씬 자유스러워지고 활달해지고 뻔뻔해졌다. 이 집에서 가장 문문해[13] 보인다는 셈인지 선재에게 곧잘 농을 걸기도 하였다. 그런 것도 영희의 자존심을 긁어 놓았다. 부성부성하게[14] 부운 듯한 약간 얽은 얼굴에 짙은 화장을 하고 얼룩덜룩한 원피스 차림으로 외출이 잦았다. 四·一九 데모나 五·一六 때는 하루 종일 밖에 나가 있었다. 설마 데모에는 가담 안 했을 터이지만, 시장을 보아 가지고 들어설 때는 넓은 터전의 내 음새를 거칠게 풍기면서 있었다.

살그머니 부엌문을 열었다.

"하필이면 밤 12시야. 낮 12시면 어때서, 미쳐두 좀 곱게나 미치지."

식모가 혼자 푸념을 하고 있었다.

영희는 흠칠했다.

"뭐? 뭐야? 너 이제 뭐라 그랬어?"

식모는 돌아보곤 키들대며 웃기부터 했다.

"너 이제 뭐라 그랬느냐 말야?"

"아무것도 아니에유."

---

12 통어하다 거느려서 제어하다.
13 문문하다 어려움 없이 쉽게 다루거나 대할 만하다.
14 부성부성하다 '부숭부숭하다(핏기 없이 조금 부은 듯하다.)'의 잘못.

식모가 말했다.

"너두 이 집에 살면 이 집 식구 아니냐, 좀 어울려 들면 못쓰니, 못써? 못써? 누군 너만큼 몰라서 이러는 줄 아니?"

영희의 눈에서는 드디어 눈물이 비어져 나왔다.

"누가 어쩠시유? 뭐? 그저 혼자 해 본 얘긴 걸유."

오빠는 가는 흰 테 안경을 쓰고 여전히 신문을 보고 있었다. 한 손에는 코카콜라 통을 들고 있었다. 걷어 올린 파자마 밑으로 퍼런 심줄이 내솟은 하얀 살결의 여윈 다리에 털이 무성했다.

아버지는 그냥 전의 자세 그대로였다. 오빠와 한자리에 앉으면 으레 그렇듯 정애의 아름다운 얼굴엔 우수가 서려 있었다. 머리를 갸웃이 바깥쪽으로 돌리고 되도록 오빠와 시선이 마주치는 것을 피하고 있다. 참 알 수 없는 일이었다. 시집살이의 가장 요긴한 사람인 제 남편을 외면하고 피하면서도 어떻게 시아버지나 시누이에게는 그토록 충실할 수 있는지 영희로서는 납득이 되지 않았다.

마침 큰 벽시계가 10시를 치고 있었다. 그 여운이 긴 시계 치는 소리는 방 안을 이상하게 술렁술렁하게 만들었다. 사방의 벽이 부풀었다 수축했다 서서히 운동을 하였다. 늙은 주인의 허한 눈길이 시계 쪽으로 향해 있었다. 치는 소리가 들리지는 않을 텐데 기묘한 일이었다. 영희는 풀석 올케 앞에 앉자 머리를 올케 무릎에 파묻고 그 신묘한 아버지의 시선이 우습다는 셈인지 키들키들 웃다가 시계 치는 소리가 멎자 잠시 조용했다. 머리를 들고 잠긴 목소리의 조용한 어조로 그러나 차츰 격해지면서,

"언니, 언닌 정말 늘 이러구 있을 참이유? 답답허잖우? 오빠란 사람은 저렇게 밍물이구 대낮에두 파자마나 입구 뒹굴구 코카콜라나 빨구 앉았구."

순간 정애와 성식이 머리를 동시에 들었다. 성식의 손에서 스르르 신문이 빠져나가며 또 안경알이 번쩍했다. 정애는 제 남편과 눈이 마주치자 차디차게 외면을 했다. 미간을 찡그리며,

"아니, 왜 또 이러우?"

영희는 맨마룻바닥에 무릎을 꿇고 올케의 손을 더욱 힘주어 잡았다.

"아버진 이렇게 병신이 되구, 대체 우리가 이토록 지키고 있는 게 뭐유? 난 스물아홉이 아니유? 올켄 내가 스물아홉 먹은 노처녀라는 것을 언제 한 번이나 새겨 둔 일이 있우? 올케가 이젠 이 집안의 주인 아니유? 이 집안의 가문과 가풍과…… 언니 언니 언닌 대관절 무슨 명분으루 이 집을 이토록 지키고 있는 거유?"

성식이 코카콜라 통을 놓았다. 담배를 꺼냈다. 이런 일에는 익숙해진 듯하였다. 그러나 가느다랗게 긴 손가락이 가늘게 떨고 있었다. 정애의 남편이나 영희의 오빠는 없고 찬 안경알만이 있었다.

"아니 정말 왜 또 이러우?"

시계를 쳐다보던 노인도 말귀는 못 알아들어도 눈을 크게 벌려 뜨고 영희를 건너다보았다. 그러나 여전히 허한 눈길이었다.

"언니, 정말 빨리 이 집 내놓구 이사합시다. 교외에다가 조그만 집이나 사서…… 전셋집들을 다 내놓아 정리하구, 아버진 하루빨리 세상 떠나시도록 하구 올켄 이혼을 하구……."

"……."

"그리고 저 기집앤(식모) 내보내구, 우리 둘이……."

"……."

영희는 다시 안으로 잠겨 드는 목소리로 말했다.

"언니 난 요새, 모르겠어요. 직면해 있는 건 올케두 알고 있잖수, 어찌 그렇게 모른 체만 할 수 있우, 그저 그렇게 돼 가나 부다, 내버려 두면 그렇게 돼 가나 부다, 그렇게 아무렇게나 내버려 둘 성질은 아니잖수."

"……."

쾅 당 쾅 당.

쇠붙이의 쇠망치에 부딪는 소리가 조용해진 틈서리로 파고들어 왔다.

식모는 응접실 문을 열었다. 영희는 정애의 한 손을 잡고 있었다. 성식은 다시 신문을 펼쳐 들고 있었다. 딱이 신문을 보고 있는 눈치는 아니고 불빛에 안경알만 번쩍였다. 늙은 주인은 그냥 어두운 밖을 내다보고 있었다. 결국 이렇게 그들은 누구인가를 기다리고 있는 셈이었다. 늙은 주인은 맏딸을, 정애는 아직 한 번도 본 일이 없는 맏시누이를, 영희는 언니를, 성식은 누님을 기다리고 있는 셈이었다. 그러나 사실은 그 누구도 분명하게 기다리고 있다는 의식은 없었다. 도대체 그건 말도 안 되는 소리였다. 그저 모두가 막연하게 기다리고 있다고 생각하고 있을 뿐이었다. 그런 것이라도 없으면 한 집 안에서 한 가족이라고 살 명분조차 없게 되는 셈이었다. 이젠 이런 일에 적당히 익숙해진 터였다. 그리고 이제는 이런 일에 모두 넌덜머리를 낼 만도 하였다. 결국 이 기다림의 향연은 늙은 주인이 역시 아직은 이 집안의 주인이라는 것을 암시해 보여 주는 대목이기도 했다. 맏딸이 돌아온다고 고집을 부리면 맞이할 준비들을 해야 하는 것이었다. 그렇게 기다리는 자세를 취하고 있으면 돌아올 것 같은 실감이 나기도 하였다.

식모는 잠시 그냥 서 있었다. 어쩐지 한번 소리를 내어 가볍게 웃어 보고 싶었으나,

"영희 언니 밖에서 찾아요."

하고 말했다.

영희가 화들짝 놀라듯이 일어섰다. 뒷머리를 두어 번 내리 쓰다듬으며 밖으로 나갔다.

불빛에 있다가 나와서 밖은 새까마했다. 고무신을 끌고 조심조심 큰 문 앞으

로 갔다. 문을 열었다. 골목길이 휑하게 뚫리고, 그 끝 큰길과 맞닿은 어구에 잡화상 불이 안온하게 환했다. 차츰 주변의 음영이 잔잔하게 부풀어 올랐다. 형광등 불빛에 비해 그 붉으스름한 잡화상의 전등 불빛은 따뜻한 가라앉음을 느끼게 해 주었다. 영희는, 일순, 무엇인가 그리워진다고 생각하였다.

옆 담벼락에 누군가 기대어 서 있었다. 또 술이 엉망으로 취한 선재였다. 직감으로 술이 만취한 것을 알자, 영희는 또렷한 저항감이 달콤한 것이 되어 온몸 구석구석으로 퍼졌다. 술 안 먹은 선재보다는 이렇게 술이 취한 선재가 훨씬 좋은 것이었다.

선재 등 뒤로 다가가 입술을 지긋이 깨물며 어깨에 한 손을 얹었다. 꽤 따뜻한 솜씨라고 스스로 느꼈다.

"술에 많이 취했군요." 하곤 말을 이었다. "왜 들어오지 못하구 밤낮 나부터 찾아요, 뭐 꺼릴 게 있다구, 그런 건 선재 씨답지 않아요."

선재는 엉거주춤하게 돌아서며 별 뜻이 없이 허붓하게[15] 한 번 웃기부터 했다. 술 취한 사람치고는 또렷한 소리로 내던지듯이 말했다.

"나, 마셨어, 우습지? 우습지 않아? 우습지? 참 영희에게 뭐 좀 따져 봐야겠어."

"따져 보나 마나지, 뭘."

영희도 비죽이 웃으며 이렇게 받곤 팔깍지를 끼었다.

어두운 속에서 선재는 한번 꿋뚤하고[16] 넘어질 듯하다가 말했다.

"우리 나가자, 당장 나가자, 이 집을 나가자, 어때?"

"그래, 나가요. 어차피 나가게 될걸 뭐."

영희가 조용히 말했다.

"오늘 밤 당장 나가 지금 당장."

---

15 허붓하게 멋쩍게 슬며시.
16 꿋뚤하다 꿈틀하다. 또는 비틀거리면서 구부리다.

"……."

영희는 가볍게 웃었다.

"정말이란 말야, 정말 정말이란 말야."

선재가 말했다.

무엇이 정말이라는 것인지는 모르겠지만 분명히 정말은 정말이라고 영희도 생각했다.

꽝 당 꽝 당.

쇠붙이에 쇠망치 부딪히는 소리는 여전히 계속되고 있었다. 바깥에 나와서 이렇게 술이 취한 선재와 마주 서 있어서 그 쇠붙이 소리는 훨씬 자극성이 덜해져 있었다. 차라리 따뜻한 초여름 밤의 기운 초여름 밤의 가락을 띠우고 있었다.

"정말이야, 정말."

선재가 또 말했다.

"알아요. 글쎄."

영희가 속삭이듯이 말했다.

오빠나 정애와 마주 앉으면 의례[17] 자기가 하고 있는 소리를, 지금은 선재가 그다운 가락으로 하고 있고 영희는 듣고 있는 편이 되어 있었다. 술 취한 선재와 이렇게 마주 서니까 그 수다한 언어라는 것이 값이 싸게 생각되었다.

선재는 갑짜기 모가지를 앞으로 길게 내 빼어 들며 토할 몸짓을 했다. 두어 번 꿱꿱거리더니 토하기 시작했다. 영희가 재빨리 두 손을 오무려[18] 선재의 입에 가져다 댔다. 끈적끈적한 것이 두 손에 담겨졌다. 영희는 웬일인지 웃음이 복받쳐 올라와 킬킬대고 웃으면서, 그것을 길 한옆에 버리고 벽돌담에 손바닥을 두어 번 문질렀다. 어둠 속에서도 선재의 눈에 눈물이 배어져 있었다. 그것을 문질러 주었다. 선재는 또 허붓하게 웃었다. 한 팔로는 선재의 전신을 부축하고 한

---

17 의례 '으레'의 잘못.
18 오무리다 '오므리다'의 잘못.

손으로는 등을 두들겨 주었다. 감미[19]가 곁들인 기묘한 서글픔이 전신으로 퍼졌다. 건장한 사내를 부축해 주고 있다는 알이 찬 실감이 와 안겼다. 동시에, 결국은 이렇게 낙착되고 있구나, 이렇게 되는구나 하고 생각했다. 서서히 영희는 흥분되고 있었다. 선재의 등을 두들겨 주며 한쪽 볼을 그 등에 차악 대었다. 육중한 온기가 느껴지고 심장 뛰는 소리가 요란하고 나무들 사이로 하늘엔 별이 총총했다.

꽝 당 꽝 당.

쇠붙이 소리는 어느덧 평범하게 멀었다. 근육이 좋은 사내가 앉아서 혹은 서서 뚜드리고 있을 것이었다. 불꽃이 튀기도 하고 튀지 않기도 할 것이다. 그 근처 뜰에는 사람들이 둘러앉아서 이 거리의 이야기를 하고 있을 것이었다. 5월 밤이 익으면 저녁밥도 적당히 삭아지고 모여 앉아서 얘기하기가 좋을 것이었다. 담뱃불이 두서넛 발갛게 타고 있을 것이었다.

"저 소리 들려요?"

영희가 말했다.

"무슨 소리?"

선재는 어눌한 소리로 되물었다. 그의 등에 한쪽 귀가 파묻혀 있어서, 그의 목소리는 귀에 들어오기 전에 전신 안으로 와랑와랑하게[20] 퍼져 들기부터 했다.

"저 쇠붙이 뚜드리는 소리."

선재는 잠시 어리둥절하게 귀를 기울이는 눈치다가

"응, 들려 왜?"

---

19 감미 단맛.
20 와랑와랑하다 울리는 소리가 몹시 요란스럽고 크다.

"……."

영희는 가볍게 웃었다.

선재를 부축하고 들어오다가 층층다리 밑에 잠시 버려두고 응접실에 들렀다. 아버지가 한 번 쳐다보았다. 정애는 쓸쓸하게 한 번 웃었다. 성식은 여전히 신문을 들고 있었다.

"또 취했어요."

영희가 말했다. 남자가 취해 들어오면 여자란 짜증을 내게 마련이라는 셈으로, 스스로 생각해도 어이가 없게 그런 투가 사려 있었다. 정애는 말없이 다시 한번 웃었다. 영희는 정애의 그 무엇이나 다 알고 있는 듯한 웃음을 대하자 약간 낯을 붉혔다.

마침 식모가 황겁하게 문을 열었다. 웃음을 터뜨리지 않으려고 애쓰면서 말했다.

"언니 언니, 아이 저걸 어쩌우 현관 복도에다가, 글쎄."

또 토한 모양이었다. 순간 집 안은 큰일이나 난 듯이 술렁술렁해졌다. 영희가 달려 나가고 식모가 목욕탕 쪽으로 뛰어가고 문 여닫치는 소리가 울렸다. 스윗치를 눌러 복도 불을 켜고 수도에서는 물이 솟구쳤다. 식모는 꽤 좋은 모양이었다.

응접실은 다시 휑했다.

비로소 정애가 남편을 바라보았다. 역시 찬 안경알만이 눈에 들어왔다. 웬 을씨년스러움이 뒷등을 짜르르하게 타고 내려갔다. 시아버지는 잠시 요란 법석을 피우는 복도 쪽을 내다보며 며느리에게 눈짓만으로 무슨 일이냐고 물었다. 정애가 웃층[21]을 가리키며 선재가 돌아왔다는 것을 알려 주었다.

양추질[22] 소리가 나더니 끙끙거리면서 층층다리를 올라가고 있었다. 정애는

---

21 웃층 '위층'의 잘못.
22 양추질 '양치질'의 잘못.

그 소리를 차곡차곡 접어 두듯이 듣고 있었다. 선재라는 사람이 꽤 좋게 생각되었다. 식모의 웃음소리가 들렸다. 식모도 같이 작업에 참여한 모양이었다. 몇 번 딩구는[23] 듯한 소리도 나고 영희의 숨을 죽인 웃음소리도 들렸다.

일순간 집 안이 다시 조용해졌다. 웃층에서 문 닫치는 소리가 들리고 식모의 말소리가 짧막하게[24] 나고 층층다리를 쿵쾅거리면서 내려오고 있었다. 성식이 천천히 일어서더니 말없이 나가려고 하였다.

"여보." 하고 정애가 불렀다. "2층으로 가요?"

안경알에 가려 표정을 알 수 없는 성식은 대답이 없이 이편을 내려다보다가 기여히[25] 나갔다. 정애는 와들와들 떨릴 만큼 갑짜기 조급해졌다. 층층다리를 또 올라가고 있다. 정애는 까닭도 없이 화들짝 놀라졌다. 그것은 아득한 아득한 곳을 올라가고 있는 듯싫었다. 친아버지 같기만 한 시아버지의 팔을 더욱 힘주어 잡으며 정애의 눈은 피곤한 듯이 감겨졌다.

식모가 응접실 문을 열었다. 불빛이 싸늘하게 하얗다. 정애가 혼자 이상하게 울고 있다가 머리를 들었다. 늙은 주인은 뜰을 내다보고 있었다. 식모는 한참 동안 그냥 서 있었다. 문을 닫으려는데 정애가 물었다. "언니, 안 내려오니?" "좀 있다가 내려온대요." "왜?" "……." "알았다." '알았을까? 정말 알긴 알았을까? 알았을 꺼야.' 식모는 이렇게 생각했다. 눈이 마주치자 피차 화가 난 듯이 마주 쳐다보았다. 늙은 주인도 식모와 정애를 번갈아 쳐다보았다. 여느 때 같지 않게 뚜릿뚜릿한[26] 눈길이었다.

드나들지 않아서 모르고 있었는데 정작 들어와 보니 초라하게 좁은 방이었

---

23 딩글다 '뒹굴다'의 잘못.
24 짧막하다 '짤막하다'의 잘못.
25 기여히 '기어이'의 잘못.
26 뚜릿뚜릿하다 '뚜렷뚜렷하다'의 방언.

다. 쌉쓰름하게[27] 독신 남자의 내음새가 났다. 불을 켤까 하다가 그대로가 좋은 듯하여 선재를 침대에 눕히고 뜰로 향한 창문을 열었다. 아래 응접실 불빛이 여기까지 약간 반사되고 있었다. 영희는 아직 흥분 속에 있었다. 일정한 흥분의 바로메터[28]를 그냥 유지하고 싶었다. 그 흥분이 가시기 전에 일을 치르고 있었다. 원피스를 벗었다. 침대에 걸터앉아 선재를 흔들었다.

"이것 봐요, 눈떠요, 자면 싫어요."

선재는 끙끙거리며 저리 비키라는 셈으로 한 손을 내젓다가 눈을 뜨고 영희의 얼굴을 보자 놀란 듯이 일순간 조용하게 올려다보았다. 자연스럽게 영희를 끌어안았다. 영희는 순하게 응하면서 속삭였다. 땀에 젖은 남자의 머리카락 내음새가 났다.

"취하면 싫어요. 지금 이런 경우엔 취하지 말아요."

선재는 아직 정신이 몽롱했다. 그러나 술은 차츰 깨고 있었다.

"정말 정말이야요, 정신 차려요, 정신 안 차리문 나 억울해요."

"음, 술 깼어, 정신 차리구 있어."

비로소 선재가 말했다.

꽝 당 꽝 당, 그 소리는 계속되고 있었다. 퍽 가까이에서 들리고 있었다. 뚫린 창문은 흡사 그렇게 뚫려진 구멍 같았다. 뚫린 구멍 저편으로 초여름 밤이 쾌적하게 기분에 좋았다.

"취하지 말아요."

영희가 또 말했다.

"안 취했어."

선재가 대답했다.

"거짓말."

---

27 쌉쓰름하다 조금 쌉쌀한 듯하다. 또는 조금 싫거나 언짢은 듯하다.
28 바로메터(barometer) 사물의 수준이나 상태를 아는 기준이 되는 '바로미터'의 잘못.

닳아지는 살들

영희는 마음속으로 까득까득 웃었다.

"정말 취하지 말아요. 정신 차리고 살살히[29] 씹어요. 하나라도 놓치면 싫어요."

"……."

선재는 영희를 끌어안으며 몸을 한 번 뒤챘다. 그 김에 영희의 몸도 빙그르르 돌며 한옆에 모로 누워졌다. 온몸에 꼭 알맞은 공간이다.

"오늘이 며칠이죠?"

영희가 속삭였다.

"몰라."

선재가 받았다.

"그런 걸 모르면 어떻게 해요."

영희가 속삭였다.

이런 경우의 사내가 대개 그렇듯, 선재는 조급해져 있었다. 영희는 요런 상태를 조금이라도 더 유지하고 싶었다.

"왜 이리 급해요, 급하게 서둘지 말아요. 우리 얘기부터 해요."

자세를 취할 듯한 선재를 밑에서 끌어안으며 영희가 달래듯이 말했다. 선재는 다시 거북이 등이 올려 솟구듯 어두므레한 속에서 움찔움찔 일어나고 있었다.

"이것 봐요, 얘기부터 해요."

"무슨 얘기."

"오늘이 며칠이죠?"

"몰라."

"모르면 어떻게 해요."

"……."

---

29 살살히 '살살이'의 잘못.

"12시에 언니가 돌아온대요."

"……"

"정말 정말이야요, 늘 답답하지요? 선재 씨도 그렇죠?"

영희의 목소리는 차츰 애처로워지고 가냘퍼지고 있었다. 눈을 감고 있었다.

"모두 무엇을 놓치고 있어요, 큰 배경을 놓치고 있어요. 뿔뿔히 떨어져 있어요. 그렇죠? 그렇죠? 그래서 답답하죠?"

잠시 눈을 떴다. 뚫린 창 저편으로 5월 밤이 보였다. 부끄러웠다. 다시 눈을 감았다.

"어마야, 이러지 말아요. 나, 내려가야 해요. 언닐 같이 기다려야 해요. 내일 아침 피차 쑥스러워지면 어떻게 해요. 쑥스럽지 않겠죠, 그렇죠 어마아 정말이군요. 여자가 남자보다 아름답다는 건 이런 때 보면 알아요."

입만 쉴 사이 없이 움직일 뿐이다.

"자꾸 쫓아오구 있었어요. 나, 오늘 저녁 내내 도망을 하구 있었어요. 혼자 감당하기가 어떻게나 무섭던지 그런 걸 누가 감당해 주나요, 그놈의 쇠망치 소리 말이야요, 딴딴한 쇠망치 소리 말이야요."

맏딸이 세라복[30]을 입고 있다, 세라복을 입고 애들을 주렁주렁 달고 있다, 새하얀 깃에서 바닷물 내음새가 난다. 손에는 정구[31] 라켓을 들고 있다. "이겼어요, 이겼어요 아버지." 하며 매달린다. "어떻게 이겼니?" "이렇게 이겼지요 뭐." 맏딸은 라켓을 휘두른다, 집 안은 맏딸이 있어서 웅성웅성하다. 이 방 저 방마다 문이 요란하게 여닫힌다, 성식이가 숫돌에다 칼을 갈고 있다, 꽝꽝한 햇볕에 숫돌과 칼이 번쩍번쩍한다, 모든 것이 번쩍번쩍한다, 정문은 휑하게 열려

---

30 세라복 '세일러복'의 잘못.
31 정구 경기장 중앙 바닥에 네트를 가로질러 치고 그 양쪽에서 라켓으로 공을 주고받아 승패를 겨루는 구기 경기. 연식 정구와 경식 정구로 나뉘어 행해지다가, 1955년에 정구에서 경식 정구가 분리되어 테니스로 이름이 바뀌었다.

있다, 바람이 제멋대로 들어왔다 나갔다 한다, 뜰의 나무들도 기름이 올라 미끈미끈하다, 흙 내음새 나뭇잎 내음새가 뒤범벅이 되어 물씬물씬한다, 바둑이는 뜰 한가운데 자빠져 있다, 불만이 없어서 짖을 거리가 없다, 영희가 아장아장한 작은 발로 개를 한 번 걷어찬다, 개는 영희를 올려다보며 약간 얕본다, 그러나 몇 발자욱 피해 주기는 한다, 영희가 까덱까덱 웃는다, 따라가서 또 한 번 걷어찬다, 개는 완연하게 노여운 기색으로 끙끙거리며 곁눈질로 영희를 살피다가 두어 번 애걸하듯 원망하듯 부당하게 이유 없이 채운 것을 넋두리하듯 짖는다, 다시 영희가 까덱까덱 웃는다, 개도 웃으면서 하품을 하면서 꽁지를 흔든다, 오줌이 마렵다, 며늘아 오줌이 마렵다, 식모 애가 문을 열고 호젓하게 서 있다, 신 살구알 내음새가 난다, 버르장머리가 없다, 머리칼이 까만 아내는 뜰에서 장미꽃을 따고 있다, 허리에 살이 올라 있다, 등의자에서 영희가 울고 있다, 금시 숨이 넘어가듯이 울고 있다, 마음대로 울도록 집 안이 들석들석하도록 내버려 둘 모양이다, 세라복을 입은 맏딸이 아내에게 말한다, "어머니, 우리두 라일락꽃을 심어요 어머니." "그래라." 하고 아내가 자신 있게 대답한다, "심자꾸나 못 심을 까닭이야 있겠니." 나이 든 식모가 뜰 가생이[32]로 지나간다, 아내가 말한다, "어멈, 어딜 가우?" 어멈은 대뜸 우그러들며 무엇이라고 대답한다, (오줌이 마렵구나.) 머리가 까만 어머니가 뽕나무에 올라가 있다, 풋풋한 뽕밭 내음새가 코에 시리다, 서쪽 산에 걸린 붉은 해가 굉장히 크다, "어머니, 저 해 좀 봐." 어머니는 들은 체도 안 한다, "어머니, 저 해 좀 봐, 저 해." 해는 중천에 있을 때보다 훨씬 가까운 거리에 있다, 해의 키가 커져서 손발이 생겨서 성큼성큼 이편으로 올 것 같다, 서산 그늘이 우- 소리가 나듯 달려오고 있다, 엎뎌 있던 보리밭이, 그늘에 쓸려 일어선다, 은향나무 위의 까치집이 반짝반짝한다, 죽은 어머니를 끌어안고 울다가 아버지는 뜰에 나와서 또 울고 있다, 어머니의 풀어진 머리

---

32 가생이 '가장자리'의 방언.

카락이 길다, 머리카락이 길어서 어머니 같지가 않다, 지붕 위에 수염이 시커먼 사람이 올라가서 이상한 고함을 지른다, 사방이 쩌렁쩌렁 울린다, 밑에서 아버지가 울다가 그 사람을 치어다본다, 마을 사람들이 웅성거리며 몰려온다, 갓을 쓰고 흰 두루마기를 입고 차례차례로 와서 절을 한다, 집 안도 물씬물씬 국수 국물 내음새로 찬다, 웅성웅성해서 좋기도 하고 어머니가 죽었대서 서러워지기도 한다, 아버지가 자꾸 운다, 아버지 울지 마 울지 마, 20년 만에 양복을 입고 돌아온다, 아버지는 또 운다, 아버지 울지 마 울지 마, 며늘아 오줌이 마렵구나, 오줌이 마려워…… 글쎄 그러면 그렇지.

영희가 문을 열었다.

"오빠, 자우?" 하고 물었다. "자지 않죠? 자지 않겠지 뭐."

성식은 침대에 비스듬히 누운 채 들어서는 영희를 건너다보았다. 안경을 벗고 있어서 더 바싹 여위어 보였다. 푸르스름한 불빛이 바닷속처럼 썰렁했다. 방이 넓어서 천정도 더 휑하게 높아 보였다. 침대 가장자리에 앉아 영희가 조용히 불렀다.

"오빠."

성식은 그냥 쳐다보기만 했다.

"오빠."

성식은 눈을 조금 벌려 떴다.

"……지금 내가 어떻게 보이우?"

하고 곧 이어서,

"오빠…… 나, 결혼했어, 오늘 밤 지금 막…… 뭐 어떠우?"

성식은 또 안경을 찾았다. 눈길을 피하며 영희가 그것을 집어 주었다. 성식은 안경을 쓰고도 몸을 가누기가 어려운 듯했다.

"오빠, 이왕 그렇게 될걸 뭐, 어차피 이젠 이런 형식으로 될밖에 없잖수, 누구나 다 자기 혼자의 문제밖에 안 남아 있는걸. 안 그렇수? 어쩌다가 우리가 모두 이렇게 됐을까, 오빠." 성식은 천정을 올려다보았다.

"오빠, 아무 할 말두 없우? 무슨 일을 저질러야 오빤 열을 올릴 수가 있우? 말을 할 수가 있우? 대관절."

성식은 그냥 말이 없이 물끄러미 천정을 올려다보았다. 영희는 보일 듯 말 듯 쓰디쓰게 한 번 웃었다.

꽝 당 꽝 당.

그 쇠붙이 소리가 또 뾰족하게 돋아 올랐다.

영희는 몸을 한 번 흠칫 추우며,

"아이 저놈의 소린 그냥 들리네." 성식은 어느새 담배를 피우고 있다.

밤은 깊어질수록 더욱 쌔하얗게 투명해졌다. 방 안의 불빛도 더욱 하얘지고 늙은 주인은 여전히 코앞의 사마귀를 주무르고 있었다. 선재와 식모는 저저끔[33] 제 방에서 잠이 들었다. 영희는 연분홍색 파자마 차림으로 까만 썬그라스를 썼다 벗었다 하고 있었다. 정애는 천정을 올려다보고 단정하게 앉아 있었다.

꽝 당 꽝 당.

그 쇠붙이 뚜드리는 소리도 띠글띠글하게 더욱 투명했다. 이미 간헐적으로 이어지는 것이 아니라 조급하게 계속되고 있었다. 후방에다가 든든한 것을 두고 탐색전을 벌리는[34] 소리 같았다. 영희는 썬그라스를 썼다 벗었다 하면서 말했다.

"언니 정말 저거 무슨 소리유?"

"글쎄 무슨 소릴까."

정애가 대답했다.

---

33 저저끔 '제가끔(저마다 따로따로)'의 방언.
34 벌리는 규범 표기는 '벌이는'이다.

"근처에 철공장은 없을 텐데."

"……."

정애가 대답이 없자 영희는 썬그라스를 접으며 말했다.

"언닌 저런 소리 들으면 이상한 생각이 안 드우?"

"무슨 생각?"

"글쎄 무슨 생각이냐고 물으면 선뜻 대답할 수는 없지만, 우리와는 다른 무엇인가 싱싱한 것이 서서히 부풀어서 우릴 잡아먹을 것 같은…… 얘기가 우습지만……."

"……."

영희는 가느다랗게 콧노래를 시작했다. 발까지 달싹달싹하며 장단을 맞추었다. 정애가 보일 듯 말 듯하게 상을 찡그렸다.

영희가 또 화들짝 놀란 듯이 말했다.

"우리가 왜 자지 않구 이렇게 앉아 있우? 붙어 앉아 있어 보아도 진력만 나구 저저끔 제 방에 혼자 떨어져 있으면 무섭구, 바스락대는 나무 잎새 소리에조차 후들짝 후들짝 놀라구 한밤중에 응접실에 내려와 보면 한두 사람은 의례 이렇게 붙어 앉아 있구, 불이 환하구, 푸욱 잠이나 들 수 있으면 오죽 좋겠우."

영희는 이것저것 자꾸 지껄이고 싶은 모양이었다.

"참 언니도 그런 일 겪었우? 어린 때 제삿날 저녁 말이야요. 부엌엔 웅성웅성 아주머니들이 들끓구 불을 많이 때서 온돌방은 덥구 애들끼리 장난을 하다가 설핏 잠이 들지 않겠우. 얼마쯤 자다가 깨 보면 여전히 방은 덥구, 뜰악과 부엌과 마루에서는 사람들이 웅성거리구 방 안엔 불이 훤하구 그런데 아무도 없이 혼자 잠이 들어 있었거든요. 물론 입은 채로지요. 깨 보니까 마루와 부엌과 뜰과 다른 방에서는 웅성웅성 사람들이 들끓는데 제 방만은 아무도 없지 않겠우. 아득해서 아득해서 혼자만 이렇게 있다는 것을 알려야 할 텐데 알려지지는 않구 답답해서 답답해서……."

"……."

"누구인가는 이렇게 투명한 밤일수록 엽기적인 생각 있지 않우? 안나·카레에니나를 자처해 본다든가 쟌발쟌이 되어 본다든가 하면 괜찮다고 합디다만 어떨까, 그렇게라두 해 볼까 봐, 어마아 벌써 11시 45분이유 언니."

늙은 주인의 코 앞 사마귀를 만지는 모양은 푸념을 하는 어린애처럼 보였다. 손에 땀이 나 있고 초저녁보다 조급해 있었다. 이따금 눈이 휘둥글해져서 두리번거리며 영희와 정애를 번갈아 쳐다보았다. 그 눈빛은 기묘하게 예리한 것을 담고 있었다. 영희도 말을 멈추고 아버지의 그 눈길을 쫓고 정애도 마찬가지였다. 역시 늙은 주인은 아직은 이 집안의 가장인 모양이었다.

"참 언니, 우리 집이 어쩌다가 이렇게 되었을까. 때로 잠자리에 누워서 잠은 안 오구 점점 더 샛맑애 올 때 있지 않우? 우리 집이 어쩌다가 이렇게 되었을까, 한번 본격적으로 따져 보자. 이렇게 따져 보기로 하거든요. 마음속 한구석으로는 아주 단조로운, 힘이 들지 않는 생각, 하나, 둘, 셋, 넷, 다섯, 여섯, 일곱…… 이렇게 무한정 세어 나가구, 눈은 바깥의 밤하늘을 내다보구, 다른 한구석으로는 찬찬하게 떠올려 가면서 1년 전은 우리 집이 어떠했었나, 아버지는, 오빠는, 올케는? 2년 전은 우리 집이 어떠했었나, 이렇게 따져 올라가 보거든요. 그러면 아무것도 이상해진 것은 없는 것 같아요. 하나도 이상한 구석은 없는 것 같아요. 그렇지만 10년 전은 어떠했나? 20년 전은? 이렇게 생각하다가 다시 1년 전이나 오늘로 돌아오면 훨씬 차이가 생겨지는걸. 아주 뚜렷하게 말이야요."

영희의 목소리는 잔잔하게 여느 때 없이 아름다웠다. 정애는 조용히 머리를 숙으리고[35] 한 손으로 이마를 가리고 있었다. 영희는 두 손으로 턱을 받치고 천정을 올려다보며 지껄이다가 정애를 쳐다보곤 갑자기 눈을 벌려 뜨며 말했다.

"애개, 언니 우우?"

---

35 숙으리고 규범 표기는 '수그리고'이다.

일순 조용했다.

꽝 당 꽝 당. 쇠붙이 뚜드리는 소리가 뾰조록히 돋아 올랐다.

충충다리를 내려오는 발자욱 소리가 들렸다. 조심스럽게 내려오는 소리이나 쿵 쿵 온 집채가 흔들리듯이 울리고 있었다. 아득한 아득한 곳을 내려오는 소리 같았다. '복도에 불을 켜 둘 걸 괜히 죽였지.' 영희는 몸서리를 치면서 이렇게 힘을 주어 속으로 중얼댔다. 어쩐지 어두운 속을 내려오는 모습보다는 환한 속을 내려오는 모습을 떠올리는 것이 좋을 상싶었다. 누구래도 상관은 없었다. 물론 오빠일 것이었다.

문이 열리고 안경을 쓴 오빠가 들어서고 있었다. 안경알이 차게 번쩍였다. 역시 혼자는 못 견디겠는 모양이었다. 영희를 대하기가 난처할 것이었다. 그러나 역시 혼자 있느니보다는 나을 상싶으니까 내려왔을 것이다.

"오빠, 아직 안 잤우?"

차악 감겨드는 정겨운 목소리로 영희가 물었다. 성식은 한쪽 볼이 약간 치켜 올려지며 어쩔 줄을 몰라 했다. 겁겁하게[36] 비식비식 피하는 듯한 몸짓을 하며 정애와 영희를 번갈아 쳐다보았다. 영희가 신경질적으로 말했다.

"오빠, 언니두 알아요. 다 얘기했는걸 뭐, 그런 게 뭐 그리 대단하우?"

이상한 일이었다. 정애와 마주 앉으면 명주실을 뽑아내듯 잔잔한 소리가 나와지고, 오빠만 끼우면 차게 맵게 신랄해지고 싶은 것이었다. 성식은 안경알 속에서 맥없이 한 번 웃는 듯하였다.

영희가 화들짝 놀라며 말했다.

"오빠 웃구 있우?"

"……."

"오빠 웃구 있우? 이제 웃었우?"

---

36 겁겁하다 한 가지 일에만 정신을 쏟아 다른 일을 할 마음의 여유가 없다.

"……"

영희는 악착스럽게 성식 앞으로 다가앉았다. 성식의 무릎을 잡고 또 말했다.

"오빠, 정말 이제 웃었우?"

"……"

성식은 무엇을 털어 내기나 하려는 듯이 상을 찡그리면서 뒤로 물러가려고 하였다. 정애는 얼이 빠진 사람처럼 영희와 남편을 건너다보고 있었다.

순간 벽시계가 12시를 치기 시작했다. 세 사람은 일제히 시계 쪽으로 시선을 돌렸다. 방 안이 술렁술렁해졌다. 시계를 쳐다보던 세 사람의 시선이 다시 늙은 주인 쪽으로 향했다. 코 앞의 사마귀를 만지던 늙은 주인이 어리둥절하게 아들과 며느리와 딸을 번갈아 쳐다보았다.

복도를 통한 문이 열리며 방 안의 불빛이 복도 건너편 흰 벽에 맑앟게[37] 삐어져 나갔다. 12시가 다 쳤다. 네 사람의 시선이 그쪽으로 옮겨졌다. 조용했다. 왼편 쪽으로부터 서서히 식모가 나타났다. 히히히히 하고 이상한 웃음을 띠우고 있었다. 제 딴에는 미안하다는 뜻인 셈이었다.

"벤소에 갔었이유."

하고 말했다.

순간 영희가 발작이나 일으킨 듯이 아버지 쪽으로 달려갔다. 한 손으로 식모를 가리키며 한 손으로는 아버지를 부축하여 일어 세우며 쩌개지는 듯한 큰 소리로 말했다.

"아부지, 자 봐요. 언니가 왔어요 언니가……. 정말 12시가 되었으니까 언니가 왔어요. 이제 정말 우리 집 주인이 나타났군요. 됐지요? 아부지 자, 어때요? 됐지유? 아부지."

식모가 이번에는 소리를 내며 웃었다.

---

37 맑앟게 규범 표기는 '말갛게'이다.

"정말이에요, 아부지 저렇게 언니가 왔어요, 그렇게도 기다리시던 언니가 왔어요."

이렇게 소리를 지르면서 식모를 내다보는 영희의 눈길은 적의로 타오르고 있고, 아버지는 영희의 부축을 받으며, 저리 비키라는 것인지, 혹은 어서 들어오라는 것인지 분간이 안 가게 한 손을 들어 허공에다 대고 허우적거리고, 성식과 정애도 엉거주춤하게 의자에서 일어서 있었다.

꽝 당 꽝 당.

쇠붙이 소리는 밤 내 이어질 모양이었다.

(1962년)

1965년, 어느 이발소에서

이호철

이호철 (1932~ 2016)

1950년 6·25 전쟁에 인민군으로 징집되어 울진까지 내려와 국군 포로가 되었다가 풀려나고 12월에 월남해 부산에 도착했다. 이후 부산에서 부두 노동자, 제면소 조수, 미군 부대 경비원 등을 하며 힘겹게 생계를 이어 갔다. 이 시절 실향민으로서 남한에서 살아남아야 하는 삶의 척박함과 치열한 생존 의식은 그의 소설의 원체험으로 자리하게 된다. 1953년 서울로 와서 황순원의 지도를 받으며 소설 창작을 하다가 1955년, 1956년 〈문학예술〉에 단편 〈탈향〉과 〈나상〉이 각각 추천되어 활동을 시작하게 되었다. 지은 책으로는 《이단자》《닳아지는 살들》《이산타령 친족타령》《소시민》《남풍북풍》《문》《별들 너머 저쪽과 이쪽》등이 있다.

이발소 문이 열리고 또 손님 하나가 들어섰다.

"어서 옵쇼오."

가위질을 하던 박 씨가 들어서는 손님을 거울 속으로 힐끗 보며 상투적으로 소리를 질렀다.

"어서 오십쇼."

문가에 서 있던 이발소 소년도 '어' 자에 악센트를 주며 경쾌하게 소리를 질렀다.

"빨리 됩니까, 빨리?"

들어선 녀석은 이발소 안을 휘둘러보며 다짜고짜 급하게 물었다.

"네에, 얼른 됩니다. 얼른입쇼. 앉으십쇼."

올백[1]을 한 머리에 포마드[2]를 뭉테기로 바르고 번들번들하게 영양이 좋게 생긴 박 씨가 역시 돌아보지 않고 가락을 띄워 하루하루 사는 것이 이렇게 즐겁기만 하다는 듯이 대답했다.

소년이 손님의 등 뒤로 가 서서 상의를 벗겨 드리려고 했다.

"똑똑히 얘기해요, 똑똑히. 빨리 되는지. 빨리 될 수 있는지."

비로소 박 씨가 가위를 든 채 돌아보았다.

맞은편 긴 소파에 양말 신은 두 발을 올려놓고 비스듬히 모로 누워 한 손으

---

1 올백(all back) 가르마를 타지 않고 머리카락을 모두 뒤로 빗어 넘김. 또는 그런 머리 모양.
2 포마드(pomade) 머리털에 바르는 반고체의 진득진득한 기름.

로는 발바닥을 주무르며 못다 읽은 조간신문을 뒤지고 있다가 어느새 신문지를 허공에 경중 든 채 깜박 잠이 들었던 주인도 눈을 떴다. 무슨 일이 일어났는지 정신을 차리려고 하며 두 발을 여전히 소파 위에 놓은 채 꾸물꾸물 일어나 앉았다.

"사람이나 좀 똑똑히 쳐다보면서 얘기해요. 빨리 될 수 있소?"

그 녀석은 박 씨 앞에 삿대질을 하듯이 또 거쉰[3] 소리를 질렀다. 검초록색 잠바에 통이 좁은 깜장색 바지 차림의 서른 남짓 되어 보이는 사내였다. 짧게 깎은 앞머리가 가지런히 일어서 있고 손에는 올이 굵은 깜장 모자를 들었다. 칼칼하게 야윈 몸매지만 서슬[4]이 선 눈매를 지녔고, 하관이 빠르고 얼굴색도 까무잡잡하다. 앞니에 금니 두 개를 해 박았다. 구두가 인상적으로 써늘하게 생겼다. 구둣방에 진열되어 있는 구두는 구두에 불과하지만 일단 사람의 발에 신기면 구두도 그 주인의 위인과 더불어 주인을 닮아 가게 마련이다. 끝이 뾰족하고 반들반들 윤기를 내고 있다.

헤프고, 사근사근하고, 무르고, 게다가 병역 기피자인 박 씨는 대번에 꺼칠한 얼굴이 되었다. 처음부터 나오는 것이 예사 손님 같지는 않다.

"글쎄, 앉으십쇼. 빨리 해 드릴 테니."

"얼마나 빨리 되어? 몇 분에 될 수 있소?"

"허어, 이 양반이 참 급하기도."

"뭐? 이 양반? 얻다 대구 반말이야? 말조심해."

앉았던 손님 두엇이 거울 속에서 힐끗 쳐다보았다. 그리고 거울 속에서 눈길이 부딪칠 듯하자 급하게 외면을 하였다. 세발대의 두 소년도 우르르 머리들을 이편으로 내밀고 구경을 하고 손이 빈 민 씨와 김 씨도 구석 쪽 빈 이발 의자에 앉아 묵은 신문을 보다가 말고 몸체만을 엉거주춤히 돌렸다.

청년은 다시 이발소 안을 둘러보다가 그 눈길이 주인에게 가 멎었다. 주인도

---

3 거쉬다 목소리가 쉰 듯하면서 굵직하다.
4 서슬 쇠붙이로 만든 연장이나 유리 조각의 날카로운 부분. 혹은 강하고 날카로운 기세.

여전히 양말 신은 두 발을 두 손으로 주무르면서 마주 올려다보았다.

"당신은 뭐요?"

"주인이오."

"주인이면 주인이지, 그 앉아 있는 꼴이 뭐요? 도대체에 이 사람들 정신 있는 사람들인가. 때가 어느 땐지도 모르고, 이 사람들이."

술 냄새가 약간 났으나 옳기는 한 소리인 것 같아서 주인도 후닥닥 일어나 섰다.

보기 흉하게 몸체만 돌리고 앉았던 민 씨와 김 씨도 청년의 눈길이 그쪽으로 돌아오기 전에 화닥닥 일어서고, 세발대의 두 소년도 제자리로들 돌아갔다.

기운 오후의 느슨느슨한 분위기에 잠겨 있던 이발소 안이 갑자기 써늘해졌다. 평퍼짐하게 모로 누워 있던 이발소 기구들도 삐죽삐죽 일어서진 듯하고 금빛, 은빛 금속 기구들이 사방에서 번쩍번쩍하였다. 맹렬하게 하품을 하던 사람들이 모두 정신이 번쩍 들었다.

주인이 나서면서 허리를 굽신하며 공손히 말하였다.

"여하간에 앉으십쇼. 급하게 해 드릴 테니까."

"앉는 건 좋은데에."

하고 비로소 청년은 못마땅한 점이 한두 가지가 아니라는 낯색으로 마지못한 듯이 주인이 가리킨 자리에 앉았다.

그 옆자리에는 바로 박 씨가 맡은 예순 가까운 관리로 보이는 한 사람이 앉아 있었다. 거울 속에서 청년과 눈이 부딪치자 관리는 슬그머니 눈길을 돌렸다. 이 관리는 사흘거리[5]로 꼭 요 시각이면 나타나는 단골손님이었다. 왜정 때 군청에도 있었고 M시 부청에도 있었고 도청에까지 올라갔다가 얼마 안 되어 해방을 맞았노라고 해방이 된 것이 무척 섭섭한 듯이 언젠가 말하는 것을 박 씨는 들은

---

5 사흘거리 사흘에 한 번씩.

일이 있다. 그렇다고 현재 무엇을 하는 사람인지는 직접 들은 일이 없다. 그러나 어느 모로 보나 관리인 것은 틀림없었다. 이 관리의 얼굴만 보면 우리나라가 정치적으로, 경제적으로, 문화적으로 안정되어 있다는 것을 실감으로건 착각으로건 느끼게 되었다. 숱이 적은 머리를 예쁘게 모로 빗어 올리고, 키가 작은 비대한 몸집에 늘 허여멀쑥하게 희멀건 얼굴을 하고 있었다. 들어설 때마다 파이프 담배를 물고 있고 목소리도 서양 사람처럼 잘 울리는 낮은 바리톤 소리였다. 사흘거리로 오후 요 시각만 되면 나타나는 이 관리는 딱히 이발을 하려고가 아니라, 이 이발소의 이를테면 느슨느슨한 오후 분위기에 잠기고 싶어서, 이발 의자에 앉아 거울 속의 영양이 좋게 생긴 자기 얼굴을 완상하며[6] 맹렬하게 하품이나 하고 싶어서, 그리고 한 30분씩 늘어지게 안마가 하고 싶어서 드나드는 듯이 보였다.

"가만, 앞머리를 조금 더 짜를까."

청년의 눈길을 피한 관리는 약간 미간을 찡그리면서 갑자기 노인 투를 내며 박 씨에게 말하였다. 그 얼굴에는 박 씨가 미안해질 만큼 조금 차가운 위엄이 살짝 어렸다. 물론 박 씨는 이 말뜻을 알 만하였다.

청년이 들어서기 조금 전까지 이 관리는 박 씨에게 왜정 때의 관리 생활과 현재의 관리 생활을 비교해서 지나칠 만큼 솔직하게, 자상히 들려주며 왜정 때가 훨씬 좋았다는 얘기를 하고 있던 참이었다. 간접적이기는 하였지만 오늘의 관리 생활에 경멸과 조소까지 보내면서. 그러나 이제 청년이 옆자리에 앉자 그 얘기는 이상 끝이라는 신호를 그렇게 기술적으로 표현했을 것이다. 물론 박 씨도 알아들었다.

그러나 그 자연스러운 표정이나 억양이 박 씨의 눈에는 무척 소심하고 소극적인 것으로 보였다. 그리고 그 소극성으로 보이는 표정의 저 뒤안에는 세상이

---

6 완상하다 즐겨 구경하다.

험하면 험한 대로, 세상이 유하면 유한 대로 일정한 자기 분수를 지니고 그 분수의 틀을 정확하게 잡고 있는 완강한 자세, 30년쯤의 관리 생활에서 절어 든 듯싶은 더께가 앉은 완강한 자세가 번득였다. 자기 분수의 외양과 타성에만 절어 들어 있는, 그러나 살짝 바람만 불어도 어느 울타리를 화닥닥 오므려 닫는. 그가 오랜 세월 동안에 몸에 익힌 것은 필경은 자기방어밖에는 없는 듯하였다. 그리하여 바람이 세어지면 안으로 오므리는 강도도 세어지고, 바람이 잔잔하면 살금살금 소극적으로 무리도 조금씩 하며 근무 시간 중에 한 시간쯤 실례를 하여 이발소에 나와 느슨느슨하게 거울이나 들여다보고 늘어지게 안마나 하고 한잠 자는 둥 마는 둥 하게 자고.

그러나 세상이 엎치락뒤치락 바뀌는 속에서 30년쯤 쉬엄쉬엄 관리 길을 유지해 오는 동안 외모만 남자다운 모습일 뿐 사람이 닳고 닳아져서 싱거워 빠졌다. 살아간다는 일에 대한 근원적인 체념이 전체의 살아가는 가락으로 되어 이발소 사람과 분수에 맞지 않게 지나치게 솔직한 얘기까지 하게 되고, 그러다가도 화닥닥 제 분수를 되찾아 그늘지게 써늘한 얼굴을 하고. 물론 박 씨도 알 만하였다.

민 씨가 청년의 옆으로 와서 낮은 목소리로 물었다.

"앞머리를 더 짧게 짜르실까요?"

"그러시오."

거울 속에서 '이건 또 뭐야' 하듯이 험한 눈길을 하며 청년이 대답했다.

"3부 정도로 할까요?"

"3부? 3부면 상고머리[7] 아니야? 누가 3부로 하랬소? 누굴 국민학교 아동으로 알아? 이 양반들이 정말 정신이 있는 사람들인지 모르겠군."

민 씨는 덮어놓고 꾸뻑꾸뻑하면서 사과를 하였다.

---

7 상고머리 앞머리만 약간 길게 놓아두고 옆머리와 뒷머리를 짧게 치켜 올려 깎고 정수리 부분은 편평하게 다듬은 머리 모양.

"네, 네, 알겠습니다."

"뭘 알어?"

"네, 알겠습니다."

"뭘 알겠느냐 말요?"

민 씨는 처참한 얼굴이 되며 대답을 못 했다.

주인이 또 가까이 와서 두 손을 마주 잡고 분명한 이유는 모르는 대로 양해를 구했다. 덮어놓고 굽신굽신하고 수줍은 표정을 짓고 사과하는 몸짓을 하였다.

"도대체에 모두 틀려먹었어요, 틀려먹었어. 지금이 어느 땐데, 모두 희멀게 가지구, 말라 죽은 동태 눈알을 해 가지구. 도대체에 정신들이 있는 사람들인지 모르겠군."

주인은 또 꾸뻑꾸뻑하면서 알겠다고도 모르겠다고도 않고, 알겠다고 하면 뭘 알겠느냐고 또 소리를 지를 것 같고 모르겠다고 하면 더 흥분을 할 것이어서 한 손으로 귀 뒤를 서걱서걱 소리가 나게 긁으며 단지 소극적으로 시인하는 표정만 하였다.

비로소 청년은 조금 가라앉아졌다. 이발 의자에 처억 기대어 두 다리를 중도에서 꼬아 한쪽 발을 경중 뜨게 하고 앉았다.

주인은 어디서 난데없이 나타난 영 귀찮은 것을 건너다보듯이 청년의 뒷모습을 흘낏 보며 다시 소파에 가서 걸터앉았다. 순간 청년이 다시 홱 돌아앉았다.

"여보, 주인!"

주인이 다시 화닥닥 놀라며 일어섰다.

"당신, 이제 그 눈길이 뭐요?"

"뭐 말입니까?"

"뭐어 마알입니까?! 당신, 이제 날 어떻게 보았지!"

"미안합니다."

주인이 더욱 겁이 난 얼굴로 처참하게 창백해지며 대답했다.

"미안해? 미안으로 통해? 도대체 이 사람들이 앞으로는 굽신굽신하고 뒷구석으론……. 반성을 하려면 철저히 하고 아니면 분명하게 맞서든지 해야지, 사람들이."

"미안합니다."

"미안으루 통해? 안 통해, 우리에겐."

안 통하면 어쩐다는 것인지 알 수는 없는 대로, 주인은 또 덮어놓고 우그러든 얼굴을 하였다.

어느새 이러는 사이에 이 이발소에 있는 사람들은 모두가 써어늘하게 겁먹은 얼굴로 전염되어 갔다. 모든 것은 이미 그렇게 기정사실화되어 있었다. 손님들도 간이 콩알만 해지고 세발대 소년들이나 면도하는 소녀들까지도 말조심하고 걸음걸이 조심하고 쉬쉬하는 표정이 되었다. 어떤 손님인지 확실하지는 않으나 하여튼 예사 손님이 아니라는 것만은 확실해 보였다.

다시 거울을 향해 돌아앉은 청년의 머리에 민 씨가 조심조심 가위를 들이댔다.

"도대체에 사람들이 나빠요, 나빠. 정신들이 말짱 안 되어 먹었거든. 모두 비겁하기가……."

청년은 또 이렇게 악악거리며[8] 주절대다가 다시 거울 속에서 민 씨를 건너다보며 물었다.

"당신, 군대 갔었소?"

"네."

민 씨가 기겁을 하듯이 화닥닥 놀라며 한참 만에야 묻는 뜻을 알고 대답했다.

"언제 제대했소?"

"87년 5월에."

---

8 악악거리다 억지를 부리고 고함을 지르며 떠들썩거리다.

"87년?"

"아니, 저어 그러니까, 오시입……."

하고 민 씨는 한 손가락으로 재빨리 셈을 해 보고는,

"54년 6월입니다."

그 표정이 우스웠던지 청년은 거울 속의 자기 얼굴을 보며 비로소 처음으로 비시시 웃었다. 그러고는 갑자기 부드러워졌다.

"제대까지 한 사람이 있으면서 왜 이 모양이야, 이 이발관은. 좀 빠릿빠릿하지 못하고, 도대체에 당장 빨갱이들이 나오면 어쩌려구."

백번 옳은 소리일 것이어서 민 씨도 겸손하게 수긍하는 표정을 하였다. 그러나 자기도 제대 직후 갓 환도한 서울 거리에서는 눈알에 쌍심지를 돋우고 빠릿빠릿하게 돌아가던 시절이 없지 않았다. 눈이 뒤집히고 미칠 것 같았다. 음식점마다, 다방마다, 술집마다, 이발관마다, 가는 곳 이르는 곳마다 눈이 뒤집히게 썩어 문드러져 보였었다. 가는 곳마다 눈에 쌍심지를 켜고 짓부수고 행패를 부렸다. 너 죽고 나 죽자는 식이었다. 그런데 어언 10년 세월은 그 모든 것에 쉬이 젖어 들게 하고 하루하루 살아가는 일에만 주저앉게 하였다. 그리고 비록 넉넉한 살림은 못 되고 때로 가난에 쪼들리고 마누라가 짜증을 부리기도 하지만 이렇게 사는 것이 당장 편해서 좋았다.

'너도 한때지. 이제 좀 더 지나 보아라. 세상 물정 알 때가 올 것이니라.' 하고 마흔 살이 된 민 씨는 마음속으로만 중얼거렸다.

청년의 옆자리에 앉은 관리는 눈길을 어디다가 두어야 할는지 몰랐다. 자칫하다가는 그자와 눈길이 부딪칠 것이다. 부딪치면 귀찮아진다. 거울 속에서 눈길이 그쪽으로 가다가도 깜짝깜짝 겁에 질려서 되돌아오곤 하였다. 이러다가 드디어 어느 서슬에 눈길이 따악 부딪쳤다. 나이 든 주제에 나잇값을 해야지, 급하게 외면을 하기도 민망스러워서 멀뚱히 마주 쳐다보았다.

그러자 청년이 또 왈칵 물었다.

"왜 봐요?"

"저 말입니까?"

늙은 관리도 거울 속의 청년을 건너다보며 켕하게 되물었다.

"그렇소. 왜 보느냐 말요?"

청년도 거울 속으로 또 되물었다.

"녜에, 그저 어쩌다 보니 눈길이 마주쳤군요."

늙은 관리도 비죽이 비굴한 웃음을 입가에 떠올렸다.

"웃기는, 누가 웃으랬소?"

"……."

늙은 관리는 또 허줄그레 웃었다.

"넉살이 엔간 아니군. 도대체 당신은 뭐 하는 사람이오?"

"보다시피 늙은 사람이오."

늙은 관리는 오랜 경험으로 자기보다 힘센 사람에게는 필요 이상 털털하게 대하고 되도록 늙은이 행세를 하는 편이 관대한 대접을 받는 것을 알고 이렇게 일부러 넉살로 대답했다.

"늙은 거야 보아도 알겠고. 도대체 뭐 하는 영감이오?"

"그저 이력저럭 지냅니다."

늙은 관리는 또 일부러 복덕방 영감 투를 내며 능청 섞어 대답했다. 세발대 쪽에서 두 소년이 킬킬거리고 이발소 주인 박 씨, 민 씨도 가만가만 쓰겁게[9] 웃었다.

"도대체 사람들이 이래 가지구야. 아무리 민주주의가 좋다지만, 그 앉은 꼴이 뭐요, 꺼부정히 앉아서. 좀 가슴을 좌악 펴고 앉아요, 펴고. 금방 죽어 자빠지더래두 정신만은 제대로 말짱하게 가져야지."

---

9 쓰겁다 '쓰다'의 방언.

옳은 소리일 것이었다. 늙은 관리는 이르는 대로 화닥닥 가
슴을 잔뜩 뒤로 젖히고 앉았다.

"옳지."

말 잘 듣는다 하듯이 청년은 한결 부드러운 얼굴이 되었다.

늙은 관리는 관리 체통에 조금 안됐다는 생각을 했으나 한편
으로는 이런 자격지심에 맹렬히 반발을 하였다. 요즈음 세월에
어른 어린애가 있나. 당하게 되면 별수 없이 당했지.

결국 저런 청년은 저 놀고 싶은 대로, 하고 싶은 대로 내버려 둘밖에 없었다.
이발을 마친 손님 하나가 나갔다. 키가 크고 장대하게 생긴 사람인데, 주인에게
돈을 내고는 거스름돈도 제대로 못 받고 후덕후덕 도망을 하듯이 나갔다. 그의
뒤를 따라 이발소 소년이 웬 봉투를 들고 나갔다. 이발소 문 앞에서 건네어 주
자 그 손님은 쓰디쓰게 웃으면서 길 건너편으로 줄행랑을 치듯이 달아나고 있
었다. 손이 빈 김 씨는 잠시 자리를 피하여 뒷문을 통해 늦점심을 먹으러 나갔
다. 면도하는 소녀 둘은 할 일 없이 멍청히 서 있기가 겁이 나서 빠릿빠릿하게
보이도록 두 눈에 힘을 주고 윗입술로 아랫입술을 힘주어 앙다물고 있었다. 비
를 들고 이발소 바닥을 쓸었다. 주인도 팔깍지를 끼고 서 있다가 벽시계와 자
기 손목시계를 비교해 보고는 나무 의자를 가져다가 그 위에 올라서서 벽시계
의 시간을 맞추었다. 되도록 천천히 태엽을 감아 주었다. 이렇게 이발소 안은 갑
자기 수런거리고 웬 건설 의욕 같은 것으로 생기가 활발했다. "미안합니다. 안
마는 못 해 드립니다. 규정이 그렇게 되어 있습니다." 눈치가 빠른 세발[10]대의 두
소년도 이렇게 이발 법규대로 움직였다. 이발을 마친 손님들은 대강대강 세발
을 하고, 대강대강 말리고, 대강대강 정발[11]을 하고, 날 살려라 하고 도망을 치듯
이 나갔다.

---

10 세발 머리를 감음.
11 정발 머리를 잘 매만져 다듬음. 또는 그렇게 한 머리.

그 청년의 말은 과연 천 번 만 번 지당한 말이었다. 요즈음 세월에 모두 이러고 있을 때가 아닐 것이었다. 정신들을 차리고 빠릿빠릿해 있어야 할 것이었다. 썩은 동태 눈알을 해 가지고 희멀겋게 뻗어 있어서는 안 될 것이었다. 휴전선을 사이에 두고 빨갱이와 마주 대결하고 있고, 월남에 파병을 하고, 곳곳에 간첩들이 활개를 치는 판에 도대체 이렇게 멍청하게 있을 때가 아닐 것이었다. 사람들은 이렇게 저렇게 따져서 그 말에 수긍은 하면서도 무엇인가 써늘하고 무서웠다.

이때 또 문이 열리며 한 청년이 들어섰다.

"어떻게 된 거야. 아직 멀었어?"

그는 이발소 안을 둘러보다가 청년에게 다가가 이렇게 물었다.

올이 굵게 짜진 깜장 모자를 썼고, 역시 국방색 잠바를 자꾸¹²를 턱 밑까지 바싹 올려 입고, 깜장색 통이 좁은 바지를 입었다. 얼굴은 펑퍼짐하게 살이 올라 유순하게 생겼으나 눈에는 핏발이 서 있었다. 역시 반들반들 윤기가 나는 단화를 신었다.

"어떻게 된 거야? 아직 멀었어?"

그는 재우쳐 물었다.

앉은 청년은 거울 속에서 흘낏 쳐다보며,

"도대체 이 사람들 말이 아니군."

하였다.

새로 들어선 청년은 벌써 말뜻을 알아듣고 금시 쳐 죽일 듯한 눈길로 이발소 안을 휘익 둘러보았다.

귀하신 분께서 또 한 분 이렇게 나타나자 이발소 안은 두 곱으로 써늘해졌다. 모두 간이 콩알만 해져서 조마조마하였다.

---

12 자꾸 '지퍼'의 방언.

"왜, 어쨌기?"

"도대체 사람들이 정신들이 덜 되어 먹었단 말야. 요즈음 세월이 어떻게 돌아가는지도 모르고. 멍청해서들."

"민주주의라는 것을 모두 일방적으로 오해를 해서 그렇지. 도대체에 민주주의라는 것을 그렇게 알면 곤란한데에."

이제 두 청년은 완전히 자기들 세상이 된 이발소 안에서 주거니 받거니 했다.

"맞았어, 맞았어."

"도대체 무슨 일이 있었지?"

들어선 청년은 이발 중에 있는 청년 뒤로 바싹 붙어 서며 낮은 목소리로 물었다.

"무슨 일이 일어나나 마나, 보면 몰라. 모두 동태 눈알을 해 가지고. 도대체에 사람들이 정신이 있는 사람들인지 모르겠거든."

청년은 어떻게 된 셈인지 똑같은 소리를 똑같게 싫증도 안 내고 되풀이만 하고 있었다.

새로 들어선 청년도 이발소 안에 있는 사람들의 눈알 생긴 것을 새삼 둘러보려고 하다가 거울 속에서 마악 이발을 끝내고 일어서는 늙은 관리와 눈길이 부딪쳤다. 그러자 덮어놓고 쳐 죽일 듯한 빠릿빠릿한 눈길로 노려보며 물었다.

"당신은 뭐요?"

"보다시피."

늙은 관리는 일부러 그러는 것이 완연하게 반천치 같은 얼굴이 되었다.

"보다시피, 뭐요?"

"노인입니다."

"뭐 하는 사람이오?"

"그저 노인입니다."

"뭐 하는 사람이냐 말야?"

"노인입니다."

"노인인 줄은 누가 모르오?"

"글쎄, 그저 노인이라니까요."

아직 우리네에서는 노인이라면 관대하게 보아 주는 습성이 있다. 그자도 이렇게 관대하게 보아 주기로 한 모양으로 슬그머니 눈길을 다른 곳으로 돌렸다. 그러자 잡히는 모서리가 없었던지 다시 거울 속으로 앉은 청년을 건너다보며,

"모두 논산 훈련소 같은 곳에 모아다가 한 두어 달씩 되우 뚜드려 놓아야 하는데, 민주주의랍시구 체모 차리고 이것저것 찾다가 보니까 이렇거든."

"맞았어어, 동감이야아."

어느새 늙은 관리는 세발대에 앉아 세발을 하며 안마를 할까 말까 할까 말까 조금 궁리를 하다가 기어이 좋지 않을 것 같아 그만두기로 하였다.

잠시 조용해졌다. 조용해지자 이발소 안은 더욱더 썰렁썰렁해졌다. 청년 둘이 주거니 받거니 악악대고 있을 때는 소곤대는 소리로 얘기나마 할 수 있었던 세발대의 두 소년도 완전히 입을 다물어 버렸다. 금세 무엇인가 폭발될 것 같은 위태위태한 것이 잠시 흘렀다. 이러자 청년들 자신도 이 정적이 못 견디겠던 모양이었다. 갑자기 일어서 있던 청년이 세발대 쪽을 향해 크게 소리를 질렀다.

"야야."

꼭 논산 훈련소에서 육군 졸병을 부르는 듯한 억양이었다.

늙은 관리의 머리에 허옇게 비누칠을 하고 마구 문지르던 소년과 그 옆에 손이 비어 있어 물 묻은 두 손을 마주 잡고 있던 소년이 똑같이 돌아보았다.

"너 말이다, 너."

청년은 턱으로 하필이면 작업 중인 소년을 가리켰다.

"네?"

"이리 와."

소년은 비누칠을 해 두어 눈을 감고 꺼부정히 앉아 있는 늙은 관리를 두고 선

뜻 자리를 뜰 수도 없어 잠시 미적미적하였다.

"이리 오란 말야."

"네?"

소년은 급하게 달려가 청년 앞에 차려 자세를 하였다. 그 대신 손이 비어 있던 소년이 뒷일을 맡아 관리의 머리에 수돗물을 좌악 틀어 놓았다.

"야야."

청년이 다시 거푸 그 소년을 불렀다.

깜짝 놀라며 두 번째 소년이 또 돌아보았다. 한 손으로는 비누 거품이 허옇게 일어 오르는 노인의 머리를 잡고 있었다.

"너두 이리 와."

결국 두 소년이 모두 그 청년 앞에 차려 자세를 하고 섰다.

"너 몇 살이야?"

"열일곱입니다."

한 소년이 대답했다.

"넌?"

"열여덟입니다."

"그럼 너희는 소년이야, 청년이야?"

열일곱 살 먹은 소년이 용감하게 대답했다.

"대한의 청년이라고 생각합니다."

"돼앴어."

이 이발소로 두 청년이 들어선 뒤로 처음으로 만족스러운 감탄사가 나왔다.

"돼앴어. 늘 그렇게 빠릿빠릿해 있어야 한다. 항상 준비 태세로."

"알겠습니다."

이번에는 열여덟 살 먹은 소년이 대답했다.

"돼앴어."

늙은 관리는 비누 거품을 머리에 일군 채 그냥 꺼부정히 내의 바람으로 앉아 있고, 이발소 안의 여느 사람들은 차마 웃을 수도 없어 일부러 입술을 악물고 긴장한 얼굴을 하였다.

소년 둘이 다시 물러가자 곧 또 이발소 문이 열리며 교통순경 한 사람이 들어섰다. 정복을 입고 완장을 차고 가슴에서는 호각[13]이 너덜거렸다. 이발소 사람들은 어서 오십쇼 소리도 하지 않고, 하나같이 난처하고 위태위태하고 조마조마한 마음이 되었다. 그도 오랜 단골손님인 모양으로 예사롭게 소파에 걸터앉아 구두끈을 풀다가 말고 맹렬한 하품을 한 번 하였다. 저편 구석에 서 있던 이발소 주인이 쓰디쓰게 웃었다. 쓰디쓰게 웃는 이발소 주인의 표정으로 금방 나름대로 눈치를 차리고는 교통순경도 하품을 급하게 끄고 이발소 안을 휘익 둘러보았다.

"저건 또 뭐야?"

앉은 청년이 거울 속으로 서 있는 청년을 보고 거울 깊숙이 앉아 있는 교통순경을 눈짓으로 가리키며 물었다.

"도대체에 사람들이. 순경이라는 것까지 저 모양이군."

서 있는 청년이 대답했다.

순간 교통순경도 분명하게 써늘한 얼굴이 되며 거울 속을 흘깃 건너다보았다.

"뭘 봐, 보긴, 여보."

교통순경은 당황하였다. 이 사람 저 사람 둘러보려고 했다.

"보긴 뭘 봐? 여보, 순경 나리."

앉은 청년 뒤에 서 있던 청년이 거울 속에서 눈을 떼지 않고 이렇게 불렀다.

비로소 교통순경은 슬그머니 일어섰다.

---

13 호각 불어서 소리를 내는 신호용 도구.

졌다.

"나룻배 통학생?"

이쪽으로선 처음 듣는 술어였다.

"명지면에서 나룻배로 댕기는 아입니더."

지각생 아닌 다른 애가 대신 대답했다. 명지면(鳴旨面)이라면 김해 땅이다. 낙동강 하류. 강을 건너야만 부산으로 나올 수 있는 곳이다.

"나룻배 통학생이라……."

나는 건우의 비에 젖은 옷을 바라보면서 자리에 들어가라고 했다.

이런 일이 있고부터 나는 건우란 소년에게 은근히 동정이 가게 되었다. 더구나 아버지가 없다는 걸 알고부터는, 동무들끼리 어울려 놀 때 그를 곧잘 '거무(거미)'라고 놀려 대던 이상한 별명의 유래도 곧 알게 되었다. 그의 고향 친구들의 말에 의하면 거미란 짐승은 물에 날쌘 놈이라 해서 즈 할아버지가 지어 준 아명[4]이었다는 거다. 거무! 강가에 사는 사람들의 자식 아끼는 심정을 가히 짐작할 수가 있었다. 호적에 올릴 때는 부득이 건우로 했으리라. 그것도 아마 누구의 지혜를 빌려서.

두 번째로 내가 건우란 소년에 대해서 관심을 더욱 가지게 된 것은 학기 초 가정 방문을 나가기 전에 그가 써낸 작문을 읽고부터였다(나는 가정 방문을 나가기 전 가끔 학생들에게 자기 자신에 관한 글을 써 오라고 하였다).

〈섬 얘기〉란 제목의 그의 글은 결코 미문[5]은 아니었다. 그러나 내용은 끔찍한 것이라 생각했다. 자기가 사는 고장 ─ 복숭아꽃도, 살구꽃도, 아기 진달래도 피지 않는 조마이섬은, 몇백 년, 아니 몇천 년 갖은 풍상[6]과 홍수를 겪어 오는 동안에 모래가 밀려서 된 나라 땅인데, 일제 때는 억울하게도 일본 사람의 소유가

---

4 아명 아이 때의 이름.
5 미문 아름다운 문장.
6 풍상 많이 겪은 세상의 어려움과 고생을 비유적으로 이르는 말.

되어 있다가 해방 후부터는 어떤 국회 의원의 명의로 둔갑이 되었는가 하면, 그 뒤는 또 그 조마이섬 앞 강의 매립 허가를 얻은 어떤 다른 유력자의 앞으로 넘어가 있다든가 하는 — 말하자면 선조 때부터 거기에 발을 붙이고 살아오던 사람들과는 무관하게 소유자가 도깨비처럼 뒤바뀌고 있다는, 섬의 내력을 적은 글이었다. 그저 그런 정도의 얘기를 솔직히 적었을 따름인데, 어딘지 모르게 무엇인가를 저주하는 듯한, 소년의 날카롭고 냉랭한 심사가 글 밑바닥에 깔려 있었다. 나는 나 자신이 갑자기 무슨 고발이라도 당한 심정으로 그 글발[7]을 따로 제쳐서 책상 서랍 속에 넣어 두었다.

가정 방문이 있는 주간은 대개 오전 수업뿐이다. 점심시간이 시작될 무렵 나는 건우를 교무실로 불렀다.

"오늘 명지로 갈까 하는데, 너 외에 몇이나 있지?"

"A반 학생은 저 하나뿐입니더."

건우의 노르께한 얼굴에는 순간적인 그늘이 얼씬 지나가는 것 같았다.

"그래? 그럼 1시 반쯤 해서 현관 앞으로 다시 오게."

명지 같음 어둡기 전에 돌아오기가 힘들는지 모른다. 나는 부랴부랴 점심을 마치고서 교무실을 나섰다.

건우는 벌써 현관께로 와 있었다. 역시 약간 어둔 얼굴을 하고. 아마 미리 어머니에게 알리지 않고서 가는 것이 약간 켕겼던 모양이었다.

"가 볼까!"

내가 앞장을 서듯 했다. 버스 요금도 제 것까지 내가 얼른 내는 걸 보고는 아주 송구스러운 듯한 표정을 지었다. 명지로 가는 하단 나루까지는 사오십 분이면 족했다. 그러나 한 척밖에 없다는 그 나룻배가 좀처럼 나타나지 않았다.

"집이 저쪽 나루터에서 먼가?"

---

7 글발 적어 놓은 글.

나는 갈대 그림자가 그림처럼 고요히 잠겨 있는 강물을 내려다보며 물었다.

"예, 제북(제법) 갑니더."

그는 민망스러운 듯이 나를 잠깐 쳐다보더니 눈을 역시 물 위로 떨어뜨렸다.

"얼마나?"

"반 시간 좀 더 걸립니더."

"그럼 학교까지 오려면 시간이 꽤 걸리겠는걸?"

"나룻배만 진작 타지고 빠른 날은 두어 시간만 하면 됩니더."

"그래? 그래서 지각을 자주 하는군."

나는 환경 조사표의 카피를 펴 보았으나, 곁에 사람들이 있기에 더 묻지 않았다. 아니, 설사 곁에 다른 사람들이 없다 하더라도, 아직 열다섯 살밖에 안 되는 소년에게 물어도 좋을 만한 그런 가정 형편이 못 되었다.

아버지는 없고,

어머니　　　33세 농업

할아버지　　62세 어업

삼촌　　　　32세 선원

재산 정도　　하(下)

기우뚱거리는 나룻배 위에서도 건우의 행복하지 못한 가정 환경이 자꾸만 내 머릿속에 확대되어 갔다.

나룻배를 내려서자, 갈밭 속을 뚫고 나간 좁고 긴 길이 있었다. 우리는 반 시간 남짓 그 길을 걸어가면서도 별반 얘기가 없었다.

"아버진 언제 돌아가셨지?"

해 놓고도 오히려 후회할 정도였으니까.

"6·25 때라 캅디더만……."

건우의 말눈치가 확실치 않았다.

"어쩌다가?"

"군에 나갔다가 그랬다 캅디더."

"언제 어디서 돌아가셨는지도 잘 모른단 말인가?"

"야, 그래도 살아온 사람들 말이 암마[8] '워카 라인[9]'인가 하는 데서 그랬을 끼라 카대요."

생각했던 바와는 달리, 건우의 이야기는 비교적 담담하였다.

"그래, 아버지의 얼굴은 기억하나?"

나는 속으로 그의 나이를 손꼽아 보았던 것이다.

"잘 모릅니더. 저가 두 살 때 군에 나갔다 카니……. 그라곤 통 안 돌아왔거든요."

나를 쳐다보는 동그스름한 얼굴, 더구나 그린 듯이 짙은 양미간에는 미처 숨기지 못한 을씨년스러운 빛이 내비쳤다. 순간 나는 그의 노르께한 얼굴에서 문득 해바라기꽃을 환각했다.

삼사월 긴긴 해라더니, 보릿고개는 오후 3시가 훨씬 지나도 해가 아직 메끝[10]과는 멀었다.

길가 수렁과 축축한 둑에는 빈틈없이 갈대가 우거져 있었다. 쑥쑥 보기 좋게 순과 잎을 뽑아 올리는 갈대청[11]은, 그곳을 오가는 사람들과는 판이하게 하늘과 땅과 계절의 혜택을 흐뭇이 받고 있는 듯, 한결 싱싱해 보였다.

"저 갈대들이 다 자라면 지나다니기가 무서울 테지? 사람의 길이 훨씬 넘을 테니까."

나는 무료에 지쳐 건우를 돌아보았다.

---

8 암마 '아마'의 방언.
9 워카 라인 워커 라인(Walker Line). 국군과 국제 연합군이 부산을 지키기 위해 1950년 8월부터 9월까지 사수했던 낙동강 방어선을 말한다. 작전을 지휘한 미8군 사령관 워커(Harris Walton Walker)의 이름에서 비롯된 명칭이다.
10 메끝 산 끝. 산꼭대기.
11 갈대청 갈대의 줄기 안쪽에 붙어 있는 아주 얇고 흰 막. 여기서는 갈대 줄기를 가리킨다.

"괜찮심더, 산도 아인데요."

그는 간단히 대답할 뿐이었다. 아직도 짐승보다 인간이 더 무섭다는 것을 미처 모르는 모양이었다.

길바닥까지 몰려나왔던 갈게[12]들이, 둔탁한 사람들의 발소리에 놀라 이리저리 황급히 구멍을 찾아 흩어지는가 하면, 어느 하늘에선지 종달새가 재잘재잘 쉴 새 없이 재잘거리고 있었다. 잔등에 땀을 느낄 정도로 발을 재게 떼 놓아, 건우가 사는 조마이섬에 닿았을 때는 해가 얼마만큼 기운 뒤였다.

섬의 생김새가 길쭉한 주머니 같다 해서 조마이섬이라고 불려 온다는 건우의 고장에는, 보리가 거의 자랄 대로 자라 있었다. 강바람이 불어올 때마다 푸른 물결이 제법 넘실거리곤 했다.

낙동강 하류의 삼각주[13] 일대가 대개 그러하듯이, 이 조마이섬이란 데도 사람들이 부락을 이루고 사는 것이 아니라 그저 한 집 두 집 띄엄띄엄 땅을 물고 있을 따름이었다.

건우네 집은 조마이섬 위쪽에서 그리 멀지 않았다. 역시 외따로 떨어진 집이었다. 마침 뒤꼍 사래[14] 긴 남새밭[15]에 가 있던 어머니가 무슨 낌새를 채었던지 우리가 당도하기 전에 어느새 사립께로 달려와 있었다.

"인자 오나?"

아들에게 먼저 말을 건네고 나서 내게도 수인사[16]를 하였다.

"우리 건우 선생인가 베요?"

상냥하게 웃었다. 가정 조사표에 적혀 있는 서른세 살의 나이보다는 훨씬 핼쑥해 보였으나, 외간 남자를 대하는 붉은빛이 연하게 감도는 볼에는 그래도 시

---

12 갈게 바위겟과의 하나로 개펄이나 갈대밭에 구멍을 파고 산다.
13 삼각주 강이 바다로 들어가는 어귀에, 강물이 운반하여 온 모래나 흙이 쌓여 이루어진 편평한 지형.
14 사래 이랑. 밭고랑.
15 남새밭 채소밭.
16 수인사 인사를 차림.

골 색시다운 숙기가 내비쳤다.

"수고하십니더."

하고 나는 사립을 들어섰다.

물론 집은 그저 그러했다. 체목[17]은 과히 오래되지 않았지만, 바깥 일손이 모자라는 탓인지, 엮어 두른 울타리에는 몇 군데 개구멍이 나 있었다.

"좀 들어가입시더. 촌집이 돼서 누추합니더만……."

건우 어머니는 나를 곧 안으로 인도했다. 걸레질을 안 해도 청은 말끔했다. 굳이 방으로 모시겠다는 것을 나는 굳이 사양하고 마루 끝에 걸쳤다.

"어머니 혼자 힘으로 공부시키기가 여간 힘들지 않으실 텐데……."

건우가 잠깐 자리를 비키는 것을 보고 나는 으레 하는 식으로 가정 사정부터 물어보았다. 할아버지와 아저씨와 그리고 재산 따위에 대해서.

— 할아버지는 개깃배를 타시고, 재산이랄 끼사 머 있십니꺼. 선조 때부터 물려받은 밭때기들은 나라 땅이라 캤다가, 국회 의원 땅이라 캤다가……. 우리 싸 머 압니꺼. — 이렇게 대략 건우 군의 글에서 알았을 정도의 얘기였고, 건우의 삼촌에 대해서는 웬일인지 일체 말이 없었다. 대신, 길이 먼 데다 나룻배까지 타야 되기 때문에 건우가 지각이 많아서 죄송스럽다는 얘기와 아버지가 없으니 그런 점을 생각해서 잘 돌봐 달라는 부탁이 고작이었다.

생활은 어떻게 무사히 꾸려 나가느냐고 했더니, 시아버님이 고깃배를 타기 때문에 가끔 어려운 돈을 기백[18] 원씩 가져온다는 것과 먹고 입는 것은 보리 농사와 채소로써 그럭저럭 치대어 간다는 얘기였다.

"재첩[19]은 더러 안 건지세요?"

강 마을 일이라 이렇게 물었더니,

---

17 체목 집을 지을 때 중요한 기둥, 도리 따위에 쓰는 재목을 이르는 말.
18 기백 백의 몇 배가 되는 수.
19 재첩 재첩과의 조개로 개펄의 진흙에 산다.

"그건 남자들이라야 안 됩니꺼. 또 배도 있어야 하고요."

할 뿐, 그러나 이쪽에서 덤덤하니까,

"물 빠질 땐 개발(개펄)이싸 늘 안 나가는기요. 조개 새끼도 파고 재첩도 줏지만 그런 기사 어데 돈이 댑니꺼."

이렇게 덧붙였다.

잠시 안 보이던 건우가 어디서 다섯 홉짜리 정종을 한 병 들고 왔다. 이마에 땀이 번질번질한 걸 보면 필시 뛰어온 게 틀림없다. 아마 어머니가 시킨 일이려니 싶었다.

나는 미안스러운 생각으로 건우 어머니가 따라 주는 술잔을 받았다. 손이 유달리 작아 보였다. 유달리 자그마한 손이 상일[20]에 거칠어 있는 양이 보기에 더욱 안타까울 정도였다.

기어이 저녁까지 대접하겠다고 부엌으로 가 버린 뒤, 나는 건우를 앞에 두고 잔을 들면서, 그녀의 칠칠한[21] 인사범절에 새삼 생각되는 바가 있었다.

나는 모든 것을 다시 보았다. 농삿집치고는 유난히도 말끔한 마루청, 먼지를 뒤집어쓰고 있지 않는 장독대, 울타리 너머로 보이는 길찬[22] 장다리꽃들…… 그 어느 것 하나에도 그녀의 손이 안 간 곳이 없으리라 싶었다. 이러한 집 안팎 광경들을 통해서 나는 건우 어머니가 꽤 부지런하고 친절한 여성이라는 것을 고대[23] 짐작할 수가 있었다. 젊음이 한창인 열아홉부터 악지[24] 세게 혼자서 살아왔다는 것과 어려운 가운데서도 외아들 건우를 나룻배를 태워 가면서까지 먼 일류 중학에 보내고 있다는 사실, 그리고 농촌 아이라고는 믿어지지 않을 만큼 건우의 입성[25]이 항시 깨끗했다는 사실들이 어련히 안 그러리 싶어지기도 했다. 얼

---

20 상일 별로 기술이 필요하지 않은 막일.
21 칠칠하다 성질이나 일 처리가 반듯하고 야무지다.
22 길차다 아주 알차고 훤칠하게 길다.
23 고대 바로 곧.
24 악지 잘 안될 일을 무리하게 해내려는 고집.
25 입성 '옷'을 속되게 이르는 말.

핏 보아서는 어리무던한[26] 여인 같기도 하지만 유난히 볼가진[27] 듯한 이마라든가, 역시 건우처럼 짙은 눈썹 같은 데선 그녀의 심상치 않을 의지랄까, 정열 같은 것을 읽을 수가 있었다.

나는 술상을 물리고서, 건우의 공부방을 ― 어머니의 방일 테지만 ― 잠깐 들여다보았다. 사과 궤짝 같은 것에 종이를 발라 쓰는 책상 위에 몇 권 안 되는 책들이 나란히 꽂혀 있었다. 그 가운데서 '섬 얘기'라고, 잉크로써 굵직하게 등마루[28]에 쓰인 두툼한 책 한 권이 특별히 눈에 띄었다.

"섬 얘기? 저건 무슨 책이지?"

나는 건우를 돌아보고 물었다.

"암것도 아입니더."

"어디 가져와 봐!"

건우는 싫어도 무가내[29]라 뽑아 오면서,

"일기랑 또 책 같은 거 보고 적은 김더."

부끄러운 내색을 하였다.

"일기는 남의 비밀이니까 읽을 수가 없고, 어디 책 읽은 소감이나 뵈 주게."

나는 책을 도로 돌렸다. 건우는 마지못해 여기저길 뒤적거리다가 한 군데를 펴 주었다. 또박또박 깨알같이 박아 쓴 글씨였다.

XXX 여사는 어머니처럼 혼자 사시는 분이라 그런지 그분의 글에는 한결 감동되는 바가 있었다. 《내가 본 국도》 속의 한 구절.

"그래도 선거 때가 되면 소속 육지에서 똑딱선을 가지고 섬 백성을 모시러 오는 알뜰한 정당이 있어, 이들은 다만, 그 배로 실려 가서 실상 자기네 실생활과는 무

---

26 어리무던하다 별로 흠잡을 데 없이 무던하다. 어련무던하다.
27 볼가지다 둥글게 톡 비어져 나오다.
28 등마루 척추뼈가 있는 두두룩하게 줄진 곳. 여기서는 '책등'을 가리킨다.
29 무가내 막무가내. 달리 어찌할 수 없음.

연한[30] 정치를 위하여 지정해 주는 기호 밑에 도장을 찍어 주고 그 배에 실려 돌아온다는 것입니다.

현대 문명의 혜택이라곤 아직 받아 보지 못한 그들의 생활 속에도 현대 문명인이 행사하는 선거란 상식이 깃들게 되고, 어느 정당이나 정치의 영향도 알뜰히 받아 보지 못한 그네들에게도 투표하는 임무만은 지워져야 하고 조국의 사랑이라곤 받아 본 일이 없이 헐벗고 배우지 못한 그들의 아들들이 먼저 조국을 수호해야 할 책임을 지고 훈련을 받고 총을 메고 군인이 되어 갔다는 것……"

우리 아버지도 응당 이러한 군인 중의 한 사람이었으리라. 그래서 언제 어디서 쓰러졌는지도 모르고, 따라서 국군묘지에도 묻히지 못하고, 우리에겐 연금도 없고…….

내 눈이 미처 젖기 전에 건우는 부끄러운 듯이 그 노트를 내게서 뺏어 갔다.

"건우야!"

나는 노트 대신 건우의 손을 꽉 쥐었다.

"이 땅이 이곳 사람들의 땅이 아니랬지? 멀쩡한 남의 농토까지 함께 매립 허가를 얻은 어떤 유력자의 것이라고 하잖았어? 그러나 두고 봐. 언젠가는 이 땅의 주인인 너희들의 것이 될 거야. 우선은 어떠한 괴로움이 있더라도, 억울하더라도 희망을 잃지 말고 꾹 참고 살아가야 해."

어조가 어떻게 아까 그 노트를 읽을 때와 같은 것을 깨닫고 나는 잠깐 말을 끊었다. 건우는 내처 묵연해[31] 있었다.

"나라 땅, 남의 땅을 함부로 먹다니! 그건 땅을 먹는 게 아니라, 바로 '시한폭탄'을 먹는 거나 다름없다. 제 생전이 아니면 자손 대에 가서라도 터지고 말거든! 그리고 제아무리 떵떵거려 대도 어른들은 다 가는 거다. 죽고 마는 거야. 어

---

30 무연하다 인연이 없다.
31 묵연하다 잠잠히 말이 없다.

디 땅을 떼 짊어지고 갈 수야 있나. 결국 다음 이 나라 주인인 너희들의 거란 말야. 알겠어?"

나는 말이 절로 격해지는 것을 깨달았다. 저녁상이 들어왔다.

부엌에서 바깥 동정을 죄다 엿들었는지 건우 어머니는 저녁상을 물리기가 바쁘게 손을 닦으며 청 끝에 와 걸치더니,

"선생님 이야기는 우리 건우한테서 잘 듣고 있심더. 그라고 이 섬 저 웃바지에 사는 윤 샌도 선생님 말을 곧잘 하데요. 우리 건우가 존 담임 선생님 만났다면서……."

해가 막 떨어진 뒤라 그런지 그녀의 웃음이 적이 붉게 보였다.

"윤 샌이라뇨?"

윤 생원이라는 말인 줄은 알았지만, 그가 누군지 미처 생각이 안 났다.

"성은 윤 씨고, 이름이 머라 카더라……."

건우를 흘끔 돌아보며,

"수딕이 할배 이름이 멋고?"

"춘삼이 아잉기요."

건우의 말이 떨어지자,

"내 정신 보래. 그래 춘삼 씨다."

그녀는 다시 나를 돌아보며,

"춘삼이란 어른인데 와 선생님을 잘 알데요. 부산에도 가끔 나갑니더. 쬐깐 포도밭도 가주고 있고요……."

"윤춘삼……? 네, 이제 알겠습니다."

비로소 생각이 났다.

"그분하고는 어데서도 같이 지냈담서요?"

건우 어머니는 '세상은 넓고도 좁지요?' 하는 듯한 눈매로 웃어 보였다.

"네."

아닌 게 아니라, 나는 적이 놀랐다. 어디서든 나쁜 짓 하고는 못 배기리라는 생각이 문득 들기까지 했다. 그와 동시에, 지난날 어떤 어두컴컴한 곳에서 그 윤춘삼이란 사람을 처음으로 만났던 일, 그리고 다시 소위 큰집[32]이란 데서 한때 같이 고생을 하던 갖가지 일들이 마치 구름 피어오르듯 기억에 떠올랐다.

— '6·25' 때의 일이었다. 나는 어떤 혐의로 몇몇 사람의 당시 대학 교수들과 함께 육군 특무대[33]란 데 갇혀 있었다. 거기서 윤 생원을 처음 만났다. 물론 그땐 그가 이곳 사람인 줄도 몰랐다. 무슨 혐의로 들어왔느냐고 물어도 그는 얼른 대답을 하지 않았다. 곧 나갈 거라고만 했다. 곧 나갈 거라고 장담을 하던 사람이 얼마 뒤 역시 우리의 뒤를 따라 감옥으로 넘어왔다. 감옥에서는 그도 제법 사상범으로 통해 있었다. 누가 붙였는지는 모르되, '송아지 빨갱이'라는 별명이 붙어 있었다. 그의 말에 의하면 이유는 간단했다. — 한창 무슨 청년단인가 하는 패들이 마구 설칠 땐데, 남에게 배내[34]를 주었던 그의 송아지를 그들이 잡아먹은 게 분해서, 배내 먹이던 사람에게 송아지를 물어내라고 화풀이를 한 것이 동기의 하나였다고 한다. 그 바보 같은 사람이 뒤퉁스럽게[35] 그 청년단을 찾아가서 그런 고자질을 한 것이 꼬투리가 되어, "이 새끼 맛 좀 볼 테야?" 하는 식으로 잡혀 왔다는 이야기였다. 그 밖에 또 하나 주목받을 이유가 될 만한 것은, 자기 고향인 조마이섬에 문둥이 떼가 이주해 왔을 때(물론 정부의 방침이었지만) 그들을 몰아내기 위해 싸우다가 결국 경찰 신세를 졌던 일이라 했다. 그러면서도 그 자신 무슨 영문인지를 확실히 모르고서 옥살이를 했다. 다만 '송아지 빨갱이'라는 별명으로서.

어쩌다가 세숫터에서라도 마주칠 때, "송아지 빨갱이!" 할라치면, 텁수룩한 머리를 끄덕대며 사람 좋게 웃던 윤춘삼 씨의 그때 얼굴이 눈에 선해 왔다.

---

32 큰집 죄수들의 은어로 '교도소'를 이르는 말.
33 특무대 육군의 대간첩 업무와 그에 따른 범죄 수사를 관장하던 부대.
34 배내 남의 가축을 길러서 가축이 다 자라거나 새끼를 낸 뒤에 주인과 나누어 가지는 일.
35 뒤퉁스럽다 하는 짓이 찬찬하지 못하다.

"좋은 사람이었지요."

"그라문니요! 지금도 우리 집에 가끔 옵니더."

건우 어머니도 맞장구를 쳤다.

이야기꾼들이 곧잘 쓰는 '우연성'이란 것을 아주 싫어하는 나지만, 그날 저녁 일만은 사실대로 적지 않을 수가 없다.

어둡기 전에 건우의 집을 나서서 하단 쪽 나루터로 되돌아오던 길목에서 뜻밖에 이제 얘기하던 바로 그 윤춘삼이란 사람과 마주치게 되었으니 말이다.

"야, 이거 × 선생 아니요! 이런 섬에 우짠 일로?"

송아지 빨갱이, 아니 윤춘삼 씨는 덥석 내 손을 잡으며 반가워했다.

"아이들 가정 방문을 왔다 가는 길이죠. 참 오랜만이군요."

"가정 방문?"

그는 수인사는 제쳐 놓고,

"그럼 건우 집에도 들렀겠네요?"

"네, 이 섬에는 건우 한 애뿐입니다. 내가 맡아 있는 애로서는."

"마침 잘됐다. 허허 참, 세상에는 이런 수도 다 있다 카이! 인자 막 선생 이바구[36]를 하고 오던 참인데……."

윤춘삼 씨는 뒤에 따라오던 웬 성큼한[37] 털보 영감을 돌아보며,

"자 인사드리시오. 당신 손자 '거무'란 놈 선생이오."

하며 내처 허허 하고 웃어 댔다. 벌써 약간 주기[38]가 있어 보였다. 두 사람이 인사를 채 나누기 전에 윤춘삼 씨는,

"허허, 노상에서 이럴 수가 있나. 나도 여러 해 만이고……."

하며 털보 영감더러 하단으로 되돌아가자는 것이었다. 아니 바로 떠밀듯 했다.

---

36 이바구 '이야기'의 방언.
37 성큼하다 윗도리에 비하여 아랫도리가 좀 어울리지 않게 길쭉하다.
38 주기 술기운.

"암, 그래야지. 나도 언제 한분 꼭 찾아볼라 캤는데, 바래다드릴 겸 마침 잘됐구만."

멀쩡한 날에 고무장화를 신은 폼이 누가 보나 뱃사람이 완연한 건우 할아버지도 약간 약주가 된 데다 역시 같은 떼거리였다.

윤춘삼 씨는 만나자마자 덥석 잡았던 내 손을 내처 아플 정도로 쥔 채 놓지 않았고, 건우 할아버지도 나란히 서게 되어 셋은 가뜩이나 좁은 들길을 좁으라 걸어 댔다. 땅거미를 받아선지, 건우 할아버지의 갯바람에 그을린 얼굴이 거의 검둥이에 가까울 정도로 검어 보였다.

"갈밭새 영감 참 재수 좋네. 내가 술 샀지. 또 이런 훌륭한 선생님을 만났지…… 그러나 이분에는 영감이 사야 되오."

윤춘삼 씨의 말이 떨어지기가 바쁘게,

"암, 내가 사야지. 이분에는 정종이다. 고놈의 따끈한!"

아마 '갈밭새'가 별명인 듯한 건우 할아버지는, 그 억세고 구부정한 어깨를 건들거리며 숫제 신을 내듯 했다.

하단 나룻터의 술집은 모두가 그들의 단골인 모양이었다.

"어이, 또 왔쇠이!"

건우 할아버지가 구부정한 어깨를 먼저 어느 목롯집[39]으로 들이밀었다. 다시 술자리가 벌어졌다. 술자리랬자 술상 대신 쓰이는 네 발 달린 널빤지를 사이에 두고 역시 네 발 달린 널빤지 걸상에 마주 앉은 것이었지만.

"술은 정종! 따끈한 놈으로. 응이, 알겠소? 우리 거무 선생님이란 말이어!"

갈밭새 영감은 자기와 비슷하게 예순 고개를 넘어 보이는 주인 할머니더러 일렀다.

그가 소원인 듯 말하던 '따끈한 정종'은 그와 윤춘삼 씨보다 나를 먼저 취하

---

39 목롯집 널빤지로 좁고 기다랗게 만든 상을 차려 놓고 술을 파는 집. 목로주점.

게 했다. 그러나 좀처럼 놓아줄 눈치들이 아니었다.

"한 잔만 더."

이번에는 건우 할아버지의 커다란 손이 연신 내 손을 덮쌌다.

"비록 개깃배를 타고 있지만 나도 과히 나뿐 놈이 아임데이. 내, 선생 이바구다 듣고 있소. 이 송아지 빨갱이(섬에까지 그런 별명이 퍼졌던 모양이다.)한테도 여러 분 들었고 우리 손자 놈한테도 듣고 있소. 정말 정말 훌륭한 선생님이라고. 그까짓 국회 의원이 다 먼교? 돈만 있음 ×라도 다 되는 기고, 되문 나라 땅이나 훑이고 팔아묵고 그런 놈들이 안 많던기요? 왜, 내 말이 어데 틀렸십니꺼?"

갈밭새 영감은 말이 차츰 엇나가기 시작했다.

자기로선 취중 진담일지 모르나 듣기만 해도 섬뜩한 소리를 함부로 뇌까렸다.

그런 얘길랑 그만두고 술이나 들라 해도 갈밭새 영감은 물론 이번엔 윤춘삼 씨까지 되레 가세를 하고 나섰다.

"촌사람이라꼬 바본 줄 알지 마소. 여간 답답해서 그런 소릴 하겠소?"

전깃불이 들어왔다. 불빛에 비친 갈밭새 영감의 얼굴은 한층 더 인상적이었다. 우악스럽게 앞으로 굽어진 두 어깨 가운데 짤막한 목줄기로 박혀 있는 듯한 턱석부리 얼굴! 얼굴 전체는 키를 닮아 길쭉했으나, 무엇에 짓눌려 억지로 우그러뜨려진 듯이 납작해진 이마에는, 껍데기가 안으로 밀려들기나 한 듯한 깊은 주름이 두어 줄 뚜렷하게 그어져 있었다. 게다가 구레나룻에 둘러싸인 얼굴 전면이 검붉은 구릿빛이 아닌가! 통틀어 원시인이라도 연상케 하는 조금 무서운 면상이었다.

"와 빤히 보능기요? 내 안주(아직) 술 안 취했음데이. 염려 마이소."

갈밭새 영감은 기름에 전 수건을 꺼내더니 이마를 한 번 훔치고서,

"인자 딴말은 안 하지요. 언제 또 만날지 모르이칸에 이왕 만낸 짐에 저 송아지 빨갱이나 이 갈밭새가 사는 조마이섬 이바구나 좀 하지요."

그러곤 정신을 가다듬기나 하듯이 앞에 놓인 술잔을 훌쩍 비웠다.

건우 할아버지와 윤춘삼 씨가 들려준 조마이섬 이야기는 언젠가 건우가 써냈는 〈섬 얘기〉에 몇 가지 기막히는 일화가 붙은 것이었다.

"우리 조마이섬 사람들은 지 땅이 없는 사람들이오. 와 처음부터 없기사 없었겠소마는 죄다 뺏기고 말았지요. 옛적부터 이 고장 사람들이 젖줄같이 믿어 오는 낙동강 물이 맨들어 준 우리 조마이섬은 ―."

건우 할아버지는 처음부터 개탄조로 나왔다. 선조로부터 물려받은 땅, 자기들 것이라고 믿어 오던 땅이 자기들이 겨우 철들락 말락 할 무렵에 별안간 왜놈의 동척[40] 명의로 둔갑을 했더란 것이었다.

"이완용이란 놈이 '을사 보호 조약'이란 걸 맨들어 낸 뒤라 카더만!"

윤춘삼 씨의 퉁방울[41] 같은 눈에도 증오의 빛이 이글거리기 시작했다.

1905년 ― 을사년 겨울, 일본 군대의 포위 속에서 맺어진 '을사 보호 조약'이란 매국 조약을 계기로, 소위 '조선 토지 사업'이란 것이 전국적으로 실시되던 일, 그리고 이태 후인 정미년에 가서는 "한국 정부는 시정 개선에 관하여 통감의 지도를 수할 사"란 치욕적인 조목으로 시작된 '한일 신협약'에 따라, 더욱 그 사업을 강행하고 역둔토(驛屯土)[42]의 대부분과 삼림원야(森林原野)들을 모조리 국유로 편입시키는 등 교묘한 구실과 방법으로써 농민으로부터 빼앗은 뒤, 다시

---

40 동척 1908년에 일본이 한국의 경제를 독점·착취하기 위하여 설립한 국책 회사인 동양 척식 주식회사.
41 퉁방울 품질이 낮은 놋쇠로 만든 방울.
42 역둔토 역토(驛土)와 둔토(屯土)를 아울러 이르는 말. 역토는 지방관아에 속한 논밭이고, 둔토는 변경이나 군사 요지에 주둔한 군대의 군량을 마련하기 위하여 설치한 토지이다.

불하하는[43] 형식으로 동척과 일인 수중에 옮겨 놓던 그 해괴망측한 처사들이 문득 내 머릿속에도 떠올랐다.

"쥑일 놈들."

건우 할아버지는 그렇게 해서 다시 국회 의원, 다음은 하천 부지의 매립 허가를 얻은 유력자…… 이런 식으로 소유자가 둔갑되어 간 사연들을 죽 들먹거리더니,

"이 꼴이 되고 보니 선조 때부터 둑을 맨들고 물과 싸워 가며 살아온 우리들은 대관절 우찌 되능기요?"

그의 꺽꺽한[44] 목소리에는, 건우가 지각을 하고 꾸중을 듣던 날 "나릿배 통학생임더." 하던 때의, 그 무엇인가를 저주하는 듯한 감정이 꿈틀거리고 있는 것 같았다. 얼마나 그들의 땅에 대한 원한이 얼마나 컸던가를 가히 짐작할 수가 있었다.

"섬사람들도 한번 뻗대[45] 보시지요?"

이렇게 슬쩍 건드려 봤더니, 이번엔 윤춘삼 씨가 얼른 그 말을 받았다.

"선생님은 그런 걸 잘 알면서 그러네요. 우리 겉은 기 멀 알며, 무슨 힘이 있십니꺼. 하도 하는 짓들이 심해서 한 분 해보기는 해 봤지요. 그 문딩이 떼를 신고 왔일 때 말임더……."

윤춘삼 씨는 그때의 화가 아직도 사라지지 않는 듯이 남은 술을 꿀꺽 들이켰다.

"쥑일 놈들!"

마치 그들의 입버릇인 듯 되어 있는 이 말을 안주처럼 되씹으며 윤춘삼 씨는 문둥이들과 싸운 얘기를 꺼냈다.

---

43 불하하다 국가 또는 공공 단체의 재산을 개인에게 팔아넘기다.
44 꺽꺽하다 목소리나 성질 따위가 억세고 거칠어서 부드러운 느낌이 없다.
45 뻗대다 쉬이 따르지 아니하고 고집스럽게 버티다.

— 큰 도둑질은 언제나 정치하는 놈들이 도맡아 놓고 한다는 게 서두였다. 그러면서도 겉으로는 동포애니 우리들의 현 실정이 어떠니를 앞세우겠다! 그때만 해도 불쌍한 문둥이들에게 살 곳과 일거리를 마련해 준다면서 관청에서 뜻밖에 웬 문둥이들을 몇 배 해 싣고 그 조마이섬을 찾아왔더란 거다. 그야말로 섬 사람들에게는 아닌 밤중에 홍두깨 내미는 격으로 — 옳아, 이건 어느 놈의 엉큼순[46]지는 몰라도 필연 이 섬을 송두리째 집어삼킬 꿍심[47]으로 우릴 몰아내기 위해서 한때 문둥이를 이용하는 거라고…… 누군가의 입에서부터 이런 말이 퍼지기 시작하고, 그래서 그 섬사람들뿐 아니라 이웃 섬사람들까지 한 둥치가 되어 그 문둥이 떼를 당장 내쫓기로 했더란 거다.

상대방은 자다가 호박을 주운 격인 병신들인데 오자마자 그 꼴을 당하고 보니 어리둥절은 하였지만, 그렇다고 호락호락 떠나갈 배짱들은 아니었다. 결국 나가라느니 못 나가겠느니 싸움이 벌어졌다.

"그때 바로 이 갈밭새 부자가 앞장을 안 섰능기요. 어데, 그때 문딩이한테 물린 자리 한 분 봅시더."

윤춘삼 씨는 하던 말을 별안간 멈추고, 건우 할아버지 쪽을 처다보았다. 그리고는 골동품 같은 마도로스 파이프를 뻑뻑 빨고만 있는 건우 할아버지의 왼쪽 팔을 억지로 걷어 올렸다. 나이에 관계없이 아직도 우악스러워 보이는 어깨죽지 바로 밑에 커다란 흉터가 하나 남아 있었다.

"한 놈이 영감 여길 어설피 물고 늘어지다가 그만 터졌거든!"

윤춘삼 씨는 자랑삼아 이야기를 이었다.

— 그렇게 악을 쓰는 문둥이들에 대해서, 몽둥이, 괭이, 쇠스랑 할 것 없이 마구 들이대고 싸웠노라고. 그래서 이쪽에서도 물론 부상자가 났지만, 괜히 문둥이들이 많이 상하고, 덕택에 자기와 건우 할아버지를 비롯해서 많은 섬사람들

---

46 엉큼순 교활한 술수.
47 꿍심 '꿍꿍이셈'의 방언. 남에게 드러내 보이지 아니하고 속으로만 어떤 일을 꾸며 우물쭈물하는 속셈.

이 그야말로 문둥이 떼처럼 줄줄이 경찰에 붙들려 가고…… 그러나 뒷일이 더 켕겼던지 관청에서는 그 '기막힌 동포애'를 포기하고 그 문둥이들을 도루 싣고 갔다는 얘기였다.

"그 바람에 저 사람은 6·25 때 감옥살이 또 안 했능기요. 머 예비 검거라 카더나……."

건우 할아버지가 이렇게 한마디 끼우니,

"그거는 송아지 때문이라 캐도……."

"누명을 써도 문딩이 빨갱이는 되기 싫은 모양이제? 송아지 빨갱이는 좋고."

건우 할아버지의 이런 농에는 탓하지 않고서,

"그런 짓들 하다가 결국 그것들이 안 망했나."

윤춘삼 씨는 지금도 고소한 듯이 웃었다.

"다른 패들이 나와도 머 벨수 있더나?"

건우 할아버지는 내처 같은 표정을 하였다.

"그놈이 그놈이란 말이지? 입으로만 머니머니 해 댔지, 밭 맨드라 카니 제우(겨우) 맨들어 논 강뚝이나 파헤치고, 나리(나루) 막는다 카면서 또 섬이나 둘러 마실라 카이……."

윤춘삼 씨도 그리 밝은 표정은 아니었다.

"× 선생님!"

건우 할아버지가 별안간 그 그로테스크한 얼굴을 내게로 돌렸다.

"우리 거무란 놈 말을 들으니 선생님은 글을 잘 씬다 카대요? 우리 섬에 대한 글 한분 써 보이소. 멋지기! 재밌실 낌데이. 지발 그 썩어 빠진 글일랑 말고……."

"썩어 빠진 글이라뇨?"

가끔 잡문 나부랭이를 써 오던 나는 지레 찌릿해졌다.

"와 그 신문 같은 데도 그런 기 수타(많이) 난다 카대요. 남은 보릿고개를 못

냉기서 솔가지에 모가지들을 매다는 판인데, 낙동강 물이 파아랗니 푸르니 어쩌니…… 하는 것들 말임더."

갈밭새 영감이 이렇게 열을 내기 시작하자, 곁에 있던 윤춘삼 씨가,

"허허이 우리 선생님이 오늘 잘못 걸렸네요. 이 영감이 보통이 아임데이. 그래도 선배(선비)의 씨라꼬……."

핀잔 비슷이 말했지만, 건우 할아버지는 벌인춤[48]이 되어 버렸다.

"하기싸 시인들이니칸에 훌륭하겠지요. 머리도 좋고…… 선생도 시인 아입니꺼. 그런데 와 우리 농사꾼이나 뱃놈들의 이바구는 통 안 씨능기요? 추접다꼬? 글 베린다고 그라능기요?"

입이 말을 한다기보다 차라리 수염이 떨어 댄다고 느껴질 정도로, 건우 할아버지는 열을 냈다.

"그만하소. 영감이 머 글이나 이르능기요. 밤낮 한다는 기 '곡구롱[49] 우는 소리'지. 어데 그기나 한분 해 보소."

윤춘삼 씨가 또 참견을 했다.

"곡구롱 우는 소리라뇨?"

나도 윤춘삼 씨의 그 말에 귀가 쏠렸다. 어떤 고시조가 문득 생각났기 때문이다.

"어데, 해 보소. 모초럼 선생님을 모신 자리니."

하는 윤춘삼 씨의 말에, 그는 괜한 소리를 했구나 하는 표정을 지으며, 그 껙껙한 목청에 느린 가락을 넣기 시작했다.

　　곡구롱 우는 소리에 낮잠 깨어 니러 보니

　　작은아들 글 이르고 며늘아기 베 짜는데 어린 손자는 꽃놀이한다.

---

48 벌인춤 이미 시작하여 중간에 그만둘 수 없는 것을 이르는 말.
49 곡구롱 꾀꼬리 우는 소리의 의성어. 여기서는 '꾀꼬리'를 의미한다.

마초아[50] 지어미 술 거르며 맛보라 하더라.

건우 할아버지는 갑자기 침착해진 채 눈을 지그시 감고 불렀다. 땀에 번지르르한 관자놀이 짬에 가뜩이나 굵은 맥이 한 줄 불쑥 드러나 보이기까지 하였다. 가락은 〈육자배기〉[51]에 가까웠으나, 내용은 역시 내가 생각했던 오(吳) 아무개의 고시조였다.

"이 노래 하나만은 정말 떨어지게 잘한다 카이!"

윤춘삼 씨는 나 못지않게 감탄을 하면서 그가 그 노래를 즐겨 부르는 사연을 대강 이렇게 말했다. — 그러니까, 그의 증조부 되는 분이 옛날 서울에서 무슨 벼슬깨나 하다가 그놈의 당파 싸움에 휘말려서 억울하게 이곳 조마이섬으로 귀양인지 피신인지를 해 와 살았는데, 그분이 살아 계실 때 즐겨 읊던 시조란 것이었다.

사연을 듣고 보니, 새삼 생각되는 바가 있었다. 그 노래를 부를 때의 갈밭새 영감의 표정에, 은근히 누군가를 사모하는 듯한 빛이 엿보였을 뿐 아니라, 그 껑껑한 목청에도 무엇인가를 원망하는 듯, 혹은 하소하는 듯한 가락이 확실히 떨리고 있었기 때문이다. 착각이 아니리라! 동시에 나는 아까 본 건우 군의 집 사립 밖에 해묵은 수양버들 몇 그루가 서 있던 광경이 새삼 기억에 떠오르고, 건우 어머니의 수인사 태도나 집안을 다스리는 범절이 어딘지 모르게 체통이 있는 선비 가문의 후예같이 짚어졌다.

"아드님은 6·25 때 잃으셨다지요?"

내가 술을 한 잔 더 권하여 위로 삼아 물으니까,

"야…… 큰놈은 그래서 빼도 못 찾기 되고 작은놈은 머 사모아섬이라 카던 기요, 그곳 바닷속에 여어 버릿지요."

---

50 마초아 '마침'의 옛말.
51 〈육자배기〉 남도 지방에서 부르는 잡가의 하나. 가락의 굴곡이 많고 활발하며 진양조장단이다.

"사모아섬?"

나는 그의 기구한 운명을 생각했다.

"야, 삼치잡이 배를 탔거던요……."

이러고 한숨을 쉬는 건우 할아버지의 뒤를 곁에 있던 윤춘삼 씨가 또 받아 이었다.

"와 언젠가 신문에도 짜다라(많이) 안 났던기요. '허리켄'인가 먼가 하는 폭풍을 만내 시운찮은 우리 삼칫배들이 마구 결단이 난 일 말임더."

나도 건우 할아버지도 더 말이 없는데, 윤춘삼 씨가 혼자 화를 내듯,

"낙동강 잉어가 띠이 정지(부엌) 바닥에 있던 부지깽이도 띤다 카듯이, 배도 남 씨다가 베린 걸 사 가 주고 제북(제법) 원양 어업인가 먼가 숭내(흉내)를 낼라카다가 배만 카이는 사람들까지 떼죽음을 안 시킷능기요. 거에다가(게다가) 머 시체도 몬 찾았거이와 회사가 워낙 시원찮아 노오니 위자료란 기나 어디 지데로 나왔능기요. 택도 앙이지 택도 앙이라!"

"없는 놈이 할 수 있나. 그저 이래 죽고 저래 죽는 기지 머!"

갈밭새 영감은 이렇게 내뱉듯이 해 던지고선, 아까부터 손 안에서 만지작거리고 있던 두 알의 가래 열매[52]를 별안간 세차게 달가닥대기 시작했다. 마치 그렇게라도 함으로써 세상의 모든 근심 걱정을 잊어버리기나 하려는 듯이. 어찌 들으면 남의 신경을 곤두서게 하는 그 딱딱한 소리가, 실은 어떤 깊은 분노의 분출을 억제하는 그의 마음의 울부짖음 같기도 했다.

그러나 나는 이내, 따그르르 따그르르 하는 그 소리가, 바로 나룻가 갈밭에서 요란스럽게 들려오는 진짜 갈밭새들의 약간 처량스러운 울음소리와 흡사하다 느꼈다. 한편 또 조마이섬의 갈밭 속에서 나고 늙어 간다는 데서 지어졌으리라 믿어 왔던 갈밭새란 별명에, 어쩜 그가 즐겨 굴리는 그 가래 소리가 갈밭새의 울

---

52 가래 열매 가래나무의 열매. 호두와 비슷하나 조금 갸름하다.

음소리와 비슷한 데 연유되지나 않았을까 하는 생각이 들기도 했다.

세 사람은 한참 동안 말이 없었다. 갓 나온 듯한 흰 부나비[53] 두 마리가 갈팡질팡 희미한 전등에 부딪칠 뿐이었다. 파닥거리는 소리도 없이.

그러고 두어 달이 지났다.

낙동강 물이 몇 차례 불었다 줄었다 하는 동안에 그해 여름도 어느덧 막바지에 접어들었다. 갈대도 이젠 길길이[54] 자라서, 가뜩이나 섬사람들의 눈에도 잘 띄지 않는 갈밭새들이, 더욱 깃들기 좋을 만큼 우거진 무렵이었다. 아침저녁 그 속에서 갈밭새들이 한결 신나게 따그르르 따그르르 지저귀어 대면 머잖아 갈목[55]도 빠져나온다 한다. 물론 학교도 방학이 끝날 무렵이다.

건우는 그동안 그 지긋지긋한 지각 걱정을 안 해도 좋았다. 한나절이면 그야말로 물거미처럼 물 위를 둥둥 떠다녀도 무방했다.

아닌 게 아니라 한여름 동안 얼마나 물과 볕에 그을었는지, 마지막 소집 날에 나타난 건우의 얼굴은, 사시장춘 바다에서 산다는 자기 할아버지 못잖게 검둥이가 되어 있었다.

"어지간히 그을었구나. 할아버지와 어머니도 잘 계시니?"

늦게까지 어름거리는[56] 그를 보고 일부러 물어봤더니,

"예, 수박 자시러 오시라 캅디더."

어머니의 전갈일 테지, 딴소리까지 했다. 까만 딱지가 묻힐 정도로 새까매진 얼굴이라 이빨이 유난히 희게 빛났다.

"집에서 수박을 심었던가?"

"예, 언제쯤 오실랍니꺼?"

숫제 다그쳐 묻는 것이었다.

---

53 부나비 **불나방.**
54 길길이 **여러 길이 될 만큼의 높이로.**
55 갈목 **갈대의 이삭.**
56 어름거리다 **말이나 행동을 똑똑하게 분명히 하지 못하고 우물쭈물하다.**

"글쎄 언제 한번 가지."

"꼭 모시고 오라 카던데요?"

"그래, 오늘은 안 되고, 여가 봐서 한번 갈 테니까."

나는 그의 좁다란 어깨를 툭 쳐 주며 돌려보냈다. 처서가 낼모레니까 수박도 한물 갈 때리라. 이왕이면 처서께쯤 한번 가 볼까 싶었다.

그런데 공교히도 그 처서 날에 비가 내리기 시작했다. 처서에 비가 오면 독 안의 곡식도 준다는 하필 그날에 추적추적 비가 내리기 시작했으니, 내가 건우 네 집으로 가고 안 가고가 문제가 아니라, 그러한 경험과 속담 속에 살아온 농촌 사람들의 찌푸려질 얼굴들이 먼저 눈에 떠올랐다.

게다가 이건 이른바 칠팔월 진장마가 아니라, 하루 이틀, 그러다가 사흘째부 터는 바로 억수로 변해 가더니 마침내 광풍까지 겹쳐서 온통 폭풍우로 바뀌고 말았다. 60년 이래 처음이니 뭐니 하고 떠드는 라디오나 신문들의 신나는 듯한 표현들은 나중에 있는 얘기고, 아무튼 그날 새벽에는 하늘이 내려앉고 땅이 뒤 흔들리기나 하듯이 우레 번개가 잦고 비바람이 사나웠다.

이렇게 되면 속담 말로 '7월 더부살이 주인 마누라 속곳 걱정[57]' 정도의 장마 경황이 아니다. 더부살이도 우선 제 살 구멍 찾기가 급하다. 반면 제 한 몸이나 제 집구석에 별 탈만 없으면 남의 불행쯤은 오히려 구경 삼아 보아 넘기는 게 도 회지 사람들의 버릇이다.

한창 천지가 진동하던 몇 시간 동안은 옴짝달싹도 않던 사람들이, 비가 좀 뜸 하니까 사립 밖으로 꾸역꾸역 기어 나오기가 바빴다. 늙은이나 어린애들은 하 불실[58] 가까운 개울가쯤 나가면 족하지만, 어른들은 그 정도로서는 한에 차질 않 는다.

"낙동강이 넘는다지?"

---

57 7월 더부살이 주인 마누라 속곳 걱정 아무 관계없는 일에 주제넘게 하는 걱정.
58 하불실 아무리 적어도 적은 대로의 희망이 있음.

"구포 다리가 우투룹단다[59]!"

가납사니[60] 같은 도시 사람들은 제멋대로 그럴싸한 소문을 퍼뜨리며, 소위 물구경에 미쳐서 낙동강이 내려다보이는 언덕으로, 산으로 올라들 갔다.

내가 집을 나선 것은 반드시 그런 호기심에서만은 아니었다. 다행히 하단 방면으로 가는 버스가 통한다기에 얼른 그것을 잡아탔다. 군데군데 시뻘건 뻘[61] 물이 개울을 이루고 있는 길을, 차는 철버덕철버덕 기어가듯 했다.

대티 고개서부터 내 눈은 벌써 김해 들을 더듬었다.

"저런……!"

건우네 집이 있는 조마이섬 일대는 어느덧 벌건 홍수에 잠겨 가고 있지 않은가! 수박이 문제가 아니다. 다시 흩날리기 시작하는 차창 밖의 빗속을 뚫고서, 내 시선은 잘 보이지도 않는 조마이섬 쪽으로 얼어붙었다. 동시에 "나릿배 통학생임더!" 하던 건우 군의 가냘픈 목소리가 갑자기 귀에 쟁쟁 되살아나는 것 같았다.

고개 너머서부터 차는 더욱 끼우뚱거렸다. 논두렁을 밀고 넘어오는 물살이 숫제 쏴 하는 소리까지 내면서 길을 사뭇 덮었다. 때로는 길과 논밭이 얼른 분간이 안 되어, 가로수를 어림해서 달리기도 했다. 그럴 때마다 차 안의 손님들은 한층 더 떠들어 댔다. 대부분이 무슨 사연들이 있어서 가는 사람들이었겠지만, 그러한 사연들보다 우선 눈앞의 사정에 더욱 정신을 파는 것 같았다.

하단 나루께는 이미 발목물이 넘었다. '사라호[62]'에 데인 경험이 있는 그곳 주민들은, 잽싸게 이불이랑 세간 부스러기를 산으로 말끔 옮겨 놓았고, 부랴부랴 끌어올린 목선들이 여기저기 나둥그러져 있는 길 위에는 볼멘소리를 내지르는 아낙네와 넋 잃은 듯한 사내들이 경황없이 서성거릴 뿐이었다. 물론 나룻배가 있을 리 없었다. 예측 안 한 바는 아니지만, 행여나 싶었던 마음에도 실망

---

59 우투룹다 '위태롭다'의 방언.
60 가납사니 된 소리 안 된 소리로 쓸데없이 말수가 많은 사람.
61 뻘 갯바닥이나 늪 바닥에 있는 거무스름하고 미끈미끈한 고운 흙. '개흙'의 방언.
62 사라호 1959년 9월 한반도에 막대한 피해를 입힌 태풍.

은 컸다.

배 없는 나루터를 비롯해서 가까운 강가에는, 경비를 나온 듯한 소방대원 같은 복장의 사람들과 순경 한 사람이 버티고 있었다. 아무리 가까이 오지 말라, 혹은 가지 말라 외워 대도 사람들은 들은 체 만 체했다. 물이 점점 더 불고 있는 모양이었다.

나는 닭 쫓던 개 지붕 쳐다보듯이 밀려오는 강물만 맥없이 바라보았다. 어느 산이라도 뒤엎었는지 황토로 물든 물굽이가 강이 차게 밀려 내렸다. 웬만한 모래톱이고 갈밭이고 남겨 두지 않았다. 닥치는 대로 뭉개고 삼킬 따름이었다. 그러고도 모자라는 듯 우르르하는 강울림[63] 소리는 더욱 무엇을 노리는 것같이 으르렁댔다.

둑이 넘을 정도로 그악스럽게[64] 밀려 내리는 것은 벌건 물굽이만이 아니었다. 얼마나 많은 들녘들을 휩쓸었는지, 보릿대랑 두엄 더미들이 무더기무더기로 흘러내리는가 하면, 수박이랑, 외[65], 호박 따위까지 끼리끼리 줄을 지어 떠내려왔다. 이상스러운 것은 그러한 것들이 마치 서로 약속이라도 한 듯이 모두 강 한가운데로만 줄을 지어 지나가는 것이었다.

"쳇, 용케도 피해 간다!"

저만큼 떨어진 데서 장대 끝에 접낫[66]을 해 단 억척보두[67]들이 둥글둥글한 수박의 행렬을 향해 군침들을 삼켰다.

"그까진 수박은 껀지서 머 할라꼬? 하불실 돼지 새끼라도 담아내야지?"

이런 농지거리도 들렸다. 역시 접낫을 해 든 주제에. 이들은 그저 물 구경을 나온 것이 아니라, 그런 가운데서도 엄연히 생활을 계산하고 있는 것이었다.

나는 그들의 대담한 태도와 농담에 잠깐 정신을 팔다가, 다시 조마이섬이 있

---

63 강울림 강에 많은 양의 물이 흐르면서 나는 소리.
64 그악스럽다 보기에 사납고 모진 데가 있다.
65 외 '오이'의 준말.
66 접낫 자그마한 낫.
67 억척보두 성질이 끈질기고 단단한 사람을 이르는 말.

는 쪽으로 눈을 돌렸다. 부슬비가 계속 광풍에 흩날리고 있었다. 얼핏 홍적기(洪積期)[68]를 연상케 하는 몽롱한 안개비 속이라, 어디가 어딘지 분별할 도리가 없었다.

'건우네 집은 벌써 홍수에 잠기지나 않았을까?'

불안한, 그리고 불길한 예감이 자꾸 들기 시작했다.

"물이 이 정도로 불어나면 건너편 조마이섬께는 어찌 되지요?"

생면부지한 접낫패[69]들에게 불쑥 묻기까지 하였다.

"조마이섬?"

돼지 새끼를 안아 내겠다던 키다리가 나를 흘끗 쳐다보더니,

"맹지면에서는 땅이 조금 높은 편이라 카지만, 물이 이래 불으면 마찬가지지요. 만약 어제 그런 소동이 안 일어났이문 밤새 무슨 탈이 났을지도 모를 끼요."

"어제 무슨 일이라도 있었던가요?"

나는 신경이 별안간 딴 곳으로 쏠렸다.

"있다뿐이라요? 문딩이 쫓아낼 때보다는 덜했겠지마 매립(埋立)인강 먼강 한답시고 밀가리만 잔득 띠이 처먹고 그저 눈가림으로 해 놓은 둘(둑)을 섬사람들이 우 대들어서 막 파헤쳐 버리고, 본래대로 물길을 티났다 카드만요. 그란 했이문……."

키다리는 혼자서 신을 내 가며 떠들었다.

"쓸데없는 소리 말게. 괜히 혼날라꼬."

곁에 있던 약삭빠른 얼굴의 사내가 이렇게 불쑥 쏘아붙이듯 하더니, 마침 저만큼 떠내려오는 널빤지를 향해 잽싸게 접낫을 던졌다. 그러나 걸리진 않았다. 그렇게 허탕을 친 게 마치 이쪽의 잘못이나 되는 듯,

"조마이섬에 누가 있소?"

---

68 홍적기 신생대 제사기의 첫 시기. 인류가 발생하여 진화한 시기이다.
69 접낫패 자그마한 낫을 들고 홍수에 떠내려가는 것들을 건지려 하는 패거리.

내뱉듯 한 소리가 짐짓 퉁명스러웠다.

"건우란 학생이 있어서……."

나는 일부러 학생의 이름까지 대 보았다. 약삭빠른 눈초리가 다시 물굽이만 쏘아보고 말이 없으니까, 또 키다리가,

"그 아이 아배가 누군교?"

하고 나를 새삼 쳐다보았다.

"아버진 없고, 즈 할아버지 별명이 갈밭새 영감이라더군요."

나는 건우 할아버지의 이름이 얼른 생각나지 않았다.

"아, 그렇기요? 좋은 노인임더."

키다리는 접낫대를 세워 들더니,

"조마이섬의 인물 아잉기요. 어지(어제) 아침 이곳에 지내갔는데, 그 뒤 대강 알아봤거든…… 가고 난 뒤 얼마 안 되서 그 일이 났단 말이여."

말머리가 어느덧 자기들끼리로 돌아갔다. 나는 굳이 파고 묻지 않았다.

그때 마침 판잣집 용마루[70] 비슷한 기다란 나무가 잠겼다 떴다 하며 떠내려가자, 조금 떨어진 신신바위 짬에서 별안간 조그만 쪽배 하나가 쏜살같이 나타나더니, 기어코 그놈에게 달라붙어서 한참 파도와 싸우며 흐르다가 마침내 저 아래쪽 기슭에 용케 밀어다 붙였다. 박수를 치기까지는 모두 숨을 죽이고 바라보기만 했다. 용감하다기보다 차라리 처참한 광경이었다. 나는 거기서 누구에게도 보장을 받아 오지 못한 절박한 생활을 읽었다. 한 표의 값어치로서가 아니라, 다만 살기 위해서 스스로 죽을 모험을 무릅쓰는 그러한 행위는, 부질없이 그것을 경계하거나 방해하는 힘을 물리침으로써만 오히려 목숨 그 자체를 이어 갈 수 있다는 산 증거 같기도 했다.

'갈밭새 영감이나 송아지 빨갱이도 그냥 있지는 않았으리라!'

---

70 용마루 지붕 가운데 부분에 있는 가장 높은 수평 마루.

나는 조마이섬의 일이 불현듯 더 궁금해져서 이내 구포 가는 버스를 잡아탔다. 다리만 건너면 조마이섬에 가까이까지 갈 수 있으리라 믿었다.

구포 다릿목에서 차를 내렸으나 물은 이미 위험 수위를 훨씬 돌파해서, 다리는 통금이 돼 있었다. 비상경계의 붉은 깃발이 찢어질 듯 폭풍우에 펄럭이고, 다릿목을 건너지른 인줄[71] 곁에는 한국인 순경과 미군이 버티고 있었다. 무거워 보이는 고무 비옷에 철모를 푹 눌러쓰고 방망이를 해 든 폼이 여간 엄중해 뵈지 않았다.

그런데도 무슨 핑계들을 꾸며 대고 용케 건너가는 사람들이 있었다. 더러는 다리 위에서 유유히 물 구경을 하는 사람들도. 나도 간신히 그들 틈에 끼었다. 우르르르하는 강울림은 다리 위에서 듣기가 한결 우람스러웠다.

통행금지의 팻말이 서 있어도, 수해 시찰을 나온 듯한 새까만 관용차만은 사뭇 물을 튀기며 지나갔다. 바람이 휘몰아칠 때는 거기에 날리기나 하듯이 더욱 빨리 지나갔다. 요컨대 일종의 모험이기도 했으리라. 안에 타고 있는 얼굴들은 알 길이 없었지만 어련히 심각한 표정들을 했으랴 싶었다.

내려다봄으로 해서 한결 사나운 물굽이가 숫제 강을 주름잡듯 둘둘 말려 오다간, 거의 같은 지점에서 쏴아 하고 부서졌다. 그럴 때마다 구슬, 아니 퉁방울 같은 물거품이 강 위를 휘덮고 때로는 바람결을 따라서 다리 위까지 사뭇 튀었다. 그러한 강 한가운데를 잇달아 줄을 지어 떠내려오는 수박이랑 두엄 더미들이, 하단서 볼 때보다 훨씬 많았다. 말하자면 일종의 장관에 가까웠다.

"아까 그 송아지는 정말 아깝던데……."

이런 뚱딴지같은 소리도 퍼뜩 귓가를 스쳐 갔다.

조마이섬이 있는 먼 명지면 쪽은 완전히 물바다로 보였다. 구름을 이고 한가하던 원두막들은 다시 찾아볼 길이 없고, 길찬 포플러나무들도 겨우 대공이만은

---

71 인줄 사람이 함부로 드나들지 못하도록 매 놓은 줄.

남은 듯, 바람에 누웠다 일어났다 했다.

　지루하게 긴 다리를 지루하게 건너, 물 구경 나온 인파를 헤치고 강둑길을 얼마 못 갔을 때였다. 뜻밖에 거기서 윤춘삼 씨와 마주쳤다. 헐레벌떡 빗속을 뛰어오던 송아지 빨갱이, 아니 윤춘삼 씨는 머리끝에서 발끝까지 온통 물에서 막 건져 올린 사람처럼 젖어 있었다. 하긴 내 꼴도 그랬을 테지만.

　"우짠 일인기요?"

하고 덥석 내 손을 검잡는[72] 윤춘삼 씨는, 그저 반갑다기보다 숫제 고마워하는 기색까지 보였다.

　"조마이섬은 어찌 됐소?"

수인사란 게 이랬더니,

　"말 마이소. 자, 저리 가서 이야기나 합시더……."

그는 나를 도로 다릿목 쪽으로 끌었다.

　"아니, 섬 쪽으로 가 보려 했는데요?"

　"가야 아무것도 없소. 모두 피난소로 옮기고, 남은 건 물바다뿐임더. 우쩔라꼬 이놈의 하늘까지!"

　별안간 또 한줄기 쏟아지는 비도 피할 겸 윤춘삼 씨는 나를 다릿목 어떤 가겟집으로 안내했다. 언젠가 하단서 같이 들렀던 집과 거의 비슷한 차림의 주막집이었다.

　둘 사이에는 한참 동안 말이 없었다. 너무나 다급하고 또 수다한 말들이 두 사람의 입을 한꺼번에 봉해 버렸다 할까?

　"건우네 가족도 무사히 피난했겠지요?"

먼저 내 입에서 아까부터 미뤄 오던 말이 나왔다.

　"야……."

72　검잡다　손으로 휘감아 잡다. '거머잡다'의 준말.

해 놓고도 어쩐지 말끝이 석연치 않았다.

"집들은 물론 결단이 났겠지만, 사람은 더러 상하진 않았던가요?"

나는 이런 질문을 해 놓고, 이내 후회했다. 으레 하는 빈 걱정 같아서.

"집이고 농사고 머 있능기요. 다행히 목숨들만은 건졌지만, 그 바람에 갈밭새 영감이 또 안 끌려갔능기요."

윤춘삼 씨는 가슴이 내려앉는 듯한 무거운 한숨을 내쉬었다.

"건우 할아버지가?"

나는 하단서 그 접낫패에게 얼핏 들은 얘기를 상기했다.

"그래서 내가 지금 경찰서꺼정 갔다 오는 길인데, 마침 잘 만냈임더. 그란 해 도……."

기진맥진한 탓인지, 그는 내가 권하는 술잔도 들지 않고 하던 이야기만 계속 했다.

바로 어제 있은 일이었다. 하단서 들은 대로 소위 유력자의 배짱들이 만들어 둔 엉터리 둑을 허물어 버린 얘기였다.

— 비는 연 사흘 억수로 쏟아지지, 실하지도 않은 둑을 그대로 두었다가 물이 더 불었을 때 갑자기 터진다면 영락없이 온 섬이 떼죽음을 했을 텐데, 마침 배에 서 돌아온 갈밭새 영감이 설두[73]를 해서 미리 무너뜨렸기 때문에 다행히 인명에 는 피해가 없었다는 것이다.

"그런데 와 건우 할아버진 끌고 갔느냐고요?"

윤춘삼 씨는 그제야 소주를 한 잔 훅 들이켜고 다음을 계속했다. — 섬사람 들이 한창 둑을 파헤치고 있을 무렵이었다 한다. 좀 더 똑똑히 말한다면, 조마이섬 서쪽 강둑길에 검정 지프차가 한 대 와 닿은 뒤라 한다. 웬 깡패같이 생긴 청년 두 명이 불쑥 현장에 나타나더니, 둑을 허물어뜨리는 광경을 보자, 이내

---

73 설두 앞장서서 일을 주선함.

노발대발 방해를 하기 시작하더라고. 엉터리 둑을 막아 놓고 섬을 통째로 집어삼키려던 소위 유력자의 앞잡인지 뭔지는 모르되, 아무리 타일러도, "여보, 당신들도 보다시피 물이 안팎으로 이렇게 불어나는데 섬사람들은 어떻게 하란 말이오?" 해 봐도, 들어주긴커녕 그중 힘깨나 있어 보이는, 눈이 약간 치째진[74] 친구가 되레 갈밭새 영감의 괭이를 와락 뺏더니 물속으로 핑 집어던졌다는 거다.

그러곤 누굴 믿고 하는 수작일 테지만 후욕패설[75]을 함부로 뇌까리자, 순간 화가 머리끝까지 치밀었을 갈밭새 영감도,

"이 개 같은 놈아, 사람의 목숨이 중하냐, 네놈들의 욕심이 중하냐?"

말도 채 끝내기 전에 덜렁 그자를 들어 물속에 태질[76]을 해 버렸다는 것이다. 상대방은 "아이고." 소리도 못 해 보고 탁류에 휘말려 가고, 지레 달아난 녀석의 고자질에 의해선지 이내 경찰이 둘이나 달려왔더라고.

"내가 그랬소!"

갈밭새 영감은 서슴지 않고 두 손을 내밀었다는 거다. 다행히도 벌써 그때는 둑이 완전히 뭉거지고, 섬을 치덮던 탁류도 빙 에워 돌며 뭉그적뭉그적 빠져나가고 있었다는 것이다.

"정말 우리 조마이섬을 지키다시피 해 온 영감인데…… 살인죄라니 우짜문 좋겠능기요?"

게까지 말하고 나를 쳐다보는 윤춘삼 씨의 벌건 눈에서는 어느덧 닭똥 같은 눈물이 뚝뚝 떨어지기 시작했다.

법과 유력자의 배짱과 선량한 다수의 목숨……. 나는 이방인(異邦人)처럼 윤춘삼 씨의 컁컁한[77] 얼굴을 건너다보았다.

---

74 치째지다 아래로부터 위로 향하여 째지다.
75 후욕패설 이치에 맞지 않는 말로 꾸짖고 욕설을 함.
76 태질 세게 메어치거나 내던지는 짓.
77 컁컁하다 얼굴이 몹시 여위어 파리하게 보이다.

폭풍우는 끝났다. 60년 이래 처음이니 뭐니 하고 수다를 떨던 라디오와 신문들도 이젠 거기에 대해선 감쪽같이 말이 없었다. 그저 몇몇 일간 신문의 수해 구제 의연란[78]에 다소의 금액과 옷가지들이 늘어 갈 뿐이었다.

섬사람들의 애절한 하소연에도 불구하고 60이 넘는 갈밭새 영감은 결국 기약 없는 감옥살이로 넘어갔다.

그리고 9월 새 학기가 되어도 건우 군은 학교에 나타나지 않았다. 끝내 돌아오지 않았다. 그의 일기장에는 어떠한 글이 적힐는지.

황폐한 모래톱 — 조마이섬을 군대가 정지[79]를 하고 있다는 소문이 들렸다.

(1966년)

---

78 수해 구제 의연란 수해를 입은 사람들을 위한 모금 활동을 알리는 란.
79 정지 땅을 반반하고 고르게 만듦.

강

서정인

서정인 (1936~)

전라남도 순천에서 태어나 서울대학교 영문과와 동대학원을 졸업했다. 서정인은 〈강〉을 통해 현실에 대해 좌절하고 낙담하는 소시민의 모습을 그려 낸다. 그는 간결하면서도 세련된 문체, 치밀한 구성, 절제된 형식, 섬세한 성격 묘사 등으로 단편 소설의 모범을 보여 준다고 평가받는 작가이다. 주로 상징과 환상으로 방황하는 지식인이 겪는 자의식 분열을 형상화하였고, 현실적 문제를 구체화하여 관용과 해학이 깃든 인간적 교감을 그리기도 했다. 대표작으로는 〈후송〉〈철쭉제〉〈베네치아에서 만난 사람〉《달궁》 등이 있다.

"눈이 내리는군요."

버스 안. 창 쪽으로 앉은 사나이는 얼굴빛이 창백하다. 실팍한[1] 검정 외투 속에 고개를 웅크리고 있다. 긴 머리칼이 귀 뒤로 고개 위로 덩굴줄기처럼 달라붙었는데 가마 부근에서는 몇 낱[2]이 하늘을 향해 꼿꼿이 섰다.

"예. 진눈깨빈데요."

그의 머리칼 위에 얹힌 큼직큼직한 비듬들을 바라보고 있던 옆엣사람이 역시 창밖으로 시선을 던진다. 목소리가 굵다. 그는 멋 내는 것을 좋아하는 모양이다. 하얀 목도리가 밤색 잠바 속으로 그의 목을 감싸 넣어 주고 있다. 귀 앞 머리 끝에는 면도 자국이 신선하다. 그는 눈발 빗발 섞여 내리는 창밖에 차츰 관심을 모으기 시작한다. 버스는 이미 떠날 시간이 지났는데도 태연하기만 하다.

"뭐? 아, 진눈깨비! 참 그렇군."

그들 등 뒤에서 털실로 짠 감색 고깔모자를 귀밑에까지 푹 눌러쓴 대단히 실용적인 사람이 창문 쪽에 앉은 살찐 젊은 여자에게 몸을 기댄다. 그녀는 검은 얼굴에 분을 허옇게 바르고 있다. 그는 창문 유리에 이마라도 대야 되겠다는 듯이 목을 쑥 뽑고 창밖을 내다본다. 여자는 가슴이 답답하다. 남자의 왼쪽 어깻죽지가 그녀의 앞가슴께를 짓누르고 있다. 그러나 남자는 별로 불편한 기색이 없다. 여자도 잘 참는다. 그녀는 머리를 의자 뒤에 기대 버린다. 윤이 나는 탐스러운

---

1 실팍하다 사람이나 물건이 보기에 매우 튼튼하다.
2 낱 아주 작거나 가늘거나 얇은 물건을 하나하나 세는 단위.

머리채가 의자의 밋밋한 비닐 위로 나신[3]처럼 곡선을 그린다. 잠바를 입은 앞자리의 사내가 뒤를 돌아본다. 그는 그의 행운이 부럽다. 그러나 뒤에 앉은 사내는 "정말이지 이건 진눈깨빈데!"라고 중얼거리면서 열심히 창밖을 내다볼 뿐, 누가 뒤를 돌아보는 것 따위에는 흥미가 없다. "정말이지 진눈깨비야."

"형은 어디서 입대허셨오?"

외투 속에 웅크리고 있는 사람은 진눈깨비에 원한이 있다. 그는 신용산에서 입대했었는데 그때도 이렇게 진눈깨비가 내리고 있었다. 진눈깨비가 내리는데도 '입대'를 생각하지 못하는 것은 이해할 수 없는 일이다. 염색한 헌 작업복을 입고, 헌 구두를 신고, 손에는 비닐로 만든 회색 세면 가방을 들고. 그리고 여자 친구란 이럴 때 써먹기 위해서 있는 것이 아니냐고 생각하면서, 단아한 여자가 슬픔을 머금고 저만치 서 있는 것을 그려 보면서…… 그러나 물론 그런 건 없었다. 그 대신 어디나 역 근처에는 흔히 있는 매춘부들 중의 하나가 헝클어진 머리를 하고 역전 광장에 있는 더러운 공중변소에서 나와 게처럼 엉금엉금 걸어서 판잣집들 사이로 사라져 갔었다. 입대할 사람들은 약 20명이었다. 환송 나온 사람은 하나도 없었다. 악대도, 단 한 장의 태극기도 없었다. 진눈깨비만이 내리고 있었다. 역 청사 저쪽에서 누런 석탄 연기가 뭉클뭉클 솟아오르는 허공으로 기적 소리가 길게 울려 퍼질 때마다 그는 "아, 이제는 서울을 떠나는구나!"라고 탄식하면서 조금 전에 병든 창부가 사라졌던 판잣집 쪽을 돌아보곤 했었다. 미구[4]에 날이 저물고 미련이나 아쉬움 같은 화사한 감정들이 지루함 속으로 파묻혀 버렸을 때 병사구 사령부에서 상사가 하나 나와 그들을 인솔하고 논산으로 갔었다.

"나는 시골에서 입대를 했었단 말이오."

잠바를 입은 사람은 조금 볼멘소리다. 그는 뒤돌아보던 자세 그대로 고개만

---

3 나신 벌거벗은 몸, 나체, 알몸.
4 미구 얼마 오래지 않음.

약간 돌려서 옆엣사람을 쳐다본다. 그는 불만인 모양이다. 그러나 진눈깨비가 내린다고 해서 옛날 입대하던 때의 이야기를 하지 말라는 법은 없다. 그는 훨씬 누그러진 목소리로 계속한다.

"술을 엉망으로 마시고 뭐가 어떻게 되는지도 모르게 입대를 했었지요. 누구하고나 악수를 하고 같은 사람과 두 번도 좋고 세 번도 좋고, 그저 아무 손목이나 잡히는 대로 무릎에서 이마까지 마구 흔들면서 고함을 지르고, 탄식을 하고, 머리를 끄떡거리고, 상대방이 누구인지 그가 무슨 말을 하는지 아랑곳없이 벌써 백번도 더 말했을 작별 인사를 하고, 노래를 하고, 그러다가 차를 탄 다음에는 발을 구르고…… 그러고는 얼마 후에 정신을 차려 보니 글쎄 그게 화물칸이지 뭡니까!"

고깔모자의 사나이는 기분이 언짢다. 그는 기피자다. 도대체 논산이라든가 입대라든가 하는 말만 들으면 그는 어떤 콤플렉스에 사로잡힌다. 그는 창문 쪽으로 기울였던 몸의 중심을 다시 꼬리뼈께로 옮겨서 반듯이 앉는다. 여자는 그의 비스듬한 몸무게로부터 해방되어, 뒤로 기댔던 머리를 들고 몸을 추스른 다음 창밖을 내다본다. 논산 이야기가 나쁘다는 것은 아니다. 다만 그것을 그는 너무 많이 들어 왔다. 도대체 만나는 놈마다 논산 이야기다. 일등병에게 군홧발로 차여서 어떻게 머리로 문짝을 들이받았다든가, 훈련장에서 화랑 담배 한 개비씩을 걷어 상납했더니 사격 자세가 어떻게 갑자기 편안해졌다던가, 모두가 중대 향도 아니면 기타 간부가 되어서 동료 훈련병들로부터 갹출한 성금을 어떻게 배임[5] 횡령하여 재미를 보았다던가, '조교'와 '기간 사병'들의 음담패설이 어떻게 노골적이었다던가……. 그는 그곳에 관해서 거기에 갔다 온 사람보다 더 잘 알고 있음에 틀림이 없는데도 불구하고 도대체 논산이라면 손에 잡히는 것이 없다. 이것은 대단히 불유쾌한 노릇이다.

---

5 배임 주어진 임무를 저버림. 주로 공무원 또는 회사원이 자기의 이익을 위하여 임무를 수행하지 않고 국가나 회사에 재산상의 손해를 주는 경우를 이른다.

"어디까지 가세요?"

불쾌한 일을 오래 천착할[6] 필요는 없다. 홧김에 서방질한다[7]는 속담이 있다.

"군하리까지 가요."

여자는 의외에도 부끄럼을 타는 눈치다. 제법 이마를 붉히기까지 한다. 실핏줄이 가느다랗게 두드러진다.

"미스타 김은 어디서 입대를 하셨소?"

잠바를 입은 사나이는 옆엣사람이 무감동하게 창밖만 내다보고 있는 것이 마음에 꺼림칙하다. 그가 질문을 한 것은 이쪽의 대답을 듣고 싶어서가 아니라 자기 자신의 논산판(版) ─ 또는 입대판 ─ 을 내어놓기 위해서였는지도 모른다.

"나? 아, 나! 나, 난……."

그는, 외투 속에 웅크리고 있는 사람 김 씨는 입대하던 날의 광경을, 그것이 조금 전에 문득 떠올랐을 때완 달리, 말하고 싶은 생각이 없어졌다.

"그래요? 그건 참 재미있게 되었는데! 우리도 거기까지 가거든요."

모자를 쓴 사람이 모자 밑으로 손가락을 집어넣어 머리를 긁적거리면서 여자 쪽으로 조금 다가앉는다. 여자는 행복한 표정이다. 그 여자는 바라는 것이 지극히 작음에 틀림없다. 아마 그 여자를 행복하게 해 주는 일은 쉬울 것이다.

"아, 이눔의 버스는 떠날 줄을 모르나!"

잠바를 입은 사나이는 울적하다. 그는 승강구 쪽을 흘겨본다. 차장은 아마 점심이라도 먹고 있는 모양이다.

"이 차, 어디로 가나?"

검은 색안경을 쓴 사람이 고개를 뒤로 발딱 젖히고 차 안을 두리번거린다. 그러나 아무도 대답해 주는 사람이 없다. 그는 제풀에 이상하다는 듯이 고개를 갸우뚱해 보이고 차의 문이 만들어 주는 좁은 시야 밖으로 사라져 버린다. 잠바

---

6 천착하다 어떤 원인이나 내용 따위를 따지고 파고들어 알려고 하거나 연구하다.
7 홧김에 서방질한다 울분을 참지 못하여 차마 못할 짓을 한다는 뜻.

를 입은 사나이는 적이 마음이 풀린다. 색안경은 사치품일까, 필수품일까. 대부분의 경우, 필수품은 아닐 것이다. 그런데도 뻔뻔스럽게 길거리에서 파는 100원짜리로 사치를 하려고 하다니! 그는 2,000원짜리를 사려다가 너무 비싸서 1,000원을 주고 중고를 산 바 있다. 그것은 지금 그의 호주머니 속에 들어 있다. 눈만 하얗게 쌓인다면 언제든지 꺼내서 코 위에 걸칠 수 있다.

김 씨는 색안경을 낀 사람을 보면 장님을 생각한다. 그는 한때 자기가 검은 안경을 쓰고 장님이 되어 안마장이 노릇을 하는 상상에 사로잡힌 적이 있다. 전투에서 눈을 부상당한다. 육군 병원에 입원한다. 눈에는 붕대가 감겨져 있다. 애인이 찾아온다. 그러나 지극히 작은 차이로 인해서 만나지 못한다. 장님이 되어 색안경을 낀다. 지팡이로 밤의 아스팔트 위를 더듬으며 퉁소를 분다. 창문 여는 소리가 들려온다. 여자가 그를 부른다. 귀에 익은 목소리다.

"집이 거기죠?"

고깔모자를 쓴 사람은 색안경이라면 질색이다. 그에겐 색안경을 쓴 사람은 형사다. 그리고 형사는 기피자를 단속한다. 그는 직장에서 쫓겨났을 때까지 매달 월급날이면 정기적으로 형사의 '예방'을 받은 적이 있다.

"예? 예, 선생님은요."

"나요? 난 거긴 배꼽 따고 처음이오."

"호 호 호."

여자의 웃음소리는 김 씨의 상상을 망쳐 버린다. 그는 장님이 되는 생각을 비장한 마음 없이는 하지 못한다. 그런데 그 생각이 바야흐로 절정에 도달하고 있을 때 갑자기 킬킬거리는 여자의 웃음소리가 들려온다. 살찐 여자. 그리고 그는 안마장이. 그러나 그는 별로 서운치 않다. 포동포동한 여인을 안마한다는 생각도 그렇게 나쁘진 않다. 원래는 이렇게 되어 있다. 그를 부르는 여자는 그의 애인이고 킬킬거리며 웃는 사람은 그녀의 남편이다. 그는 그녀의 남편을 안마한다. 그녀는 바로 곁에서 시중들고 있지만 안경을 낀 그를 알아보지 못한다. 그는 안마를 끝마친다. 그녀는 그에게 몇 푼의 돈을 쥐여 준다. 그는 그것을 받아 넣고 다시 길거리로 나온다. 그리고 퉁소를 꺼내 불기 시작한다.

"아, 인제 떠날래나?"

창문인 줄만 알았던 앞쪽의 유리창 일부가 밑에까지 움푹 패이면서 열리자 장갑 낀 손이 쑥 들어오더니 턱과 뺨 위로 수염이 검실검실 돋은 운전사의 머리를 차 안으로 끌어들인다. 머리가 들어오자 잠바가 따라 들어오고 그 뒤로 호주머니께가 허옇게 닳은 낡은 코르덴 바지가 딸려 들어온다. 운전사는 자리에 앉자 한 손으로 운전륜[8]을 잡고 고개를 돌려 뒤를 돌아본다. 손님 머릿수가 적은 것이 눈에 안 차는 모양이다. 끙 하고 돌아앉아서 한쪽 어깨를 기울이고 스위치를 넣더니 부르릉 발동을 건다. 30분 동안이나 기다린 손님들이 오히려 미안해해야 할 모양이다. 우리들은 왜 이렇게 수가 적은가! 정원 48명에 한 100명쯤 타 가지고 숨도 못 쉬고 북적거리고 있었더라면 운전사가 조금은 미안해했을는지도 모를 텐데.

"애, 이제 슬슬 떠나 보련?"

잠바를 입은 사나이는 엉덩이부터 차에 오르고 있는 여차장을 쳐다보고 있다.

"네, 곧 가요."

차장은 질문한 사람이 누구인지를 알아볼 생각이 전혀 없다.

"아직 안 가?"

"곧 가요."

"여기가 중국집인 줄 아니?"

"왜 내가 중국집에 있어요?"

차장은 비로소 뒤를 돌아본다.

---

8 운전륜 운전대.

"너, 곰이로구나?"

"내가 왜 곰이어요? 아저씬 뭔데요?"

"나? 난 네 할배다."

차가 달리기 시작하자 고깔모자는 자연스럽게 좌우로 움직일 수 있다. 특히 왼쪽으로. 여자는 그럴 때마다 창문 쪽으로 피하는 척한다. 그리고 미안한 생각에서 그를 쳐다보아 준다.

"군하리엔 뭣 하러 가세요?"

"놀러요."

"일행이세요?"

"예." 그는 목소리를 낮춘다. "저 사람은 늙은 대학생 김 씨. 이쪽은 세무서 직원 이 씨. 그리고 난 얼마 전까진 국민학교 선생. 성은 박 씨. 대개 이렇소."

"정말 묘하게 어울리셨어요. 친구분들이세요?"

"우린 한집에 살고 있지요."

"어머, 그러세요?"

"그럼은요. 우리 집에 저 두 사람이 하숙하고 있지요."

김 씨는 차창 유리에 이마를 댄다. 차체의 진동이 그대로 전달되어 온다. 그는 이마를 뗀다.

"이 차도 달릴 줄 아는군. 난 세워 두려고 만든 줄 알았더니."

"그게 다 우리 차장이 '오라이⁹' 한 덕분이지. 애, 안 그래?"

잠바를 입은 이 씨는 나일론 천의 윤이 나는 검은빛 바지를 입은 여차장의 엉덩이가 크다고 생각한다. 차장은 아직 화가 나 있다. 이 씨는 잠바 호주머니에서 껌을 한 통 꺼낸다. 김 씨는 창밖을 내다보고 있다. 달리는 버스는 유쾌하다. 속

---

9 오라이 영어 'All Right'에서 비롯된 표현. 예전에, 버스의 차장이 차의 출발을 알리기 위해 하던 말.

이 훅 트이는 것이 만사가 술술 풀릴 것 같다.

"너 이거 먹을 줄 아니?"

이 씨가 껌을 하나 쑥 뽑아서 차장의 등 뒤로 들이민다. 차장은 뒤를 돌아보고 피식 웃는다.

"곰이 어떻게 껌을 먹어요?"

"뭐? 하하. 제법이구나. 됐어. 곰은 원래 재주를 잘 부리지. 먹어 둬. 손해될 거 있니?"

차장은 껌을 받는다. 이 씨는 옆에 있는 김 씨에게 그리고 뒤에 앉은 박 씨와 그 옆의 여자에게까지 고루 껌을 하나씩 권한다. 그리고 남은 하나를 끄집어내서 껍질을 벗긴다.

박 씨는 여자와 급속도로 친해지고 있다.

"집이 원래 군하리요?"

"아뇨. 인천예요."

"아, 이사허셨군."

"아뇨, 그냥 거기서 살아요. 엄마하고 언니하고…… 그렇게 그냥 셋이 살아요."

"인천서요?"

"아뇨. 군하리서요."

"인천엔 아무도 없구요?"

"아뇨. 거기두…… 아이, 뭘 그렇게 꼬치꼬치 물으세요?"

"참, 그렇군."

참 그렇다니. 김 씨는 실소한다. 그는 창밖을 내다보고 있지만 등 뒤에서 하는 이야기를 죄다 듣고 있다. 그는 항상 시치미를 뚝 떼고 있기를 좋아한다. 알고도 모른 척, 모르고도 모른 척. 그것은 대단히 즐거운 일이다. "당신 아무래도 수상한데?" 뭐가? "어제 2시에서 5시까지 사이에 어디에 있었수?" 건 왜 물우? "안 되지. 난 못 속이우. 박 형은 속여두 난 못 속인단 말이우." 허 허 허 허.

그는 슬쩍 이 씨를 옆눈질[10]해 본다. 제비록 약다 하나 이쪽에서 가가대소[11]만 하고 있는 한 어떻게 결론을 내릴 수 있으리오.

"앉어, 응? 서 있으면 몸에 해롭지."

"괜찮아요."

"아, 지금이야 괜찮지. 이댐에 커서 시집갈 때 해롭단 이야기야."

차장은 얼굴을 붉히고 중간쯤에 있는 빈자리에 가서 앉는다. 이 씨는 빙그레 웃는다. 실속이 없는 줄 알면서도 여자와 이야기를 나누면 그는 기분이 좋다. 그는 잠바 목 속에서 하얀 목도리를 조금 꺼내 올려 귓부리[12]를 포근히 감싸 주고 의자에 등을 기대면서 담배를 뽑아 문다. 불을 붙일 생각을 하지 않고 창밖을 내다본다. 뿌듯이 흐린 하늘에는 눈발이 이따금씩 희끗거리고 있다. 두 사람은 말없이 생각 속으로 빠져 들어간다. 뒤에 앉은 박 씨만이 낮은 목소리로 여자와 소근거린다[13]. 멋쩍은 몇 낱의 웃음소리만 가끔 엔진 소리 위로 솟아오를 뿐, 대체로 무슨 이야긴지 알아들을 수가 없다.

차가 군하리에서 멎는다. 3시가 겨웠다[14]. 그들은, 그리고 또 몇 사람들이, 차에서 내린다. 촉촉이 젖은 황톳길은 얼마든지 더 계속되는 모양이다. 차는 이내 떠난다.

"왜 저 사람들은 여기서 안 내릴까?"

"여기에 볼일이 없는 모양이지."

---

10 옆눈질 '곁눈질'의 잘못.
11 가가대소 소리를 내어 크게 웃음.
12 귓부리 '귓불'의 방언.
13 소근거리다 '소곤거리다'의 잘못.
14 겹다 때가 지나거나 기울어서 늦다.

"그게 아니고 다음 정거장에 볼일이 있는 모양이지."

"그렇겠군. 우리가 율평인가 밤평인가에 볼일이 없었던 것처럼."

김 씨는 나머지 두 사람의 지혜에 감탄한다. 조금 전까진 내리는 사람들이 낯설어 보였는데 이젠 내리지 않는 사람들이 이상해 보인다. 아마도 이 씨와 박 씨의 추리가 옳을 것이다.

그 여자가 저만치 달아나고 있다. 박 씨가 쫓아간다. 둘 다 키가 작다. '농협이 잘되어야 농민이 잘살 수 있다.'가 하얗게 그들의 배경에 깔린다. 여자는 킬킬거리면서 길가로 비켜선다. 그들은 잠시 말을 주고받는다. 그러다가 여자는 게처럼 옆 걸음질을 해서 거기서부터 열 걸음밖에 떨어져 있지 않은 길갓집[15]의 대문 속으로 사라져 버린다. 그들은 박 씨와 함께 거기까지 가 본다. '서울집'이라는 옥호[16]가 엷은 송판에 아무렇게나 쓰여서 걸려 있다. 길 위에는 사람들이 별로 보이지 않는다. 아마 그들은 집 안에서 닷새마다 한 번씩 돌아오는 장날을 기다리고 있는 모양이다. 농협 지소는 창고 같다. 면사무소와 경찰관 파출소는 사이좋게 붙어 있다. 납작한 이발소 안에서 틀림없이 한 달 전에 제대를 했을 촌스럽게 생긴 젊은이가 고개를 쑥 뽑고 내다본다. 약포[17]도 있고 미장원도 있다. 신부 화장도 하는 모양이다. 격에 맞지 않게 널찍한 구멍가게에서는 트랜지스터[18]가 연속 방송극을 재탕해 주고 있다. 그 옆은 빈터이고 그 뒤로 창고 같은 건물이 있는데 아마도 공회당[19]인 모양이다. 두어 장단에 한 번씩 삼천리 방방곡곡을 돌다 돌다 갈 데가 없어진 필름이 들어오면 원근의 사람들이 이리로 모여들 것이다.

세 사람은 그 건물 모퉁이로 돌아간다. 적당한 간격을 두고 나란히 서더니 일제히 오줌을 누기 시작한다. 오랫동안 참았던지라 줄기가 사뭇 세차다. 물론 그

---

15 길갓집 길의 가장자리에 있는 집.
16 옥호 술집이나 음식점 따위의 이름.
17 약포 예전에 한약을 지어 팔던 곳.
18 트랜지스터 트랜지스터라디오.
19 공회당 일반 대중이 모임 따위를 할 때 사용하기 위하여 지은 집.

곳이 그들에 의해서 처음으로 그렇게 사용된 것 같지는 않다. 맨 가에 서 있던 김 씨가 갑자기 허허허허 하고 웃는다. 나머지 두 사람은 골마리[20]를 훔치고 김 씨 곁으로 다가선다. 그리고 김 씨의 시선을 따라 건물의 벽을 본다. 가위가 하나 그려져 있다.

세 사람은 다시 길 위로 나온다. 마침 그 부근 일대에서 일어난 일이면 무엇이나 모를 것이 없을 듯싶은 중년 남자 하나가 마주 오고 있다. 박 씨가 나선다.

"아씨, 혹시 이 근처 혼사 치르는 집 모르세요, 성씨가 김 씬데?"

"헹, 돌촌 김자방이 말이로군."

"예, 예. 맞습니다. 석촌이라든가 뭐 그럽디다."

"글쎄, 그렇다니까, 이리로 곧장 내려가슈. 반 마장도 못 가서 왼편으로 50여 호 부락이 있수다. 그게 바로 석촌이오."

남자는 말을 마치자 걸음을 떼어 놓으면서 엄지손가락 단 하나로 보기 좋게 이쪽저쪽 코를 푼다. 그들은 그것을 바라보고 있다가 문득 그가 가리켜 준 대로 걷기 시작한다. 본정통[21]은 열 걸음도 못 가서 갑자기 끝나 버린다.

그날 밤 10시께.

그들은 술에 크게 취해서 돌마을을 빠져나오고 있다.

"아, 신부가 안 이쁘더라."

"그렇지만 육덕[22]은 있겠더라."

"그런 건 걱정 안 해도 좋다더라."

그들은 각자 하늘을 쳐다보고 고함을 지른다. 두 발과 두 손들이 제멋대로 놀고 있다. 이 씨, 박 씨, 김 씨의 순서다. 걷는다기보다 발들을 아무렇게나 움직이

---

20 골마리 '허리춤'의 방언.
21 본정통 중심가.
22 육덕 몸이 살쪄 덕스러운 모양.

고 있다. 소리를 지르는 것도 그 순서다. 버스가 다니는 큰길로 나오자 그들의 걸음걸이는 한결 더 자유로워진다. 좌우 진폭이 자못 심하다.

"아, 우리는 인제 어떻게 할 것이냐?"

"서울 집으로 가자."

"버스가 끊어졌다."

"서울집은 군하리에도 있다."

"그건 나두 안다."

"그럼 그리로 가자."

"돈이 없다."

"아까 받은 것은 쇠붙이냐?"

"나두 보았다."

"보았으니 어떻단 말이냐? 여비[23] 조로 1,000원 받았다."

"잘했다. 그놈 가지고 마시자."

"세무서 주사[24]는 공술[25] 좋아하기냐?"

"선생보다 덜 좋아한다."

"학생도 술 마시기냐?"

"마시기 시작하면 선생보다 더 잘 마신다."

"좋다. 가자."

그들은 두 걸음 나아가고 한 걸음 물러서면서 서울집으로 향한다. 서울집은 그날따라 조용하다. 술 마실 사람들이 아마 딴 곳으로 몰린 모양이다. 대문을 활짝 열어 놓고 맞아 주지 않는 것이 그들에게는 불만이다. 전깃불이 들어오지 않는 촌락의 밤은 한결 더 어둡다. 그들은 고함을 지르면서 주먹으로 문짝을 친다.

---

23 여비 여행하는 데에 드는 비용.
24 주사 (남자의 성 뒤에 쓰여) 그를 높여 이르는 말.
25 공술 공짜로 얻어먹는 술.

"술 파시오."

"돈 버시오."

"손님이오."

그러자 대문짝 비슷하게 생긴 여러 개의 문짝들 중에서 맨 가엣것이 삐걱 소리를 내면서 열리더니 사람의 머리가 하나 쑥 나타난다.

"웬 사람들이슈?"

"돈 주께 술 파시오."

"하하, 여기선 술을 안 파는데요. 이다음 집에 가 보슈."

"여기선 뭘 파우?"

"여긴 여인숙이오."

"정말 그렇군. 간판이 없는데, 낮에 본 간판 말야."

"여인숙 간판은 있을 거 아냐?"

"아, 간판 없이 손님을 받죠."

"그럼 대문이라도 따 놔야지."

"9시 막 버스가 지나가면 손님이 없습죠."

"우린 손님 아니우?"

"우린 이 집 손님이 아니지. 이다음 집 손님 아냐."

"난 이 집 손님이 됐으면 좋겠어. 한숨 자고 싶은데."

김 씨는 벌써 집 안으로 들어가고 있다. 두 사람은 어이가 없는 모양이다.

"학생, 하, 학생."

그러나 그는 뒤도 돌아보지 않는다. 마당이 어둠 속에서 희끄무레하게 빛나고 있다. 그리고 그 저편에 시커먼 마루가 있고 불빛이 비친 방문이 있다. 그 방문이 열리고 남폿불이 쑥 나온다. 그는 그리로 성큼성큼 다가가서 마루에 걸터앉는다. 소년이 남포를 기둥에 걸고 방을 치운다.

"들어가두 괜찮으니?"

그는 대답을 기다리지 않고 마루 위로 오른다. 걷기보다는 몸을 위로 올리기가 더 힘들다. 바깥이 조용해진다. 아마 주사와 선생은 술집으로 간 모양이다. 소년이 책 나부랭이를 챙겨 가지고 나온다. 부러진 연필 토막이 희미한 남포 불빛을 받아 눈에 띈다. 그는 비틀거리면서 허리를 굽히고 방 안으로 들어선다. 어둡고 냄새가 고약하다. 소년이 불을 가지고 방으로 들어와 벽 중간께에 있는 못에다가 건다. 호야[26]가 양철에 부딪치면서 소리를 낸다. 소년이 나간다. 그는 불 건너편 벽에 기대앉아서 담배를 피워 문다. 연기를 내뿜는다. 불꽃이 한참 있다가 흔들린다.

소년이 침구를 안고 다시 들어온다. 그리고 그것을 편다. 일어설 때 보니 가슴에 훈장이 달려 있다. 그는 그를 가까이 불러서 그 훈장을 들여다본다. 둥근 바탕에 가로로 5년 2반이라 쓰여 있고 그것을 가로질러서 세로로 반장이라 쓰여 있다. 조잡한 비닐 제품이다.

"너 공부 잘하는구나."

"예. 접때두 일등했어요."

아, 이건 뻔뻔스럽구나, 못생기고 남루한 옷을 입은 주제에.

"여기가 너희 집이니?"

"아녜요. 여긴 이모부 댁이에요. 저이 집은요, 월출리예요, 여기서 30리나 들어가요."

가난한 대학생. 덜커덩거리는 밤의 전차. 피곤한 승객들. 목쉰 경적 소리. 종점에 닿으면 전차는 앞뒤 아가리를 벌리고 사람들을 뱉아[27] 낸다. 사람들은 어둠 속으로 빠져 들어간다. 초라한 길가 상점들의 희미한 불빛들이 그들을 건져 낸다. 그들은 고개들을 가슴에 묻고 조금씩 다시 어둠 속으로 사라져 간다. 그리고 은밀히 하나씩 둘씩 골목들 속으로 자취를 감춘다. 가난한 대학생 앞에 대문이

---

26 호야 '등'의 방언.
27 뱉아 규범 표기는 '뱉어'이다.

나타난다. 그는 그 앞에 선다. 뒤를 돌아본다. 그리고 망설인다. 아, 이럴 때 쾅 쾅 두드릴 수 있는 대문이 있다면 얼마나 좋으랴! 그는 주먹을 편다. 편 손바닥으로 대문을 어루만지듯 흔든다. 또 흔든다. 고무신짝 끄는 소리가 들려온다. 식모의 고무신짝은 겸손하게 소리를 낸다. 그는 안심한다. 안심이 배 속으로 쑥 가라앉는다.

"학곤 여기서 다니니?"

그는 눈을 게슴츠레하게 뜬다. 심지를 줄인 남폿불이 눈앞에서 가물거리고 있을 뿐 소년은 보이지 않는다. 방바닥이 뜨뜻하다. 술이 점점 더 취해 오른다. 그는 옷을 입은 채 허리를 굽히고 손발을 이부자리 밑으로 쑤셔 넣는다. 넥타이를 풀어야지. 그러면서 그는 눈을 감는다.

"일등을 했다구? 좋은 일이다. 열심히 공부해라. 기회는 얼마든지 있다. 미국, 영국, 불란서[28] 어디든지 갈 수 있다. 내 돈 한 푼 안 들이고 나랏돈이나 남의 돈으로 얼마든지 공부할 수 있다. 돈 없는 건 걱정할 필요가 없다. 흔한 것이 장학금이다. 머리와 노력만 있으면 된다. 부지런히 공부해라, 부지런히. 자신을 가지고."

그러나 그의 말을 듣고 있는 사람은 아무도 없다. 또 알아들을 수도 없다. 그는 입을 다물고 흥얼거렸다. 그 말이 끝나자 그의 머릿속에는 몽롱한 가운데에 하나의 천재가 열등생으로 변모해 가는 과정들이 하나씩 떠오른다. 너는 아마도 너희 학교의 천재일 테지. 중학교에 가선 수재가 되고, 고등학교에 가선 우등생이 된다. 대학에 가선 보통이다가 차츰 열등생이 되어서 세상으로 나온다. 결국 이 열등생이 되기 위해서 꾸준히 고생해 온 셈이다. 차라리 천재였을 때 30리 산골짝으로 들어가서 땔나무꾼이 되었던 것이 훨씬 더 나았다. 천재라고 하는 화려한 단어가 결국 촌놈들의 무식한 소견에서 나온 허사였음이 드러나는

---

28 불란서 '프랑스'의 음역어.

것을 보는 것은 결코 즐거운 일이 못 된다. 그들은 천재가 가난과 끈질긴 싸움을 하다가 어느 날 문득 열등생이 되어 버린다는 사실을 몰랐다. 누구나가 다 템스강에 불을 처지를 수야 없는 일이다. 허옇게 색이 바랜 짧은 바지를 입고 읍내까지 몇십 리를 걸어서 통학하는 중학생. 많은 동정과 약간의 찬탄. 이모 집이나 고모 집이 아니면 삼촌이나 사촌네 집을 전전하면서 고픈 배를 졸라매고 낡고 무거운 구식의 커다란 가죽 가방을 옆구리에다 끼고 다가오는 학기의 등록금을 골똘히 생각하며 밤늦게 도서관으로부터 돌아오는 핏기 없는 대학생. 그러다 보면 천재는 간 곳이 없고, 비굴하고 피곤하고 오만한 낙오자가 남는다. 그는 출세할 일이라면 무엇이든지 할 준비가 되어 있다. 어떠한 것도 주임 교수의 인정을 받는 일보다 더 중요하지 않다. 외국에 가는 기회는 단 하나도 그의 시도를 받지 않고 지나치는 법이 없다. 따라서 그가 성공할 확률은 대단히 높다. 많은 것들 중에서 어느 하나만 적중하면 된다. 그런데 문제는 적중하느냐 않느냐가 아니라 적중하건 안 하건 간에 아무런 차이가 없다는 데에 있다. 적중하건 안 하건 간에 그는 그가 처음 출발할 때에 도달하게 되리라고 생각했던 것으로부터 사뭇 멀리 떨어져 있는 곳에 와 있음을 깨닫는다. 아 –, 되찾을 수 없는 것의 상실임이여!

그는 꿈틀인다. 눈을 감은 채 일어나 앉더니 외투와 저고리로부터 동시에 빠져나온다. 아까보다는 편한 자세로 다시 눕는다. 그리고 잠 속으로 빠져 들어간다. 이내 코를 골기 시작한다.

"네가 잘나 일색[29]이냐."

"내가 못나 박색[30]이냐."

"돈이 좋아 일색이고, 돈이 없어 박색이지."

---

29 일색 뛰어난 미인.
30 박색 아주 못생긴 얼굴. 또는 그런 사람.

"옳고!"

술상을 가운데 두고, 선생은 누워 있고 주사는 앉아 있다. 여자는 그 사이에 있다. 선생이 천장을 향해서 소릴 지른다. 옳고!

여자가 하품을 한다. 주사가 여자의 손목을 잡아끈다. 여자가 킬킬거린다. 주사는 힘이 세다.

"아까 올 땐 박 씨와 재밀 봤으니 이젠 나허구 재미 좀 보자."

이 씨가 여자를 끌어안는다. 여자가 버둥대면서 남자의 품으로부터 빠져나온다. 남자가 여자의 허벅지를 꼬집는다. 여자가 소리를 지르면서 치마를 걷어 올리고 허연 허벅지를 들여다본다. 심지를 돋운 남폿불이 벽에서 펄럭인다.

박 씨는 누워서 말똥말똥 천장을 쳐다보고 있다. 그는 주사가 밉다. 주사는 멋쟁이이고 또 춤을 잘 춘다. 언젠가 그가 그의 아내에게 춤을 가르쳐 주겠다고 팔을 내밀며 허리를 붙잡았을 때 옆에 있던 그는 그녀가 발칵 화를 낼 것을 기대했었지만 그녀는 킬킬거리면서 방 밖으로 달아났을 뿐 결코 노여워하지 않은 적이 있다. 슬쩍 떠보느라고 "이 주사는 정말 재미있는 사람이야."라고 그가 말했을 때, 그녀가 "정말 그래요."라고 대답했으므로 그는 대단히 실망을 했다. 늙은 대학생 김 씨라면 그는 안심한다. 우선 그는 몸치장을 할 줄 모르고 사람 사귀기를 좋아하지 않고 말수가 적다. 하루 종일 방구석에서 뒹굴 수 있는 것은 그들 셋 중에서 대학생뿐이다. 가만 놔두면 그는 하룻커녕 일주일이라도 엎치락뒤치락하면서 혼자 지낸다.

"학생은 진짜 잠자는 모양이지?"

박 씨가 술상 너머로 넌지시 이 씨를 건너다본다. 이 씨는 스웨터 밑으로 여자의 가슴을 더듬는 중이다.

"정말! 또 한 분은 어딜 가셨어요?"

정말 이 씨는 뻔뻔스럽다. 자기가 아주 잘났다고 생각하는 것까지는 좋은데 그것을 거침없이 남에게 드러낸다. 여자만 보면 그는 매력적이라고 생각되어지는 미소를 자신만만하게 띄운다. 그것이 여자에게는 매력적일는지 몰라도 옆에 있는 남자에게는 구역질 나고 그렇게 천격[31]일 수가 없다. 이것은 질투와는 다른 감정이다. 그는 잠자는 시간을 제외하면 한시도 집에 붙어 있지 않는다. 오후에는 느지막하게 퇴근을 하는데 대개 "아, 한 큐 잡았더니 몸이 가뿐하다."라든가 "오늘은 장 씨 부인을 만나서 한바탕 돌았지."와 같은 말들과 함께 들어온다. 유부녀를 껴안고 빙빙 도는 것이 그에게는 자랑인 모양이다. 그러면 김 씨는 눈을 껌벅거리면서 벽이나 천장만 바라보고 있다. 남의 행동의 옳고 그름을 따지고 싶은 생각이 그에게는 없다. 그들은 그를 법 없이도 살 사람이라고 부른다. 그는 그를 좋아한다. 아무도 그를 싫어할 수 없다.

"너 가서 대학생 데리고 온."

"어머, 대학생!"

"아까 버스에서 나허구 나란히 앉아 있던 양반 말야. 창밖만 내다보구 있었지만 속은 엉큼하다. 옆집에 있는데 지금쯤 늘어지게 한숨 잤겠지. 가서 깨워도 싫어하지 않을 거다. 오늘 밤 밤샘 한번 해 보자."

여자는 주의 깊게 듣는다. 박 씨도 듣고만 있다. 박 씨는 눈꺼풀이 무겁다. 여자가 살며시 일어서자 기대고 있던 이 씨는 비스듬히 모로 쓰러져서 방바닥에 녹아떨어진다[32]. 여자가 조용히 방문을 여닫고 밖으로 나간다. 남폿불이 펄럭인다.

밖으로 나온 여자는 놀란다. 그녀는 신발을 끌고 마당 가운데로 나선다. 눈이 하얗게 쌓였고 또 소리 없이 내리고 있다. 고개를 뒤로 잦히고[33] 하늘을 쳐다본다. 점점이 검게 눈송이들이 하늘에 꽉 차 있다. 얼굴 위에 와서 닿는 그것들의 감촉은 상쾌하다. 그녀는 입을 떡 벌린다.

---

31 천격 낮고 천한 품격.
32 녹아떨어지다 나른하여 정신을 잃고 자다.
33 잦히다 뒤로 기울이다.

"아, 신부는 좋겠네. 첫날밤에 눈이 쌓이면 부자가 된다는데. 복두 많지."

그녀는 두 눈을 껌벅인다. 수많은 눈송이들이 눈앞에서 명멸한다[34]. 그녀는 신부의 얼굴을 모른다. 그러나 모든 신부들은 똑같은 하나의 얼굴을 가지고 있을 것 같다. 그것은 행복, 기대, 불안. 또는 그 전부…… 그녀는 고개를 떨어뜨린다. 무릎을 굽히지 않고 다리를 쭉 편 채 신발을 질질 끌어서 쌓인 눈 위에 두 갈래 길을 낸다. 그녀는 그렇게 마당을 빙빙 돈다. 눈송이가 금세 금세 머리 위에 얹힌다. 그녀는 문득 신발 끄는 일을 그만둔다. 문간으로 간다. 그리고 고양이처럼 소리 없이 대문을 비집고 밖으로 나간다.

눈은 길 위에도 쌓이고 있다. 쌓인 눈 위에 떨어지는 제 발끝을 내려다보면서 마치 100리라도 걸을 듯이 그녀는 걷는다. 방금 쌓인 눈은 밟혀도 소리를 내지 않는다. 세상은 참으로 조용하다. 그녀는 옆집 여인숙의 샛문[35]께로 간다. 비사리 사이로 손을 비집어 넣어 손쉽게 사립문을 연다. 솜 같은 눈덩이들이 부슬부슬 떨어진다. 그녀는 집 안으로 들어선다. 손님을 받는 방은 둘인데 그중의 하나에 불이 켜져 있다. 그녀는 잠시 망설이다가 그리로 간다. 마루 위로 기어 올라가서 뚫어진 창호지 틈으로 방 안을 들여다본다. 한 사내가 희미한 불 밑에 웅크리고 누워 있다. 그녀는 흠칫 뒤로 물러난다. 그리고 불이 꺼진 그 옆방 앞으로 간다. 문에다가 입을 댄다.

"꼬마야, 꼬마야."

아무 대답이 없다. 문을 흔들어 본다. 역시 반응이 없다. 그녀는 다시 불 켜진 방 앞으로 간다. 그리고 방문을 연다.

김 씨는 네 다리를 이불 밑에 쑤셔 넣은 채 새우처럼 등을 굽히고 옆으로 누워 곤히 자고 있다. 여자는 그 얼굴을 들여다본다. 낮에 본 사람이 분명하다. 대학생! 그녀는 살포시 김 씨의 어깨를 밀어서 바로 눕힌다. 넥타이가 목에 켕기

---

34 명멸하다 나타났다 사라졌다 하다.
35 샛문 정문 외에 따로 드나들도록 만든 작은 문.

는지 턱을 좌우로 흔든다. 츳, 츳, 옷두 벗지 않구. 가엾어라. 그녀는 누나가 되
고 어머니가 된다. 넥타이를 풀고, 이불을 젖혀서 바지를 벗기고, 와이셔츠를 벗
기고, 요를 바로 펴고…… 김 씨가 꿈틀하더니 일어날 듯하다가 다시 요 밑으로
파고든다. 여자는 화가 난다. 그의 팔다리를 요 밑에서 빼어 내고 그를 안아서
간신히 요 위에 눕힌다. 그리고 이불을 끌어다가 덮어 준다. 베개를 바로 베 주
고 그대로 엎드려서 그 얼굴을 들여다본다. 대학생!

남폿불이 피시식 소리를 낸다. 그녀는 일어나서 방바닥에 널려 있는 옷들을
주섬주섬 벽에다 건다. 남포는 호야가 시커멓다. 그녀는 고개를 숙이고 위에서
부터 남포 호야 속으로 살며시 바람을 불어넣는다.

밖에서는 눈이 소복소복 쌓이고 있다. 그녀가 남겨 논 발자국을 하얗게 지우
면서.

(1968년)